Für Jessica, es ist auch ihre Stadt

Zu der Zeit war kein König in Israel;
ein jeglicher tat, was ihn recht deuchte.
BUCH DER RICHTER, 21,25

Teil 1

I

Die *East Belfast Community News* (Gratiszustellung an nachweislich 31 094 Haushalte) ist, wie der Name schon sagt, eine Zeitung, die ihre Grenzen kennt. Was keineswegs heißen soll, dass sie nicht auch über harte Fakten berichtet. Neben den Bildern von Stadträten, die im Kükenkostüm für wohltätige Zwecke sammeln, und von Komikern, die einen Basketball zu hoch über springende Schulkinder halten, neben den Anzeigen für Teppichsonderangebote, für echte Rabatte bei echten Kiefernmöbeln und echten Lederwaren, neben den Reportagen über baufällige Häuser und umstrittene Zufahrten, deren Lektüre den meisten Menschen – von 31 094 Haushalten einmal abgesehen – selbst bei Gratiszustellung noch zu viel verlangt schiene, finden sich Woche für Woche auch Berichte über Gewalt, wie sie allen vertraut ist, die je in diesem Stadtteil gewohnt haben, den man früher zu Recht das »innerstädtische Gewerbegebiet« nannte, eine Gewalt, die so typisch für eine Gegend ist, in der seit drei Jahrzehnten einfach alles – von unterschiedlichen Weltanschauungen über eine steigende Zahl von Autodiebstählen bis hin zu der simplen Tatsache, dass jemand allzu Auffälliges gesichtet wurde – Grund für paramilitärisches Einschreiten bietet.

Nicht mal im Sommer herrscht bei diesem Ost-Belfaster Lokalblatt Flaute. Sommerzeit ist die Zeit der Märsche, die Zeit lang geplanter oder spontaner Freudenfeuer und (um eine beliebte Saisonfloskel zu benutzen) der Konfrontationen an den Schnittstellen der Konfessionen. Da hiermit Spalte um Spalte gefüllt wird, ist es also nicht weiter verwunderlich, dass Ost-Belfast keineswegs eine geschlossene, harmonische Gemeinschaft genannt werden kann.

Und dennoch kennt auch diese Zeitung eine Sauregurkenzeit. Eine der größten sauren Gurken mitten im Sommer 2000 war der Bericht über einen presbyterianischen Geistlichen, ehemals Juniormanager bei einer führenden nordirischen Bank, der diese Laufbahn aber Anfang der Neunzigerjahre aufgab und zum Zeitpunkt des Artikels schon seit fast anderthalb Jahren Priester einer keine zwei Meilen außerhalb des Stadtzentrums gelegenen Kirche war.

Unter dem nicht gerade originellen Titel ›Von Erlösen zum Erlösen‹ steckt Reverend Ken Avery (34) hinter einem Stapel Kollektenteller den Kopf hervor und lächelt das Lächeln jener, die von Lokalzeitungen überall auf der Welt dazu verleitet werden, derartige Posen einzunehmen – unsicher, doch sich bereitwillig fügend –, den Priesterkragen, passend zum saloppen, hemdsärmligen Bericht, ans saloppe kurzärmlige Hemd gesteckt. Der Geistliche gesteht, er müsse sich erst noch daran gewöhnen, Reverend und nicht einfach bloß Ken Avery zu sein – für seine Freunde heiße er noch einfacher stets nur *Avery* –, und bekennt später (mit einem, wie die Zeitung schreibt, *Augenzwinkern*), er sei niemals gut darin gewesen, lange Passagen aus der Bibel zu zitieren, von den sprichwörtlichen Stellen Erstes Buch Mose 1,1 und Johannesevangelium 3,16 einmal abgesehen.

Es war diese letzte Bemerkung, die am folgenden Montag den Gläubigen einer Sektierergruppe des Presbyterianismus – der reineren Form, wie er gewiss behauptet hätte – veranlasste, während des Mittagsprogramms den lokalen Radiosender anzurufen.

Was für ein Mensch, fragte der Anrufer so eifrig, dass er fast über die eigene Zunge stolperte, was für ein *Geistlicher* gar behauptete auch nur im Scherz, er kenne die Heilige Schrift nicht, das uns überlieferte Wort Gottes? Hatte nicht Christus selbst im Matthäusevangelium Kapitel dreizehn und zweiundzwanzig Folgendes gesagt …

Doch das war erst der Anfang. In den nächsten eineinviertel Stunden wollte jeder zweite Anrufer seine Meinung über Reverend Ken Avery loswerden. Der Moderator klagte, wozu er oft Anlass hatte: Leute, da draußen finden Kriege statt, Naturkatastrophen, Geschehnisse von großer *politischer* Bedeutung. Müsst ihr unbedingt *darüber* reden?

Trotzdem führte er am nächsten Tag ein Livetelefonat mit Reverend Ken Avery. Also, was hat es damit auf sich, dass Sie die Bibel nicht kennen?

Der Geistliche erwiderte, womit zu rechnen gewesen war: Seine Bemerkungen seien aus dem Zusammenhang gerissen worden.

Er sei nie gut darin gewesen, wiederholte der Moderator aus dem Artikel, lange Passagen aus der Bibel zu zitieren, vom allgemein Bekannten einmal abgesehen. Das klingt doch ziemlich eindeutig. Hat Ihre Gemeinde nicht ein Recht darauf, etwas mehr als das *allgemein Bekannte* von Ihnen erwarten zu dürfen?

Reverend Ken Avery hatte die gestrige Sendung offenbar nicht gehört und bis zu diesem Augenblick vermutlich auch noch nicht begriffen, wie ernst die Lage für ihn war. Wissen und Gedächtnisleistung seien nicht dasselbe, gab er zurück. (Jene, die zwar das Foto im Ost-Belfaster Lokalblatt gesehen, ihn aber nie hatten reden hören, mochte die plötzliche Härte in seiner Stimme überraschen.) Nur weil er einen Verstand habe, der sich nicht an einen genauen Wortlaut erinnern könne, hieße dies nicht, er wisse nicht, wo man in der Schrift nach den nötigen Stellen zu suchen habe.

(Eine Konkordanz nannte man das. Alle Geistlichen benutzten so etwas.)

Der Moderator, dem Gerüchte nachsagten, er sei in einem früheren Leben Leiter der Belfaster Drogenfahndung gewesen, und der nun klang, als suchte er bereits in den Papieren auf seinem Tisch nach dem nächsten Gesprächsthema, wechselte vom bösen Cop zum nicht ganz so bösen Cop und fragte den Geistlichen, ob er den Hörern zum Abschluss nicht wenigstens einen – und behaupten Sie bloß nicht, Sie wüssten keinen – Bibelvers aufsagen könnte.

Nun, nicht gleich einen ganzen Vers, sagte der Geistliche, eine Zeile aus dem vierzehnten Kapitel, Vers fünf, des Briefes von Paulus an die Römer: Ein jeder sei in seiner Meinung gewiss.

Ein guter presbyterianischer Spruch, sagte der Sprecher, der offenbar gefunden hatte, wonach er suchte, sodass er sich jetzt aufmerksam und zum Schluss auch versöhnlich geben konnte.

Reverend Ken Avery, dem klar wurde, dass er in den folgenden Sekunden vermutlich zu mehr Menschen sprechen würde als im Rest seines ganzen seelsorgerischen Lebens, sagte, so versuche er, alle großen Entscheidungen und Probleme anzugehen, denn wenn man sich seiner eigenen Meinung nicht gewiss sein könne, was bliebe einem dann noch?

Wie wahr, wie wahr, sagte der Sprecher. Ihr habt es gehört, Leute. Und wenn ihr uns die Meinung sagen wollt, zu Reverend Ken Avery oder zu was anderem, dann ruft uns einfach unter den bekannten Telefonnummern an.

Am nächsten Tag hatte sich das Thema gründlich erschöpft, noch einen Tag später wurde die neue Ausgabe der *East Belfast Community News* an 31 094 Haushalte verteilt, und weitere drei Tage später stieg Reverend Ken Avery anderthalb Meilen östlich vom Stadtzentrum auf die Kanzel, um seinen siebzigsten Sonntagsgottesdienst abzuhalten.

Lasset uns heute Morgen unsere Andacht damit beginnen, gemeinsam Psalm Nummer dreiundzwanzig zu singen. *Der Herr ist mein Hirte, mir wird nichts mangeln*, hob Avery an und stellte das Mikrofon ab, sobald der an der Orgel sitzende Gregory Martin die erste Strophe wiederholte und der Gemeinde, die langsam auf die Füße kam, damit den Ton vorgab.

An diesem ersten Sonntag im August hatte die Gemeinde fünfundneunzig Füße. Michael Simpson betrat und verließ die Kirche im Rollstuhl, beharrte in der Zeit dazwischen aber bei jeder Gelegenheit darauf, sich zu erheben, mit einer Hand das Gesangbuch, mit der anderen die Kirchbank umklammernd, um so jenen Feiglingen zu trotzen, die vor einem Dutzend Jahren eine Autobombe unter seinem Sitz angebracht hatten, durch die ihm ein Bein, seinem Kollegen bei der Royal Ulster Constabulary, der RUC, aber das Leben genommen worden war.

Achtundvierzig Menschen in einer Kirche, die weitere vierhundertzweiundfünfzig Sitzplätze bot, mussten einfach verloren klingen und wirken, doch war man zu dieser Sommerzeit dankbar für jeden, der kam, die besonders Gläubigen, vor allem die Alten und einzelne junge Paare, die für ihre Hochzeit im September die obligatorischen Andachtstunden absaßen. Urlauber als Besucher waren zwar nicht gänzlich unbekannt, doch da dieser Teil Ost-Belfasts weder Attraktionen noch Unterbringungsmöglichkeiten für Touristen bot, handelte es sich bei ihnen zumeist nur um jene, die aus dem Ausland heimkehrten, um ihre Familien zu besuchen.

In diese Kategorie, entschied Avery, dessen Blick beim Singen von Gesicht zu Gesicht huschte, fiel gewiss auch der Mann, der allein rechts vom Mittelgang in der fünft- oder sechstletzten Bank stand, den Blick zur Decke gewandt, als sei er auf der Hut vor dem Öl, mit dem der Herr jeden Augenblick sein Haupt salben könnte.

Avery blinzelte. Vergib mir, bat er lautlos. Die Orgel spielte die letzte Strophe *fortissimo*, und er schlug nun selbst die Augen zur Decke auf und ließ seine Gedanken und Lippen die Worte *meine Güte* und *hab Erbarmen* formen.

A-, sang die Gemeinde und fuhr dann einen Halbton tiefer fort, *-men*.

Avery wandte sich zum Mikrofon um. Lasset uns beten.

Ein Motorrad fuhr auf der Hauptstraße vorbei, sein Knattern durchbrach die Stille.

Die Gemeinde setzte sich, stand auf, sang, setzte sich, legte Geld auf die Kollektenteller und lauschte Averys Predigt über Paulus' Brief an die Epheser, zweites Kapitel: Denn er ist unser Friede, der aus beiden eines hat gemacht und hat abgebrochen den Zaun, der dazwischen war.

Es war eine Minute nach halb eins, als er den Schlusssegen sprach. Ein, zwei Augenblicke zuvor hatte die Sonne den Morgendunst fortgebrannt und leuchtete nun ungehindert durch das Buntglasfenster, sodass sich eine purpurrot schimmernde Lichtpfütze auf dem presbyterianisch blauen Teppich im Mittelgang ausbreitete. Durch diese Pfütze schritt Avery, nachdem er die Kanzel verlassen hatte, mal dieser, mal jener Seite zunickend: Michael Simpson, der so sanft und erbarmungslos wankte wie ein Wolkenkratzer im Sturm, Dorothy Moore, dem Besucher von außerhalb, der einen Moment lang aussah, als wolle er ihn ansprechen (dass sich jemand bedankte, sollte schon vorgekommen sein), hätte Averys unbarmherziger, kopfnickender Schwung ihn nicht schon einen Schritt an ihm vorübergetrieben – dann noch einen Schritt, bei dem Avery sich fragte, ob er hätte anhalten sollen –, um, vom Andrang in seinem Rücken an einer Umkehr gehindert, gleich darauf vor das Eingangsportal zu treten.

Auf der anderen Straßenseite zog ein Junge mit schwarzer Baseballmütze an der Tür zum Coop-Minimarkt, auf der

›Drücken‹ stand. Ein Mädchen, das vor dem Blumenladen nebenan Ware ausstellte, rief: »Drücken!« Der Junge aber zog weiter und schrie zu ihr hinüber, was der Scheiß solle, er sei schließlich nicht bescheuert.

Die Kühltruhen tun's nicht, hörte Avery jemanden aus dem Ladeninneren rufen. Wir haben noch nicht auf.

Der Junge – er konnte höchstens elf oder zwölf Jahre alt sein – fluchte noch einmal und trat dann erst gegen die Minimarkttür und danach ohne erkennbaren Grund gegen einen Passat, der direkt davor parkte, wodurch dessen Alarmanlage ausgelöst wurde. Einen Moment lang blieb der Junge wie angewurzelt stehen, verkrümelte sich dann aber in eine Seitenstraße. Der Besitzer des Passats rannte aus dem Blumenladen; rote Gladiolenstängel fielen aus dem gemusterten Einwickelpapier, das sich hinter ihm entrollte.

Er ist da die Straße lang, rief einer aus Averys Gemeinde.

Weit kann er noch nicht sein, rief ein anderer, doch interessierte sich der Passat-Besitzer offenbar mehr für den Schaden an seinem Wagen als für eine Verfolgung.

Drei Gesichter – verängstigt, scheu, gleichgültig – schauten nun durch die verschlossene Coop-Tür nach draußen.

Das Mädchen aus dem Blumenladen sammelte die Gladiolen ein. Wenn sie sich bückte, drehte sie die Füße nach innen, als balancierte sie über ein schmales Sims und als sei die Welt jenseits ihres eigenen Schattens voller Fallen und Fanggruben.

In diesem Augenblick trat Frances Avery zu ihrem Mann. An ihrer Seite befand sich, die Handballen an die Ohren gepresst, die bald fünfjährige Tochter der beiden. Für das zweite, noch in Frances' Bauch ruhende Kind mit bislang unbekanntem Geschlecht, waren es, so Gott wollte, nur noch fünfzehn Wochen bis zur Geburt.

Habe ich was verpasst?, fragte Frances.

Lümmel, sagte Dorothy Moore, was aber nicht als Antwort gemeint war, und griff geistesabwesend nach Averys Hand. Dorothy Moore war nicht nur sehr gläubig, sondern außerdem auch sehr alt, und diese zusätzliche Bürde machte sie etwas fahrig. Ich habe den Kleinen erkannt. Kannte auch seinen Vater und Großvater. Sind auch Lümmel gewesen.

Der Alarm wurde abgestellt. Aus einer belaubteren Gegend drang das Summen einer elektrischen Heckenschere herüber.

Misstrauisch nahm Ruth die Hände von den Ohren und schaute über die Schulter zu, wie Michael Simpson rückwärts über die Rollstuhlrampe heruntergefahren wurde. Kurz vor dem fünften Geburtstag war jeder Augenblick voller Wunder.

Avery schüttelte noch eine Hand, dann noch eine, und dann waren keine Hände mehr zu schütteln.

Ich hab schon alles fürs Essen vorbereitet, sagte Frances. Kommst du bald nach Hause?

Nein, warte noch, sagte Avery, es dauert auch nicht lange.

Er ging zurück durch den Altarraum, das Sanktuarium (selten war ein Wort angemessener), und hatte den L-förmigen Flur zu seinem Zimmer schon halb durchquert, als er Guy Broudie traf, den Schriftführer des Konsistoriums.

Da ist jemand, also jemand, Reverend, sagte Guy, und flüsterte dabei so leise, dass Avery ihn bitten musste, es noch mal zu sagen. Guy hob die Lautstärke kaum wahrnehmbar an. Ein Mann wolle mit ihm reden.

Wie sein Beharren darauf, ihn Reverend zu nennen, war Guys Geflüster Folge eines als Beamter in den weit prächtigeren Korridoren des Parlamentsgebäudes in Stormont verbrachten Lebens. Zwar hatte er sich schon vor Jahren am Ufer des Strangford Lough zur Ruhe gesetzt, doch legte er zu jedem Gottesdienst, jeder Sitzung des Ältestenrates und des Finanzkomitees sowie jedem vierteljährlichen Redaktionstreffen die insgesamt dreißig Meilen weite Strecke zu jener

Kirche zurück, in die er schon als kleiner Junge gegangen war. Man hatte Avery versichert, die Leichenbittermiene sei sein üblicher Gesichtsausdruck.

Ich habe ihm schon erklärt, sagte Guy, dass der Reverend nach dem Gottesdienst normalerweise niemanden empfängt.

Avery ahnte, dass auch ihm etwas damit gesagt werden sollte, doch wenn es auch stimmte, dass normalerweise niemand zu ihm kam, gab es doch keine Regel, die vorschrieb, er sei nach dem Gottesdienst nicht zu sprechen. Ist schon in Ordnung, sagte er. Guy zuckte die Achseln, er hatte seine Pflicht getan, und sein Rat war – nicht zum ersten Mal, wie seine Miene verriet – missachtet worden.

Vor der Tür zum Arbeitszimmer des Geistlichen, die Hände hinter dem Rücken verschränkt, den Blick auf die kahle Wand der anderen Flurseite gerichtet, stand jener Fremde, der Avery schon während des Gottesdienstes aufgefallen war. Mitte vierzig, mittelgroß, das Haar irgendwo auf halbem Wege zwischen blond und grau. Avery schritt weiter aus. Tut mir leid, dass Sie warten mussten.

Der Mann drehte sich um. Das Lächeln, dachte Avery bedrückt, wirkte angespannt.

Nicht doch, sagte er. Schön, dass Sie Zeit für mich haben.

Der Akzent klang eindeutiger nach Belfast, als Avery vermutet hätte, doch schwang definitiv noch ein anderer Ton, etwas Schottisches mit. Eine Hand kam hinter dem Rücken hervor und schien sich ihm anbieten zu wollen, doch dann verschwand sie in der Hosentasche.

Seine Bewegungen wirkten vorsichtig, fast verhalten, sodass Avery, als er ihm die Tür aufhielt, um ihn einzulassen, unwillkürlich ein wenig tiefer Luft holte, obwohl ihm eigentlich nichts Besonderes auffiel.

Das Zimmer des Reverends war nicht groß. Ein Schrank von B&Q, ein Tisch, zwei Stühle, in der rechten Wand eine

Tür zur Toilette, die erst im letzten Jahr eingebaut worden war, um den Vorschriften des Kirchengesetzes – »The Code« – Genüge zu tun, von dem ein Exemplar auf einem Regalbrett Buchdeckel an Buchdeckel mit der *Konkordanz nach Cruden* und dem *Lektonarium* stand. Im Schrank hing außer dem Jackett noch Averys geistliches Gewand sowie der bräunliche Overall, den er immer dann anzog, wenn er dem Hausmeister, Ronnie, bei gelegentlichen Arbeiten auf dem Kirchengelände half. Auf dem Tisch stand neben der ledergebundenen Bibel ein Telefon-Fax-Kombigerät, die tiefe, verschlossene Schublade enthielt einen Laptop und einen tragbaren Drucker. Gary Larsens Abreißkalender an der mintgrünen Wand war drei Tage im Rückstand.

Bitte, Herr ..., sagte Avery und ließ Raum für einen Namen – Larry, sagte der Mann – Larry. Er zog den zweiten Stuhl von der Wand vor. Setzen Sie sich doch.

Larry setzte sich umständlich hin und schwieg, während sein Lächeln von Sekunde zu Sekunde schwächer wurde, bis man nach einer halben Minute kaum noch glauben konnte, er hätte je die Kraft dazu gehabt. Etwas war mit seiner äußeren Erscheinung – der zerknitterte Pullover, das Sportjackett –, wie sollte man sagen? Er schien bedrückt, doch gleichsam wie von innen heraus. Und als er sich mit der Hand über die Stirn fuhr, musste Avery die Brauen hochziehen, um die Vorstellung zu verscheuchen, es tropfe Salböl von der Decke des Kirchenschiffs herab.

Haben Sie etwas auf dem Herzen?

Larry blickte zu ihm auf, senkte den Blick, schaute wieder auf und seufzte. Diesmal konnte Avery den unverkennbaren Geruch von nächtlichem Alkohol erkennen: marmeladig, ranzig. Also darum ging es. Schuldgefühle und Selbstverachtung am Morgen danach. Was habe ich nur falsch gemacht, Reverend, seit wann läuft alles schief? In seiner letzten – und ersten – Kirche in Holywood an der Goldküste im Norden der Grafschaft Down waren die meisten Krisen, mit denen sich Avery hatte abgeben müssen, eher spirituösen als spirituellen Ursprungs gewesen.

Wir können Ihnen natürlich keine Beichte mit dem ganzen Tamtam bieten – er wagte ein Lächeln, das nicht erwidert wurde; manchmal klappte es auf diese, manchmal auf andere Weise –, aber wenn Sie offen und ehrlich mit jemandem reden wollen …

Larry wendete den Blick von Averys Gesicht ab. Ist das da okay, fragte er.

Avery sah über die Schulter. Sein Rücken verdeckte die Bibel, ansonsten konnte er nur Telefon und Faxgerät erkennen. Das da? Er wies mit dem Finger darauf. Larry nickte. Sie meinen, ob ich mit beidem zufrieden bin? Ob es gut funktioniert?

Ich meine, ob man uns hören kann.

Avery lachte verblüfft und griff nach dem Hörer. Nur wenn wir jemanden anrufen, sagte er und schlug mit dem Hörer auf die hohle Hand. Ist nur ein normales Telefon.

Der hat eine ganz andere Art von Kater, sagte sich Avery, als Larry erneut aufseufzte und dann gestand: Ich glaube, ich habe Blut an den Händen.

Avery blickte von den fraglichen Händen zur Tür und hielt den Hörer noch ein oder zwei Sekunden länger fest, ehe er ihn behutsam zurück auf die Gabel legte. Sein Mund fühlte sich trocken an. Gestern Abend?, fragte er.

Was?

Das Blut.

Für den Bruchteil einer Sekunde zuckte es um Larrys Mundwinkel.

Während der Troubles, sagte er.

Ach so! Avery war beinahe erleichtert. Jetzt hatte er ihn. *Ich verstehe.*

Seit zwei Jahren wurden aus Nordirlands Gefängnissen die

paramilitärischen Häftlinge entlassen. In Kürze sollte selbst die berühmteste Haftanstalt, das Maze, auch Long Kesh genannt, für immer die Tore schließen. Und während dieser zwei Jahre hatte Avery, wie die meisten Angehörigen des seelsorgerischen Standes, Tagungen besucht, auf denen die möglichen Folgen einer allgemeinen vorzeitigen Entlassung besprochen worden waren. Viele Gefangene hatten während ihrer Haft zum Herrn gefunden, einige waren sogar Pfarrer geworden und predigten in manchen Fällen nun vor ihren eigenen Gemeinden.

Allerdings nahm man an, der großen Mehrzahl werde erst dann die Ungeheuerlichkeit ihrer Taten aufgehen, wenn sie draußen waren und – von ihren Kameraden getrennt – allein zurechtkommen mussten.

Avery dachte an Larrys Worte. *Ich glaube*, ich habe Blut an den Händen. Klassischer Widerstand dagegen, die Verantwortung zu übernehmen.

Er beugte sich vor, Ellbogen auf den Knien, Hände locker ineinander verschränkt. Möchten Sie darüber sprechen?

Liebend gern, sagte Larry, und er klang, als meinte er es ehrlich.

Avery wartete etwa eine Minute. Und?

Larry massierte sich die Stirn. Ich kann mich nicht erinnern.

Sie können sich nicht an das erinnern, was passiert ist, wollte Avery fragen, doch Larry unterbrach ihn.

Weiß nicht, was, weiß nicht, wo, weiß nicht, wann.

Avery kam der Gedanke, ihn zu fragen, wieso er sich dann bei dem *ob* so sicher sei, aber Larry sah verängstigt aus. Die Hände pressten sich jetzt fest gegen die Stirn.

Ist schon in Ordnung, sagte Avery. Ist okay.

Nichts ist okay. Larry wurde lauter. Ich werde noch irre.

Einen Moment herrschte Stille im Zimmer, dann klopfte es. Avery?

Es war Frances. Avery hörte Ruth fragen, was Daddy denn mache und wann es Mittagessen geben würde.

Geht schon vor, rief er. Er wollte seine Tochter weit fort von alldem hier wissen. Ich komme nach.

Larry hatte sich nicht gerührt. Avery lehnte sich auf seinem Stuhl zurück und tastete nach der Bibel. Er nahm sie, legte sie sich in den Schoß, schlug sie beim Lesezeichen auf – 1. Brief Petrus, 2–4 – und versuchte, einige Sekunden Zeit zum Nachdenken zu gewinnen. *Christus der Grundstein* lautete die Überschrift, *Verhaltensregeln* stand auf der gegenüberliegenden Seite.

Ich kriege immer so Erinnerungsschübe, sagte Larry ohne Vorwarnung. Wie Albträume im Wachzustand. Leute sehen mich an, als ob sie wüssten, dass sie sterben müssen, als ob ich es wäre, der sie töten würde.

Avery schlug die Bibel zu.

Nur will irgendwer nicht, dass ich mich erinnere. Man hat an meinem Hirn herumgedoktert.

Die Fingerkuppen hatten weiße Flecken an der Stirn hinterlassen. Avery sah zu, wie die Farbe zurückkehrte, und erst dabei fiel ihm die Narbe dicht unter dem Haaransatz an Larrys rechter Schläfe auf. Drei, vier Zentimeter lang. Er starrte genauer hin. Nein, länger, noch mal zwei Zentimeter, zu schwachem Schimmer verblasst, doch durchgehend.

Oh nein. Das Herz zog sich in ihm zusammen, hinterließ ein hohles, kaltes Gefühl in der Brust. Die Wunde – die Narbe – lief fast am gesamten Haaransatz entlang.

Larry schaute ihm direkt ins Gesicht.

Möchten Sie ein Gebet mit mir sprechen, fragte Avery und war dankbar für die Gelegenheit, die Augen schließen zu können. Vater im Himmel, begann er, der du die geringsten unserer Gedanken und Taten siehst, wir bitten dich heute, stehe deinem Diener Larry in seiner Zeit großer Not und Verwirrung bei.

Im Zimmer war das Geräusch eines Stuhls zu hören, der zurückgeschoben wurde, eine Tür ging auf und schloss sich, Schritte verklangen auf dem Flur. Avery betete weiter. Und sobald wir uns im Geiste der rechten Sache sicher sind, oh Herr, gewähre uns Kraft und Mut, das Nötige zu tun.

Frances fragte ihn beim Mittagessen, was ihn beschäftige.
Nichts, erwiderte er. Warum?
Weil ich dich dreimal fragen musste, bevor du mich gehört hast.

2

Für einen presbyterianischen Geistlichen kommt der Montag in einer normalen Woche einem freien Tag so nah wie möglich. Und an diesem Montagmorgen wurde Avery erst spät wach. Die Stimmen von Frances und Ruth übertönten das unten dudelnde Radio und drangen zu ihm herauf. Es würde wieder ein warmer Tag werden. Frances hatte im Erker die Seitenfenster geöffnet, und der an- und abschwellende Luftzug saugte die Vorhänge nach draußen.

Das Haus – Avery sträubte sich gegen das Wort Pfarrhaus – lag abseits der Hauptstraße, einen strammen, fünfminütigen Fußmarsch von der Kirche entfernt. Wegen seines ländlichen Aussehens und einiger übrig gebliebener Ställe wurde es von einigen Leuten in der Nachbarschaft gern Townsend Grange genannt, so wie damals, als sich die Stadt noch nicht ausgedehnt hatte. Heute grenzte die hohe Hecke auf der einen Seite an das Geländer einer Umspannstation, auf der anderen an den Lagerhof der Firma Tesco Metro. Von den hinteren Schlafzimmerfenstern fiel der Blick über die Hecke auf einen treppenartig angeordneten Block Maisonettewohnungen, von deren Fensterbänken zu dieser Jahreszeit eine verblüffende Vielzahl von Fahnen flatterte: Ulster-Fahnen, Fahnen der UVF und UDA (wenn auch nie nah beieinander), schottische Fahnen, kanadische und australische Fahnen, hin und wieder sogar der Union Jack. Wollte man in diesen Tagen etwas sehen, das auch nur entfernt an ländliche Gegend erinnerte, musste man eine Meile weiter die Hauptstraße entlangfahren und die vier Spuren der Umgehungsautobahn überqueren, ehe man auf stiller Nebenstrecke in ein Tal einbiegen konnte, das zur südöstlichen Vorstadt führte.

Averys Vorgänger hatte fast fünfunddreißig Jahre hier gewohnt, war hier sogar gestorben, und auch wenn das Haus mit jedem nur erdenklichen Komfort eingerichtet war, ließ die Innenausstattung für ein Paar Anfang dreißig mit kleinem Kind doch allerhand zu wünschen übrig. Kleine Kinder! Freiwillige zum Abziehen der Tapeten und zum Streichen gab es jede Menge, aber Frances und Avery wollten, Stück für Stück, möglichst viel allein schaffen. Letzten Montag hatte Avery die Wände der Garderobe unter der Treppe gestrichen, und heute würde er für seine Videos Regale anbringen.

Er war froh, mit solch praktischen Gedanken aufgewacht zu sein, denn letzte Nacht war er nur mit Mühe eingeschlafen. Er hatte nach der Abendandacht noch mit Guy Broudie gesprochen, aber der hatte dem, was er Avery bereits am Morgen gesagt hatte, nichts mehr hinzufügen können. Guy hatte den Mann auf dem Flur gesehen, wie er die Namensschilder an den Türen las. Als er Guy sagte, was er wollte, hatte Guy ihm geraten, zu einem anderen Zeitpunkt wiederzukommen, doch hätte er ebenso gut gegen eine Wand sprechen können.

Frances war eine noch geringere Hilfe. Als sie ins Bett gingen, hatte Avery gefragt, ob ihr vor oder nach dem Gottesdienst jemand Ungewöhnliches aufgefallen sei. Doch Frances hatte mit Ruth alle Hände voll zu tun gehabt. Weißt du, sagte sie, manchmal ist es kein Vergnügen, sie im Zaum zu halten.

Frances sorgte sich, sie könne Hämorrhoiden haben, also war es gewiss verständlich, wenn sie etwas kurz angebunden klang.

Während er am nächsten Morgen um halb zehn noch im

Bett lag, hörte er sie unten lachen, offenbar wieder ganz sie selbst, und er wäre vielleicht noch einmal eingedöst, hätte nicht plötzlich ein LKW gehupt, der rückwärts durch das Tor zum Tesco-Hof fuhr: der Preis, den sie dafür zahlten, dass sie abends noch um acht Uhr in Pantoffeln aus dem Haus laufen konnten, um Schokoladenkuchen und geeisten Bananenjoghurt zu holen.

Er dankte Gott für den gesegneten neuen Tag, schwang die Beine aus dem Bett und trappelte mit den Füßen rasch auf den Boden, um sich in Schwung zu bringen.

Hü-hott, im Galopp, sang er eine weltliche Ermahnung.

Er hätte diese Woche zwei Hochzeiten halten sollen, aber die letzte wurde nur achtundvierzig Stunden vorher abgesagt. Den Mittwochnachmittag verbrachte er daher größtenteils im Haus des untröstlichen Bräutigams. Nein, natürlich sei er kein Langweiler, niemand sei das, Gott habe uns alle auf individuelle Weise interessant gemacht. Ja, drei frühere Freundinnen und seine Verlobte konnten sich *durchaus* irren.

Am Donnerstag ging er mittags zu einem Vortrag in der Stadtmission: Brüche und Bruchteile. Mehr als 9/10 der Menschen auf diesem Globus würden bald in Städten leben. Mehr als 9/10 aller heutigen Stadtbewohner dieser Welt besuchten keinerlei Gottesdienst. Die Frage lautete nun, ob die Kirche die Menschen durch allzu langsame Veränderung verscheuchte oder ob die Veränderungen zu schnell geschahen, sodass die Kirche zu einer der vielen Formen von Unterhaltung verkam, für oder – wie es zunehmend den Anschein hatte – gegen die sich die städtische Bevölkerung entscheiden konnte. Das sechsköpfige Publikum war gespalten, eine ½ gegen die andere ½. Avery neigte mal zur einen, dann zur anderen Seite. Er hing an seinem Kragen, wenn auch nicht an dem dazugehörigen Titel, und er mochte gewisse traditionelle Weisen der Anbetung, das *fürwahr* und *wahrhaftig* der King-James-Bibel, die Hymnen von Isaac Watts, vergaß aber nicht, wie ihn als Teenager eben diese Weisen beinahe aus dem Schoß der Kirche vertrieben hätten.

Als er zu seinem Auto ging, sprach ihn eine Gruppe vorsorglich Regencapes tragender Touristen an. Deutsche auf einem Tagesausflug von Dublin, wie ihr Sprecher erklärte, um Avery dann eine Karte in die Hand zu drücken. Waterfront Hall?, fragte er.

Avery fuhr die Route mit dem Finger ab. Wir sind hier, da wollen Sie hin.

Er erzählte ihnen, es würde ein noch größeres Zentrum gebaut, das Odyssey, gleich an der Mündung des Lagans und direkt gegenüber der Waterfront Hall. Ein Blick könnte nicht schaden.

Die Touristen bedankten sich, zogen los und trugen die Karte dabei wie eine Wünschelrute vor sich her. Der Sprecher blieb ein wenig zurück. Ich hätte gern gewusst, sagte er so verschämt, als spräche er mit einem Zuhälter und nicht mit einem presbyterianischen Geistlichen, wo denn hier alles ist, verstehen Sie?

Avery verstand. Gehen Sie von hier aus einen knappen Kilometer in jede beliebige Richtung, und Sie werden schon drauf stoßen.

Tut mir leid, ist Ihnen doch nicht unangenehm, dass ich Sie gefragt habe?

Nein, erwiderte Avery und wusste, dass er in Berlin, Belfasts einstigem Mauerzwilling, vielleicht dieselbe Frage gestellt hätte.

Während er an jenem Abend in seinem Arbeitszimmer saß und schrieb, stellte er die Nachrichten an und hörte, ein ehemaliger loyalistischer Gefangener sei tot am Fuß einer Klippe in Nordantrim gefunden worden. Die Polizei behauptete, in diesem Zusammenhang keinen Täter zu suchen.

Die Ungeheuerlichkeit ihrer Taten, die ihnen allmählich aufging.

Sie gaben das Alter an, vierundvierzig, und nannten einen Namen, den Avery nicht kannte, doch er hatte keinen Grund anzunehmen, der Mann, der in sein Büro gekommen war, habe nicht die Wahrheit über sich gesagt.

Er musste noch eine weitere unruhige Nacht über sich ergehen lassen, redete sich einen Augenblick lang ein, die Wahrscheinlichkeit spreche dagegen, dass es sich um seinen Mann handle, und war im nächsten Moment davon überzeugt, es könne niemand anders sein. Avery fand jedenfalls nicht, er habe sich wie ein ehemaliger Gefangener angehört, und wenn er sich in einer Phase der Verleugnung befand, war die schon ziemlich weit vorangeschritten. Trotzdem ging Avery am nächsten Morgen gleich als Erstes aus dem Haus, um beide Lokalzeitungen zu kaufen, und blätterte sie durch, sobald er aus der Tür des Ladens trat. Eine brachte ein Bild, die Vergrößerung eines im Gefängnis aufgenommenen Gruppenfotos. Die Qualität war erbärmlich, die damalige Mode irreführend, aber Avery war sicher, dass es nicht sein Mann war.

Warum also, dachte er, als er sich am Sonntagmorgen erhob, um auf die Kanzel zu gehen, empfand er nach all den Sorgen dann Erleichterung, sobald er ins Kirchenschiff blickte und nur die alten bekannten Gesichter entdeckte? Das Mikrofon gab beim Einschalten einen Summton von sich, der jeden Gedanken an die eigene Person auslöschte. Versammelt als Gemeinde lasset uns beten, sagte er.

Es war ein Taufsonntag. Avery stieg von der Kanzel herab, um am Taufstein das Baby entgegenzunehmen. Er sah, wie Frances ihn aus der zweiten Reihe anlächelte, neben ihr Ruth, die das Kinn reckte, um über die Rückenlehne der Bank blicken zu können. Die Eltern des Babys waren kaum zwanzig Jahre alt. Die Mutter hatte Piercinglöcher in der rechten Augenbraue, dem linken Nasenflügel und unterhalb der Unterlippe, aus denen zu Ehren des Anlasses alle Ringe und Stecker entfernt worden waren. Der Vater trug einen Ziegenbart, das blonde Haar orange gefärbt und in der Stirn zu einem schnurgeraden Pony geschnitten. Beide kümmerten sich mit unendlicher Sorgfalt um ihren kleinen Jungen. Das Baby war winzig und fast schien es, als wäre irgendwie die Luft aus ihm herausgelassen worden, doch blinzelte es Avery mit offenen Augen an, als er es sich in die rechte Armbeuge legte, und das Gesicht des Kleinen war schön. Mutter und Vater lächelten, stolz und verlegen. Sie waren auch schön. Avery tunkte die Fingerspitzen ins lauwarme Wasser und benetzte die Stirn des Kindes. Es schniefte in seine Fäuste, als Avery seinen Namen aussprach, Marshall. Unaufgefordert und ohne musikalische Begleitung sang die Gemeinde der Tradition entsprechend in gedämpftem Ton den Aaronitischen Segen: Der Herr segne dich und behüte dich; der Herr lasse sein Angesicht leuchten über dir und sei dir gnädig; der Herr hebe sein Angesicht über dich und gebe dir Frieden …

Avery liebte diesen Augenblick. Niemand konnte in einem solchen Moment daran zweifeln, dass Gott alle Menschen gleich geschaffen hatte. Tragödie und Sünde der Menschheit waren es nur, dass sie sich solche Mühe gab, diese Tatsache zu vertuschen.

Als Avery zur Kanzel zurückkehrte, um die nächste Bibelstelle vorzulesen, war Larry in die Kirche geschlüpft und saß auf demselben Platz, den er auch am Sonntag zuvor eingenommen hatte.

Diesmal hielt sich Avery nach dem Gottesdienst nicht unnötig lang auf den Eingangsstufen auf. Er bat Guy Broudie, seiner Frau zu sagen, er werde ein wenig später nach Hause nachkommen.

Ich freue mich, sagte er, dass Sie zurückkommen konnten.

Larry blickte auf den Kalender an der Wand, der jetzt seit

fünf Tagen nicht mehr abgerissen worden war, und nickte. Diesmal roch er nicht nach schalem Alkohol, immerhin ein Pluspunkt.

Ich habe mir Sorgen um Sie gemacht.

Tut mir leid. Ich wollte Sie nicht beunruhigen.

Avery verkniff sich die Frage, was er denn erwartet habe, wenn er einen Mord gestehe und behaupte, irgendwas mit seinem Kopf stimme nicht. Er wandte den Blick von der Narbe ab, die sich um Larrys Haaransatz schlängelte. Wie ist es Ihnen seit letztem Sonntag ergangen, fragte er.

Nicht gut, sagte Larry gleichmütig. Überhaupt nicht gut, um ehrlich zu sein.

Noch mehr Erinnerungsschübe?

Larry zuckte zusammen.

So schlimm?

Schlimmer, sagte Larry. Sie haben ja keine Ahnung.

Genau das war Averys Problem. Er wollte keinen Druck ausüben, wusste aber nicht, wie sie anders weiterkommen konnten.

Mit schlimmer meinen Sie, dass sie deutlicher geworden sind?

Larry schaute ihm in die Augen, als ließe sich dort erkennen, wohin dies führen sollte.

Avery schüttelte den Kopf, um den Blick loszuwerden. Ich versuche ja nur, Sie zu verstehen.

Sie sind immerhin so deutlich, dass ich weiß, ich habe etwas Schreckliches getan, sagte Larry. Das können Sie mir glauben.

Avery brachte es nicht über sich, ihm zu sagen, er täte genau das, also sagte er erst einmal gar nichts.

Ronnie ging über den Flur, pfiff angestrengt und zog die Melodie in die Länge. Larry strich sich mit einer Hand über die Stirn. Die Frage ließ sich nicht länger umgehen.

Ich will ja nicht unhöflich sein, sagte Avery, aber mir ist

aufgefallen, dass … Mit einem Finger fuhr er kurz seinen eigenen Haaransatz entlang.

Larry seufzte. Das habe ich Ihnen doch zu sagen versucht. Man hat was mit meinem Kopf angestellt.

Mit plötzlichem, tiefem Bedauern fiel Avery ein, dass er Frances und Ruth keinen Kuss gegeben hatte, als er heute Morgen das Haus verließ. Wer soll das getan haben?, stieß er hervor.

Larry stand plötzlich auf und schnipste die Rückseite des Larsen-Kalenders an, sodass die Wand darunter zum Vorschein kam, dann setzte er sich ebenso plötzlich wieder hin. Die Regierung, sagte er. Oder Leute, die was damit zu tun haben. Der MI5, gewisse Kreise in Polizei oder Armee. Man hat versucht, mein Gedächtnis auszulöschen.

Der Mann braucht einen Arzt, dachte Avery. Und warum sollten die so etwas tun?, fragte er.

Wegen der Dinge, die ich weiß, sagte Larry, und die ich für sie getan habe.

Morde? Avery versuchte, seine Frage nicht zustimmend klingen zu lassen.

Ja.

An die Sie …

An die ich mich nicht erinnern kann, ja.

Larry zuckte mit den Achseln, als wisse er um die Schwierigkeiten, die Avery damit haben musste, als wolle er sagen, er würde ihm, um ihrer beider willen, wirklich gern mehr davon erzählen, wenn er nur könnte.

Avery legte beide Zeigefinger an die Nase, sodass sie einen spitzen Winkel bildeten. Haben Sie mit sonst jemandem darüber geredet?

Larry war wieder auf der Hut. Mit wem zum Beispiel?

Ich weiß nicht. Mit Ihrer Familie, einem Freund … Er warf einen Blick auf Larrys Finger, suchte nach einem Ring, fand aber keinen … Jemandem, der Ihnen nahesteht.

Ach, Larry schüttelte den Kopf. Es gab da mal jemanden, aber ich konnte ihr nicht trauen. Ich musste sie verlassen.

Avery ließ die Augen zufallen, während er über die Bedeutung des Gehörten nachdachte. Er vertraut mir. Avery schlug die Augen wieder auf. Sind Sie, Larry – soweit Sie sich erinnern können –, je Mitglied der presbyterianischen Kirche gewesen?

Nein, soweit ich weiß, nicht.

Halten Sie sich gegenwärtig für einen religiösen Menschen?

Nein, eigentlich nicht.

Aber warum wenden Sie sich dann an einen Geistlichen?

Darauf schien Larry keine Antwort zu haben. Das Zucken der Achseln war diesmal eine Bewegung, mit der er sich entfernte, sich in sich zurückzog. Weiß der Himmel, sagte er schließlich und stand auf.

Avery streckte eine Hand aus, um ihn aufzuhalten. Das war keine Kritik. Und es sollte nicht heißen, dass Sie gehen müssen.

Okay, ich geh aber trotzdem.

Avery sah, wie er die Klinke nach unten drückte. Wenn er jetzt nichts sagte, würde er Larry kein drittes Mal sehen oder hören, davon war er überzeugt. Warten Sie, sagte er, und das Drängen in seiner Stimme überraschte ihn.

Er ging zum Schrank und tastete in der Innentasche seiner Anzugjacke nach der Brieftasche. Nehmen Sie das. Er gab Larry eine Visitenkarte. Darauf sind all meine Nummern. Falls Sie es nicht mehr aushalten.

Larry hielt die Karte beim Lesen mit beiden Händen fest. Danke, sagte er und verschwand.

Einige Augenblicke blieb Avery noch an die Tür gelehnt stehen, den Kopf so voll, dass er sich fast leer anfühlte, dann drehte er sich zum Kalender um und schob den Zeigefinger darunter. Er klopfte an die Wand. Solider Stein.

Weißt du, wen wir schon lange nicht mehr gesehen haben?

Es war Dienstagabend, gerade erst neun Uhr, und Frances und Avery saßen im Wohnzimmer und schauten am Fernsehapparat vorbei in den Himmel, der eine Hälfte des Fensters orangerot färbte.

Wen?

Frances hatte das Kreuzworträtsel des *Belfast Telegraph* gelöst, Füße auf dem Sofa, als Avery von Gemeindebesuchen nach Hause kam. Wäre es Herbst gewesen, hätte er danach vermutlich noch einen Kirchenklub oder einen Verein aufsuchen müssen. Dann wurde es meist halb elf oder elf, ehe er heimkam.

Michele und Tony, sagte er, und massierte ihre Füße, die nun in seinem Schoß lagen.

Michele und Tony?

Avery hob einen Fuß am Knöchel hoch, beugte sich vor und küsste Frances auf die Sohle.

Wie kommst du plötzlich auf Michele und Tony?

Wir haben sie schon länger nicht mehr gesehen.

Wir haben praktisch niemanden gesehen, seit wir hier eingezogen sind.

Genau das hab ich auch gedacht. Wir sollten die beiden zum Essen einladen, ehe Ruthie in die Schule kommt. Er legte seiner Frau eine Hand auf den Bauch. Ehe es für dich zu anstrengend wird.

Leicht ist es jetzt auch nicht gerade, sagte Frances verstimmt und wollte die Beine auf den Boden setzen, als müsste sie gleich mit den Vorbereitungen beginnen.

Hör zu. Avery zog ihre Füße zurück auf seinen Schoß. Wir brauchen uns doch gar keine großen Umstände zu machen. Es ist Sommer, da erwartet keiner eine Staatsaffäre. Ich könnte grillen und von nebenan einen Berg Salate holen.

Ich kaufe doch für unsere Gäste kein Zeugs von drüben. Wenn es schon Salate gibt, dann mache ich sie auch selbst.

Avery zog mit dem Daumenballen feste Kreise um ihre Hacken. Also bist du einverstanden?

Frances griff nach der Zeitung, stierte eine halbe Minute stirnrunzelnd in die Seiten und ließ sie dann wieder sinken. Ich kann es immer noch nicht fassen, dass du Michele und Tony sehen willst.

Aber wer hat mir denn immer vorgeworfen, ich hätte ihnen nie eine richtige Chance gegeben!

Frances machte sich wieder an das Kreuzworträtsel.

Ich dachte an Freitag oder Samstag, sagte Avery. Frances schüttelte den Kopf, nicht weil sie seinen Vorschlag ablehnte, sondern weil sie Avery für unverbesserlich hielt.

Michele und Frances waren nur wenige Straßen voneinander entfernt aufgewachsen, aber erst enge Freundinnen geworden, als sie zur Universität gingen. Gleichermaßen verschüchtert traten beide dem Theaterverein bei. Avery lernte die zwei zur selben Zeit kennen. Er arbeitete damals in der Universitätszweigstelle der Bank und half Michele, ein Konto einzurichten. Stu, einer der anderen Bankangestellten, der sich was auf seine Chancen bei den Erstsemestern einbildete, krallte sich Frances. Avery konnte ihn auf der anderen Seite der Trennwand flirten hören. Er vernahm Frances' helles Lachen. Michele lugte einige Male um die Ecke, um nachzusehen, was da vor sich ging. Mein Gott, sagte sie, dein Konto macht offenbar viel mehr Spaß als meines.

Natürlich konnte sich Frances daran nicht mehr erinnern. Michele wahrscheinlich auch nicht, aber auf einer Party, Jahre später, verdrehte sie Averys Erinnerungen auf ihre Weise, indem sie sagte, was für eine schreckliche Trantüte er damals doch gewesen sei, und dass sie ihn nach jenem Tag noch oft am Schalter gesehen habe, wie er mit rotem Kopf und offenem Mund zu ihnen herübergestiert habe, wenn sie mit Frances durch die Drehtür gekommen sei.

Dabei stand Avery zu jener Zeit seiner Bankkarriere kaum noch hinter dem Schalter. Natürlich sah er Michele und Frances, doch meist nur durch Jalousien hindurch oder über den Rand des großen Bankcomputers hinweg. Es dauerte zwei Jahre, bis es ihm gelang, mit Frances zu sprechen. Inzwischen war er in die Filiale im Stadtzentrum versetzt worden, ging aber immer noch zur Bibelgruppe, die sich in der Nähe der Universität traf. Frances erschien dort eines Tages mit einer Freundin. (Frances war nur zur moralischen Unterstützung mitgekommen, doch war es die Freundin, die kein zweites Mal kam.) Michele wohnte damals schon mit Tony zusammen und trieb sich mit seinen Medizinerfreunden herum. Sie und Frances sahen sich kaum noch.

Es folgte eine Reihe kläglicher Versuche, zu viert miteinander auszugehen. Einmal stieß Tony dermaßen betrunken dazu, dass er sogar den Mund aufbekam und redete, bis er sich dann schließlich irgendwann übergeben musste. Als Avery mit der Ausbildung zum Geistlichen begann, kamen Tony und Michele ebenso wie eine Reihe anderer Leute zu dem Schluss, er verspüre offenbar kein Bedürfnis mehr nach einem gesellschaftlichen Leben.

Als Frances und Avery heirateten, lebten Michele und Tony in Saudi-Arabien, wo Tony eine lukrative Stelle als Arzt für die Mitarbeiter der Ölfirmen hatte. Auf ihrer Karte stand ›Herzliches Beileid‹ in Tonys Schrift, doch war ›Beileid‹ durchgestrichen und in Micheles Schrift durch ›Glückwunsch‹ ersetzt worden.

Vor nicht allzu langer Zeit, als Avery noch Assistent in Holywood war, hatten er und Frances sich den Freunden des Musiktheaters angeschlossen und festgestellt, dass Michele ebenfalls zum Verein gehörte. Man traf sich auf dieser oder jener Premierenparty, allerdings stets ohne Tony (wir müssen, müssen, *müssen* uns einfach mal wieder sehen), bis Avery die Anforderungen hier in seiner Gemeinde in Ost-

Belfast vollständig in Beschlag nahmen. Seit Monaten war er nicht mehr im Theater gewesen, und nur sehr wenige Leute hatten, wie von Frances schon erwähnt, aus einem anderen Grund als dem Wunsch nach geistlicher Führung ihre Schwelle übertreten.

Als Student war Tony ebenfalls Kunde bei Averys Bank gewesen, und Avery hatte Gelegenheit gehabt, sich seine Akte anzusehen. Mehr als einmal. Und er hätte so allerhand Geschichten erzählen können. Hätte, tat er aber nicht. So bizarr andere Leute seinen Berufswechsel auch finden mochten, hatte es für seine neue Berufung doch die bestmögliche Vorbereitung bedeutet, in die finanziellen Geheimnisse seiner Freunde eingeweiht gewesen zu sein.

Tony und Michele kamen in einem tiefergelegten, silbernen, autosalonblitzenden Mazda und parkten, wie um den Gegensatz zu betonen, ihren Wagen direkt neben Averys altem Orion, der längst so klapprig war, dass es nur einem erfahrenen Physiotherapeuten gelungen wäre, den Rückspiegel ohne brutale Gewalt zu bewegen. Tony hielt sich mit beiden Händen am Türrahmen des Mazdas fest, als er sich aus dem Beifahrersitz stemmte. Unterhalb des Aufschlags seiner Dreiviertelhose steckte das linke Bein in Gips. Ein gebrochener Fußknöchel.

Fragt nicht, sagte er, doch lieferte Michele, die ihm die Krücke reichte, gleich die Antwort: Jagd auf Nachbars Katzen.

Die pirschen sich an unsere Karpfen ran, sagte Tony wie zur Entschuldigung. Man bräuchte eine Wasserkanone, um die auf Abstand zu halten.

Es gibt da so besondere Duftkügelchen, sagte Frances.

Schon probiert, sagte Tony, und fast schien es, als könnte man die Pointe mit Trompeten und Fanfaren über die Hügelkuppe heraufziehen hören, hab aber nie eine damit getroffen.

Die beiden lassen sich Zeit mit dem Altwerden, hatte Frances nach ihrer letzten Begegnung mit Michele und Tony gemeint. Nicht die geringsten Anzeichen von Verschleiß oder schlaffer Haut waren ihnen anzusehen: Für zehn, fünfzehn Jahre jüngere Leute gedachte Kleidung passte ihnen wie angegossen. Und folglich fielen sie in den von ihnen frequentierten Clubs und Bars auch kaum auf.

Avery fragte sich, ob es an Tonys gebrochenem Fuß lag, dass sie ihre Einladung so kurzfristig angenommen hatten, fand aber bald heraus, dass Michele noch ein anderer Grund zwang, die Dinge dieser Tage etwas langsamer angehen zu lassen.

Avery war mit Tony unten im Garten, um sich um den Grill zu kümmern – Tony hatte darauf bestanden, ihn zu begleiten und bei jedem Schritt vor lauter Schmerz das Gesicht verzogen –, als Frances in der Küche laut ausrief: Aber Michele, das ist ja fantastisch!

Avery sah zu Tony hinüber, und der nickte. Dreizehnte Woche, sagte er. Hatten den ersten Ultraschall an dem Tag, an dem das hier passiert ist. Hättest uns beide mal im Krankenhaus sehen sollen. In *meinem* Krankenhaus.

Avery hatte Kohle an den Händen. Tony winkte ab, als er sich dafür entschuldigte, ihm nicht die Hand schütteln zu können. Ach, weißt doch selbst, dass es nicht so schwer ist, so was hinzukriegen, sagte er mit mehr echtem Kumpelgefühl in der Stimme, als Avery je zuvor von ihm zu hören bekommen hatte.

Tonys Blick folgte dem über die hintere Hecke abziehenden Grillrauch. Von diesem Platz am Ende des Gartens konnte man nur das obere Drittel der Maisonettewohnungen sehen, und das auch bloß von der Seite. Satellitenschüsseln und Fernsehantennen, ein Commonwealth an Fahnen, ein *Jane's Guide* der loyalistischen Kampftruppen. Einfach die besten, verkündete ein Wimpel.

Nette Nachbarschaft, konnte Tony sich nicht verkneifen zu sagen. Dann stapfte er wieder durch den Garten davon und rief dabei zur Küche hinüber: Michele, ist das mitgebrachte Bier schon kalt?

Frances und Avery hatten Bier im Haus – drei verschiedene Sorten – und außerdem noch Wein, doch Tony trank weniger, als Avery es je erlebt hatte, wenn sie zusammen ausgegangen waren. Keine Gesellschaft, natürlich, Frances und Michele ließen es gleich ganz, und Avery blieb bei seinem Zwei-Glas-Limit.

Wodurch es für Avery noch schwieriger wurde, Tony beiläufig zu einem medizinischen Problem zu befragen, über das er rein zufällig nachgedacht hatte.

Erinnerungsvermögen?, fragte Tony. Tja, ist nicht so ganz mein Metier. Er saß auf einem Barhocker, schwenkte eine halb leere Flasche Budweiser und sah zu, wie Avery mit Ruths Hilfe den Geschirrspüler einräumte. Hängt allerdings davon ab, was du genau wissen willst.

Große Teller nach unten, sagte Avery. Vorsichtig, lass Daddy das lieber – braves Mädchen. Gut gemacht.

Er ging zum Klappmülleimer, hielt den Deckel mit dem Handgelenk auf und wischte die übrig gebliebenen Burger hinein. Dann lehnte er sich mit dem Rücken an die Arbeitsfläche. Ich interessiere mich nur ganz allgemein dafür. Wo sitzt das Gedächtnis nach Meinung von Leuten deines Berufes, woraus besteht es, welchen Schaden kann es nehmen?

Tony setzte die Flasche an den Mund, nahm einen tiefen Schluck und musterte ihn dann mit einem offenen, feuchtlippigen Lächeln: Bahnt sich da etwa eine Predigt an?

Das geht dich gar nichts an, sagte Avery und hechtete zu Ruth hinüber, die sich einen halb zerkauten Bissen von einem der Teller genommen hatte.

Ich *wollte* das doch gar nicht essen, sagte sie und klang mit ihren vier Jahren wie fünfundzwanzig.

Mit seiner Krücke machte Tony den Eimer für sie auf. Ruth war begeistert.

Nehmen wir einfach an, ich hätte meine Gründe für die Frage, sagte Avery.

Ach herrje, sagte Frances, die in diesem Augenblick aus dem Garten kam und tat, als wolle sie gleich wieder hinaus. Platze ich etwa in ein Männergespräch?

Wir unterhalten uns über das Gedächtnis, sagte Tony.

Dann hast du ihn im Radio gehört?

Nein, wann denn?

Du warst im Radio? Michele, die gerade zur Tür hereinkam, hatte Frances' letzten Satz gehört.

Fast die halbe Woche lang, sagte Frances. Wo ist die Zeitung?

Weiß nicht, wo ich die hingetan hab.

Er war auch in der Zeitung?, fragte Michele, und mit übertriebener Bewunderung setzte Tony noch hinzu: Finden Ruhm und Berühmtheit dieses Mannes denn gar kein Ende?

Ach, wartet, bis ihr es mit eigenen Augen lest. Frances war unter der Treppe. *Wo ist sie bloß?* Ich finde überhaupt nichts mehr, seit du hier alles umgeräumt hast.

Weißt du was, du kannst uns ja eine Kopie schicken, sagte Michele.

Ja, sagte Tony und klatschte in die Hände. (Ruth klatschte auch). Mach das doch.

Frances knipste das Licht unter der Treppe aus. Vom Bücken war sie rot angelaufen, und ihr Gesicht sah dadurch so anders aus, als hätte sie sich eine Maske aufgesetzt. Es gab solche und solche Scherze, und Avery wusste, wann Frances fand, dass der Bogen überspannt wurde.

Er war sehr gut, wisst ihr. Ich meine, es war zwar nur ein Interview in einem kostenlosen Wochenblatt, aber einiges von dem, was er gesagt hat – auch im Radio –, das war wirklich gut.

In einem Augenblick der Stille hörten sie vom Fernseher eine Sirene herüberschallen, das Summen der Umspannstation.

Noch eine?, fragte Avery Tony, weil ihm nichts Besseres einfiel.

Tony hielt die Flasche an die Brust gedrückt. Nein, ich hab genug.

Höchste Zeit, dass wir euch jemanden hier ins B-E-T-T bringen lassen, sagte Michele, und Ruth sagte Bett zu ihr.

Bleibt noch ein Stündchen, bis sie eingeschlafen ist, sagte Avery. Dann können wir in Ruhe ein wenig schwatzen.

Er machte sich wieder daran, die Spülmaschine einzuräumen. Frances kniff ihn in den Hintern, fest, dann folgte sie den Gästen nach draußen in den Garten zum Duft der Fuchsien und dem Geruch der Grillsoße.

Ruth wollte allerdings nicht ins Bett. Sie hatten wirklich nicht oft Besuch. Und der Einzige, der Lust hatte, sie durch den Garten zu jagen, war Avery, was seiner Bitte an Michele und Tony, doch noch zu bleiben, ein wenig den Nachdruck nahm.

Es war Viertel vor zehn, und Ruth präsentierte gerade stolz ihre Strickjacke, die Avery ihr mit allerhand Überredungskunst hatte anziehen können, als Michele den Autoschlüssel aus ihrer Handtasche nahm.

Draußen, vor der Hecke, spielten Kinder eine Runde Fahrradfangen. Schreie, quietschende Bremsen, Räder, die zu Boden stürzten. Ein Rennbiker blitzte am Tor vorbei, der Fahrer stand in den Pedalen, sein Freund lag fast waagerecht auf dem Sattel, Hemdzipfel in den Fäusten. Mit Todesverachtung.

Betet, dass es ein Mädchen wird, sagte Michele schaudernd und küsste Avery auf die Wange. Nächstes Mal kommt ihr zu uns.

Tony ging bereits die Auffahrt hinunter, tastete mit der

Krücke nach dem kleinsten Kiesel und winkte, ohne sich umzudrehen. Ja, nächstes Mal bei uns.

Er hatte sich schon halb in den Wagen bugsiert, als er den Kopf noch mal über die Tür streckte. Wenn du dich wirklich für den Kram interessierst, Avery, ruf mich an. Ich will sehen, was ich herausfinden kann.

Glaubst du, er war so nett, weil ich ihn in Verlegenheit gebracht habe, fragte Frances winkend und grinste die Rücklichter an. Vorhin, als ich so sauer auf ihn gewesen bin?

Avery legte einen Arm um ihre runden Schultern und lächelte. Vielleicht hast du recht. Vielleicht habe ich ihnen wirklich nie eine echte Chance gegeben.

3

Zwei Wochen vergingen, doch schien die Jahreszeit stillzustehen. Bei seinen sonntäglichen Gottesdiensten herrschte weiterhin Besucherebbe, und an den Schnittstellen der Konfessionen kam es immer noch zu hässlichen Vorfällen. Die Fahnen, die traditionellerweise Ende Juli eingeholt wurden, blieben draußen. Grund war offenbar ein Missverständnis zwischen den loyalistischen Terrorgruppen darüber, wer sie zuerst abnehmen sollte. Als es in der Shankill Road zu Auseinandersetzungen kam, breiteten sie sich wie ein Lauffeuer ins benachbarte Nord-Belfast aus. Es kam zu Schießereien, zu kaltblütigen Attentaten.

Avery hörte nichts mehr von Larry. Er hatte zwar einige Male die Hand am Apparat, rief Tony dann aber doch nicht an, weil er zu sehr mit den Vorbereitungen für das am vorletzten Tag der Schulferien geplante Fußballturnier beschäftigt war. Auf beiden Seiten der konfessionellen Spaltung hatte sich heftiger Widerstand gegen die Entscheidung geregt, auch Mädchenmannschaften zuzulassen.

Mit uns in derselben Mannschaft?, fragte einer von Averys elfjährigen Jungen. Nie im Leben spiele ich gegen die Püppchen.

Schisshasen, sagte Des Kehoe am Telefon zu Avery. Wir haben hier eine Mädchenmannschaft, die kriegt so schnell keiner klein.

Des' Gemeinde lag tief im Herzen des protestantischen

Ost-Belfast, ein Überbleibsel aus den Zeiten, in denen die Glaubensgemeinschaften noch nicht so deutlich voneinander getrennt gelebt hatten. Viele seiner Kids mussten aus den Enklaven, in die ihre Familien in den Siebziger- und Achtzigerjahren gezogen waren, mit dem Auto zur Kirche und der angegliederten Schule gefahren werden. Des war es auch, der das Turnier vorgeschlagen hatte. Als Avery sein Amt antrat, hatte er ihm seine Glückwünsche geschickt: Vielleicht erinnern Sie sich noch daran, dass wir uns bei Sean Currans Beerdigung kennengelernt haben.

Sean gehörte zu Des' Gemeinde und war Averys Manager bei der Universitätszweigstelle der Bank gewesen. Vor zwei Jahren war er an Krebs gestorben.

Überkonfessionelle Aktivitäten der einen oder anderen Art waren so alt wie die Troubles selbst. Je weniger Kontakt man mit Gläubigen der anderen Glaubensrichtung hatte, schien die Arithmetik der Deprivation zu besagen, umso wahrscheinlicher war es, mit ihnen zusammen in die Vereinigten Staaten geschickt zu werden. Avery, der seine Kindheit in einer gemischten Gegend verbracht hatte, schaffte es nur bis in ein überkonfessionelles Camp in der Einsamkeit von Ballycastle an der Nordküste von Antrim, wohin er zweimal als Teenager mit einer Gruppe seiner Gemeindekirche geschickt worden war. Beide Male hatten sie, mitten im Winter, zu zehnt (nur Jungs) in einer Holzhütte geschlafen, und während der wenigen taghellen Stunden Tischtennis – jeder gegen jeden – mit Kindern aus der katholischen Kirche gespielt, die in Belfast nur eine halbe Meile von ihrer eigenen Kirche entfernt lag.

Beim ersten Mal hatte Avery sich bei jeder nur möglichen Gelegenheit betrunken, so wie alle anderen auch, ob nun Protestanten oder Katholiken. Tischtennis konnte man abhaken, die große Kameraderie wurde auf den verbotenen Schleichwegen zur nächsten Dorfkneipe geschmiedet, die

Getränke zum Mitnehmen verkaufte. Beim zweiten Mal war er sechzehn und lernte Joanna kennen, eine um drei Jahre ältere *Praktikantin*. Joanna war Christin, weigerte sich aber, da es viel zu selbstherrlich klinge, sich wiedergeboren zu nennen. Er unterhielt sich stundenlang mit ihr, half bei der täglichen Arbeit: kümmerte sich um die Bettwäsche, rührte in Töpfen mit Kartoffelbrei und saß am Nachmittag seiner Abfahrt in einer stillen Ecke mit ihr zusammen und bat Gott, den Herrn, in sein Leben.

Dabei war er keineswegs ein großer Eiferer gewesen. Ihm stand nicht der Sinn danach, ein besonders guter Samariter zu werden, er wollte nur in seinem eigenen Leben ein bisschen besser zurechtkommen. Und wahrscheinlich wollte er auch jemand werden, den Joanna bewundern konnte. Von dem Moment an, in dem Avery sie kennenlernte, war er hoffnungslos in sie verliebt. Trotz des Altersunterschiedes und des ungeschriebenen Teenagergesetzes, dass kein Mädchen mit einem jüngeren Freund ausgeht, waren die Gefühle nicht bloß einseitig. Als sie eines Abends allein in der Küche und ihre Gesichter plötzlich nur wenige Zentimeter voneinander entfernt waren, zögerten sie erst und wären beinahe zurückgeschreckt, dann aber küssten sie sich und stießen dabei einen Stuhl um, knieten auf dem Linoleum und fuhren sich gegenseitig mit den Händen über und unter die Kleider. Irgendwann hielten sie jedoch inne und hoben den Stuhl auf. Joanna hatte einen Freund, der in England aufs College ging. Und Avery wollte nicht, dass sie glaubte, er würde ihr nur zuhören, damit er bekam, was er wollte. Dabei wollte er nichts lieber.

Ein, zwei Monate schrieben sie sich Briefe. Ihre waren voll gutem Zureden, er möge auf dem nun eingeschlagenen Pfad bleiben, trotz aller Hindernisse und der Stimmen, die ihn vom rechten Weg ablenken wollten. Avery machte sich in seinen des Öfteren der Tatsache schuldig, die Höhe der

Hindernisse zu übertreiben, die Lautstärke der Stimmen aufzudrehen, aber dennoch schätzte er ihre Unterstützung. Sie redeten davon, sich wiederzutreffen, daraus wurde jedoch nichts. Joanna zog nach England zu ihrem Freund, und die Briefe blieben aus.

Avery erfuhr erst, dass sie zurückgekommen war, als er in den Nachrichten von ihrer Ermordung hörte. Sie wurde eines Morgens in ihrem Wagen auf einer entlegenen Landstraße an den Ufern des Lough Neagh gefunden. Leute, die eine Meile entfernt wohnten, hatten in der Nacht zuvor Schüsse gehört. Offenbar wurde das Feuer aus der Grünanlage eröffnet. Man stellte Theorien auf – sie sei zufällig in die Vorbereitungen für einen weiteren Überfall geraten, sei das Opfer eines Versehens oder von jemandem mit einem mörderischen Hass auf überkonfessionelle Sozialarbeit getötet worden –, doch keine Organisation bekannte sich zu der Tat, niemand wurde verhaftet. Auch so etwas kam in jenen Tagen vor.

Avery war gerade einundzwanzig geworden und versuchte immer noch auf seine eigene Probieren-geht-über-Studieren-Art, ein wenig besser zu werden.

Eine sinnlose Tat wie Joannas Ermordung kann den Glauben eines Menschen festigen oder ihn für immer zerstören. Tage-, ja wochenlang zweifelte Avery, betete nicht bloß, sondern feuerte zornige Fragen himmelwärts.

Eines Tages dann wachte er auf, und als hätte eine unsichtbare Hand während des Schlafes die Bruchstücke zusammengefügt, begriff er, dass Joannas Tod, so schrecklich er auch war, ebenso eine Bedeutung haben musste wie ihr Leben. Denn wenn ihr Tod keinen Sinn hatte, dann hatte nichts auf der Welt einen Sinn. Das war intellektuell wie spirituell zwingend erforderlich.

In diesem Augenblick, und nicht an jenem Nachmittag im Camp, fand seine wahre Bekehrung statt. Jetzt hatte er zum ersten Mal eine Ahnung, wohin der Weg, den er ging, unweigerlich führen würde.

Damals war er im dritten Jahr bei der Bank, im zweiten Jahr Mitarbeiter der Universitätszweigstelle und nur Monate von seiner ersten Begegnung mit Frances entfernt.

Obwohl das überkonfessionelle Ideal schon Jahrzehnte alt war, gab es immer noch Menschen, die es für keine gute Nachricht hielten.

Am Dienstag vor dem Fußballturnier war Avery auf der Hauptstraße, um Obst und Gemüse einzukaufen, als sich ihm zwei Jungen, elf und zwölf Jahre alt, in den Weg stellten. Trainingsanzüge, Baseballmützen von Nike in die Stirn geschoben, die eine schwarz, die andere braun.

Mister, fragte der Junge mit der braunen Mütze, machen Sie das Fußballturnier?

Avery stellte seine Einkäufe zwischen den Füßen ab. Na ja, nicht ich allein.

Der Junge grunzte verächtlich. Das hier war nicht der Augenblick für Feinheiten. Sie wissen schon, was ich meine.

'tschuldige, ja, weiß ich.

Der Junge mit der schwarzen Mütze hatte mit kaum verhohlenem Entsetzen den krausen Kohlkopf betrachtet, der aus Averys Tasche ragte.

Seine Mum will ihn nicht mitspielen lassen, sagte sein Freund.

Der Junge zuckte die Achseln und spuckte auf den Boden. Er kam ihm irgendwie bekannt vor.

Und warum nicht?, fragte Avery.

Was glauben Sie denn wohl?

Wegen der Mädchen?

Blödsinn!, riefen beide Jungen im Chor.

Schon gut, sagte Avery, schon gut.

Eine Hupe ertönte, offenbar nur kurz angetippt, und

Avery wandte gerade noch rechtzeitig den Kopf, um durch den Verkehr das Lächeln einer Frau und eine aus blauem Auto winkende Hand zu sehen. Er winkte zurück, hatte aber nicht die geringste Ahnung, wem er da eigentlich zuwinkte. Als er sich wieder umdrehte, fiel ihm auf, dass der Resteladen, vor dem er stand, eine Verkaufsaktion machte: Alles für 50 Pence oder weniger.

Was ist?, der Junge in der braunen Mütze verlor die Geduld, kommen Sie nun irgendwann und reden mit seiner Mum, um ihr zu sagen, dass alles okay ist?

Avery fragte erst, ob die Mutter des Jungen zu seiner Gemeinde gehörte, doch als er zur Antwort nur verständnislose Blicke erntete, sagte er, er werde natürlich auch so kommen.

Das Haus war das zweitletzte in einer auf Abbruch wartenden Reihe. Im Umkreis von fast einem Morgen stand um sie herum kein Stein mehr auf dem anderen. Fußwege führten wie irregeleitete Entwässerungsgräben durch die Ödnis ausradierter Straßen.

Manchmal stellte Avery sich vor, wie diesen Wohngegenden langsam klar wurde, dass ihre Erwerbszweige, von denen sie abhingen, auf die sie stolz waren, längst der Geschichte angehörten und dass die Häuser einfach unter dem Gewicht der eigenen Schwermut zusammengebrochen waren.

Hinter mit Videokameras bestückten Zäunen und Plakatwänden, auf denen die Nähe zum Stadtzentrum gepriesen wurde, begann am anderen Ende dieser Wüstenei eine neue, deutlich lockerere Bebauung. Wer weiß? Wenn alles fertig war, zogen die meisten der früheren Bewohner vielleicht hierher zurück. Inzwischen fuhr Avery, so oft es sein Seelsorgeramt erforderte, mit dem Wagen zu mehreren Familien hinaus, die in Mietshäuser und Pensionen in den Osten der Stadt umgesetzt worden waren.

Der Junge, dessen Freund Avery vor dem Resteladen um Hilfe gebeten hatte, hieß Darryl Kirkpatrick. Seine Mutter arbeitete in einem Waschsalon, kam aber jeden Tag zwischen halb eins und eins nach Hause, um ihm und seinen Brüdern das Mittagessen zuzubereiten. Als Avery an die Tür klopfte, war es zehn vor eins. Dies sei der beste Zeitpunkt, hatte Darryl gesagt, da seine Mutter dann das Geschirr abgeräumt habe und sich eine Tasse Tee und eine Zigarette gönnte.

Sein Freund hatte weise genickt. Wenn sie Tee trinkt, kriegt man sie höchstens noch mit einer Bombe in Bewegung.

Avery hörte eine Frauenstimme aus dem hinteren Haus rufen: Geht einer von euch mal an die Tür?

Darryl selbst machte ihm auf. Er trug noch immer seine Baseballmütze. Als er beiseite trat, um den Reverend einzulassen, fiel Avery auf, wie er verstohlen den Blick über die Ödnis schweifen ließ, um sicherzugehen, dass niemand gesehen hatte, wie ein Geistlicher das Haus betrat.

Avery fand sich in einem Zimmer mit einem großen Fernseher und zwei kleinen Jungen wieder, die ihrem größeren Bruder beide wie aus dem Gesicht geschnitten waren.

Wer ist da?, rief die Frau.

Darryl saß auf einer Stuhllehne und starrte den Fernseher an. Es half nichts, entschied Avery, er würde allein zu ihr gehen müssen.

Er lugte um die Küchentür und klopfte an. Hallo?

Ein Kopf drehte sich zu ihm um, suchte ihn. Fand ihn.

Himmelherrgott!

Der dumpfe Aufprall eines Stuhls war zu hören, der von zwei Beinen zurück auf vier fiel. Die Frau, Darryls Mutter, sprang auf, eine Hand am Hals, in der anderen einen Becher, den sie auf Armeslänge von sich hielt, damit der Inhalt nicht über sie schwappte.

Avery schob sich ganz in die Küche, um sie möglichst schnell zu beruhigen. Alles in Ordnung, sagte er, es ist nichts passiert, niemand ist verletzt oder krank. Ich wollte mich mit Ihnen nur über Darryl unterhalten.

Darryl?, rief sie mit anklagendem Ton an ihm vorbei.

Avery hob die Hände.

Nein, nein, ich wollte nur fragen, ob er Fußball spielen darf.

Die Frau hatte sich ihre Zigarette aus dem Aschenbecher geschnappt und hielt sie, als bräuchte sie erst einen stärkenden Zug. Sie klammerte sich an ihr fest, und ihre Augen schienen immer größer zu werden, je länger sie Avery anstarrte, bis sie dann vor Lachen fast platzte. Finden Sie nicht, dass Sie dafür schon ein bisschen zu alt sind, fragte sie.

Als ihr Lachen verebbte, holte sie Avery eine Tasse Tee. Ausnahmsweise könne sie mal fünf Minuten zu spät zur Arbeit kommen. Weiß Gott, sagte sie, die würden schon ihren Reibach mit ihr machen.

Wie schon bei ihrer ersten Bemerkung schien sie sich der Blasphemie überhaupt nicht bewusst zu sein, doch fand Avery das eigentlich angenehmer als die übertriebenen Entschuldigungen, die er nicht selten erleben musste.

Sheila Kirkpatrick war etwa in seinem Alter. Ihr Gesicht wies die verheerenden Spuren jugendlicher Akne auf, doch wenn sie lachte, und sie lachte oft, verwandelten sich die Narben und Krater in Grübchen und Fältchen und verstärkten so die Wirkung noch, weshalb Avery schon nach wenigen Augenblicken entschied, sie wäre ohne Aknespuren ärmer dran.

Die Sache mit dem Fußballturnier war rasch geklärt.

Noch während Avery ihr vom neutralen Ort der Begegnung, einem Fußballplatz im Süden der Stadt, erzählte, gab Sheila nach. Er solle sie nicht missverstehen, sie habe nichts dagegen, dass ihre Jungs mit Katholiken spielten. Nur war ihr Darryl schnell zu verführen. Wenn der Rest der Truppe mitmachte, würde er bei allem dabei sein, und es gab Kids in dieser Gegend, die konnten Ärger in einem leeren Zimmer anfangen. Mit dem Vater der Jungen hatte sie schon genug durchgemacht, besten Dank auch.

Sie verlor kein Wort mehr über den Vater, und Avery fragte nicht nach. Soweit er sehen konnte, war im ganzen Haus keine Spur mehr von ihm zu finden.

Ich werde ständig dort sein, sagte er. Außerdem sind noch andere Geistliche und Jugendklubleiter da. Wir passen schon auf, dass keiner Streit anfängt.

Es war zehn nach eins, als Avery mit Sheila das Haus verließ. Die beiden kleineren Jungen waren zum Nachbarhaus gegangen. Darryl kickte einen Fußball gegen die letzte Mauer in der Straße, von der, als wartete sie nur auf die schwerere Abrissbirne, bei jedem Aufprall Ziegel- und Zementstaub herabregneten.

Die Leute werden noch glauben, ich wäre fromm geworden, sagte Sheila, als sie in Sichtweite der Hauptstraße kamen. Ihr Gesicht verzog sich zu einem breiten Lächeln, als hätte sie lange keinen so lustigen Einfall gehabt.

Irgendwann sollten Sie ruhig mal den Versuch wagen, sagte Avery. Wer weiß, vielleicht gefällt es Ihnen sogar.

Doch sie warf ihm einen durch und durch theatralischen Blick zu: *Frechdachs*!

Vergessen Sie Protestanten und Katholiken, vergessen Sie hoch und niedrig, dies hier ist die Zeile, an der sich heutzutage die Kirchen scheiden.

Die Zeile war etwa fünfundzwanzig Zentimeter lang und auf ziemlich festes Material gedruckt. Reverend Norman Twiss hielt sie zwischen den Kuppen seiner Zeigefinger und stierte darüber hinweg auf seinen neuen Assistenten, der ihm am Tisch gegenübersaß. Avery nickte, wusste aber nicht, was ihn erwartete, und wollte sich nicht anmerken lassen, dass er es nicht wusste. Er war hier in Holywood, um zu assistieren und um zu lernen. Reverend Twiss hob die Mittelfinger, verstärkte den Druck, und das Plastikschild bog sich in die zweite Dimension. Ein Autoaufkleber? Avery kniff die Augen zusammen.

Ach, Grundgütiger!

Erschreckt blickte er vom Slogan zu Reverend Twiss auf, hoffte auf einen Hinweis. War seine linke Augenbraue gutmütig hochgezogen, oder hatte sich die rechte stirnrunzelnd gesenkt? Stirnrunzeln. Nein. Vielleicht. Er schaute wieder auf den Slogan.

Christen machen es auf den Knien.

Kommt aus Amerika, sagte Reverend Twiss, aber das reichte noch nicht als Fingerzeig.

Sag einfach, was du wirklich denkst, forderte sich Avery auf. Und fast hätte er es getan.

Eigentlich, Reverend Twiss kam ihm zuvor, die rechte Augenbraue jetzt mit der linken auf einer Höhe, finde ich es ziemlich gut. Ein harmloser Spaß.

Ja, natürlich, wenn Sie es so sehen. Avery nickte mit größerer Überzeugung.

Der Spaß, den sich Reverend Twiss zu seiner Einführung erlaubte, hatte auch eine ernste Seite. Das religiöse Leben verlangte nicht, dass man ständig den Stab über sich oder, der Himmel bewahre, über andere brach. Avery entspannte sich, fand sich in die Rolle des assistierenden Geistlichen, fand zu sich selbst, verlor ein wenig seine steife Haltung, die er lange fälschlich für seelsorgerische Rechtschaffenheit gehalten hatte. Er war allgemein bekannt und über die eigene Gemeinde hinaus beliebt, die er bei jeder sich bietenden Gelegenheit zu vergrößern suchte. Er habe, hatte er gehört, einen gewissen Charme, und wenn er gelegentlich auch ein wenig zu flirten schien, sollte dies doch keineswegs heißen, dass alle nach seiner Umarmung streben sollten.

Einige Tage später sah er Sheila Kirkpatrick mit einer Freundin auf der anderen Straßenseite. Sheila legte eine Hand an den Mund und rief: Ich denke immer noch über Ihr Angebot nach, Reverend. Sie lachte. Die Freundin schien angenehm entsetzt.

Und wissen Sie, was das Beste ist?, schrie Avery zurück. Es gilt auch noch.

4

Als Avery am Morgen des Fußballturniers um halb acht aufwachte, goss es in Strömen. Na klasse, sagte er zum Schlafzimmerfenster.

Das Telefon am Bett klingelte. Um das Gespräch anzunehmen, setzte sich Avery auf, den Vorhangzipfel noch in der Hand. Frances rollte sich auf ihre Seite und zog die Decke über den Kopf.

Es war Des.

Ich weiß, sagte Avery, ich sehe es mir gerade an. Er hörte zu.

Na ja, keine Ahnung, ob wir jetzt noch irgendwas tun können. Ich bin mir nicht mal sicher, ob wir unsere Anzahlung zurückbekämen.

Nachdem er den Hörer aufgelegt hatte, blieb er noch einen Augenblick trübsinnig auf dem Bettrand sitzen. Wochenlang hatten sie auf diesen Tag hingearbeitet. Er stellte sich die enttäuschten Gesichter der Kinder vor, wenn sie aus den Fenstern sahen und fürchten mussten, das Turnier werde abgesagt, und dieser Gedanke rückte seine eigene Enttäuschung gleich ins rechte Verhältnis.

Derart ernüchtert kniete er vor dem Bett nieder, wie er es gelegentlich gern tat, um sein Morgengebet zu sprechen. Das Bett knarrte. Als er aufsah, schaute ihm Frances in die Augen. Ihr werdet da draußen ersaufen, sagte sie.

Tja, er richtete sich halb auf, wenigstens gehen wir für eine gute Sache unter.

Frances streckte ihm die Arme entgegen. Glaubst du, man wird einen Pokal nach dir benennen?

Avery lag neben seiner Frau auf dem Bett. Aber, aber, sagte er mit gespielter Strenge, du weißt doch, wie eitel solche Hoffnungen sind.

Ihre Bäuche berührten sich. In ihrem Leib schlummerte das Baby. Hinter der Schlafzimmerwand schlummerte Ruth. Draußen schüttete es wie aus Kübeln.

Ronnie, der Hausmeister, protestierte bei jedem Meter, den er anderthalb Stunden später den Minibus zur Kirche fuhr, wo dreiundzwanzig Kinder in nassen Trainingsanzügen darauf warteten, endlich einsteigen zu können. Achtzehn Jungen und fünf Mädchen. Und dreiundzwanzigmal grunzte Ronnie beim Abzählen. Jetzt passt doch auf und macht nicht alles nass!

Auf beinahe ausnahmslos allen Trainingsanzügen, Mädchen wie Jungen, konnte man in der ein oder anderen Ausführung NTL lesen, das Logo des britischen Kabelriesen, der in dieser Saison die Glasgow Rangers sponserte.

Die Mädchen sollten in der Altersgruppe der Zwölf- bis Vierzehnjährigen antreten. Avery fragte Karen, die Mannschaftsführerin, was mit den übrigen beiden Plätzen sei.

Wollen Sie das wirklich wissen, fragte Karen, und hinter ihr kicherte eines der Mädchen.

Okay, sagte Avery höchstens eine Spur zu laut. Alle Jungen zwischen zwölf und vierzehn Hände hoch.

Kommt nicht in die Tüte, sagten die Jungen, als ihnen aufging, was er vorhatte.

Avery konnte sie an ihren fest gekreuzten Armen erkennen. Er tippte auf zwei Schultern. Kommt schon, sagte er, ihr seid sowieso viel zu viele.

Einer der Jungen sagte, er stiege lieber wieder aus dem Bus aus, als in der Mädchenmannschaft zu spielen. Karen sagte, sie stiege lieber aus dem Bus aus, als ihn in ihre Mannschaft aufzunehmen. Doch der Bus war bereits unterwegs und fuhr durch den Regen aus dem Stadtzentrum. Der Streit ging weiter, bis sie beim Forestside Shoppingzentrum auf die Ringautobahn nach Süden einbogen, dann wurde es still. Selbst für jene, die schon so weit aus der Stadt fort gewesen waren, befand sich zwei Meilen von ihrem Zuhause entfernt die Grenze der ihnen vertrauten Welt. Avery dachte, dass die Kinder trotz der vielen SMS und Telefongespräche letztlich nur mit sich selbst redeten.

Zwei Meilen weiter regnete es nicht mehr ganz so heftig, als die deutlich ruhiger gewordenen Kids vor dem Sportplatzpavillon am sanften Abhang des Lagan aus dem Bus stiegen. (Eines von den jüngeren Kindern weigerte sich zu glauben, dies sei derselbe Fluss, der auch durch das Stadtzentrum floss.) Weitere Minibusse, Autos, sogar einige schwarze Taxen waren schon da, und die Kinder, die sie hergebracht hatten, zogen – natürlich in kleinen Gruppen – durch die Gegend, um sich die Fußballplätze anzusehen oder unter dem Vordach des Pavillons Schutz vor dem Regen zu suchen.

Avery entdeckte Des in einem vorwiegend aus Jungen mit Glasgow-Celtic-Trikots bestehenden Gewühl. Ihm fiel noch etwas auf. Die Buchstaben auf den Celtic-T-Shirts. NTL. Sie wurden von derselben Firma gesponsert wie die Rangers.

Warum taten sich die Leute nur so schwer, daran zu glauben, dass Gott ebenfalls weder auf der einen noch auf der anderen Seite stand?

Was meinst du, fragte er Des aus dem Mundwinkel in der mürrischen Stille des Jungenumkleideraumes.

Trainingstrikots, sagte Des und wies auf einen großen Korb voller Hemden neben dem Eingang zur Dusche. Je greller die Farben, umso besser.

Trikots und Gummistiefel, sagte Avery.

Trikots und Flossen.

Ein junges Methodistenpaar, das Avery zuletzt als Begleitung einer Jugendgruppe auf der Dundonald Eislaufbahn gesehen hatte, schlug vor, das Turnier in die Halle zu verlegen. Die Hälfte der Kinder, sagten sie, hätte doch bestimmt nicht mal ein Handtuch dabei. Und die andere Hälfte, sagte Des, hat nicht die richtigen Schuhe für Hallenfußball: Es hieß, das Turnier fände auf Rasen statt. Sie könnten in Socken spielen, meinte der Methodist. Und sich dabei verletzen?, fragte Des. Doch dann, gerade als sie nachgeben wollten, versiegte der Regen wundersamerweise, der Tag klarte auf.

Um Viertel nach elf, mit nur einer dreiviertelstündigen Verspätung, begann das Turnier im aufsteigenden Feuchtigkeitsdampf auf vier Plätzen gleichzeitig. Die Mannschaften waren in kleine Gruppen eingeteilt, damit jedes Team garantiert einige Male spielen konnte, ehe die Gewinner gegeneinander antraten. Die zweite Spielrunde hatte gerade begonnen, als Averys Handy klingelte.

Hallo?, sagte er, und die Stimme am anderen Ende sagte: Sie müssen mir helfen.

Larry? Die Hand am Ohr trat Avery von der Seitenlinie zurück. Alles in Ordnung?

Ich weiß, wo es passiert ist.

Avery schaute über das Tal. Gleich neben der Buckelbrücke aus Stein, an der der Treidelpfad begann, stand ein Eiswagen quer zu den weißen Parkplatzmarkierungen. Der feuchte Asphalt schimmerte im Sonnenlicht. Aus den Uferniederungen kroch ein Hund und schleuderte Diamanten aus seinem Fell.

Sind Sie noch da?, fragte Larry.

Ja. Wo sind Sie?

Ich bin hier. An der Stelle. Ich kann hier nicht weg.

In Averys Rücken brandete Jubel auf. Er drehte sich um. Karen fuhr einem der ihrer Mannschaft zugewiesenen Jungen durch die Haare. Es stand eins zu null.

Bitte, Larrys Stimme klang wie die eines Kindes, es ist entsetzlich.

Avery entschuldigte sich, er könne jetzt unmöglich gehen. Er fragte Larry nach dem Namen der Straße, fragte ihn, ob in der Nähe ein Café sei, in das er sich setzen könne, in dem er eine Tasse Kaffee trinken könne.

Ein schreckliches Sauggeräusch drang durch den Hörer. Im selben Moment ertönte in Averys Rücken erneut lautes Gebrüll: Zwei Tore in einer Minute. Das Sauggeräusch wiederholte sich. Es war das Geräusch eines Mannes, der verzweifelt versuchte, die Tränen zurückzuhalten.

Larry? Was ist los?

Da ist ein Café, sagte Larry, aber ich kann da nicht hin. Genau da hab ich die Leute umgebracht.

Zwischen den Spielen gab es eine Pause. Teller mit Apfelsinenschnitzen wurden herumgereicht. Die vorsichtigeren Kids pellten die Haut mit den Zähnen ab und knabberten am Fruchtfleisch, die meisten aber klemmten sie sich wie einen Zahnschutz unter die Lippen, saugten den Saft heraus und verzogen die Gesichter zu irrem Grinsen. Manche Jungs hatten die NTL-Shirts ausgezogen und streiften sich ihre farbigen Trikots über die nackten Oberkörper. Die Mädchen, von welcher Kirche und welchem Jugendklub sie auch kamen, schauten neidisch herüber.

Am Teestand, an dem sich Betreuer und Trainer versammelten, hörte Avery, der Laden, der die Preise und Plaketten liefern sollte, habe irgendwas durcheinander gebracht. Peter Lockhart aus Belmont würde in die Stadt fahren und versuchen, das Problem noch rechtzeitig bis zum Ende des Turniers am Nachmittag zu beheben.

Avery kippte den letzten Schluck Tee ins Gras und sprach kurz mit Ronnie. Eine dringende Nachricht, sagte er, ohne zu lügen. Des gegenüber führte er aus, er müsse unbedingt zu diesem Mann, der in einer ernsthaften Glaubenskrise stecke. Er sagte beiden, er bleibe nicht lang.

Nach Trikotfarben getrennt trabten die Kids wieder auf die Fußballplätze. Das junge Methodistenpaar teilte sich einen Müllsack und suchte die Gegend mit Gummihandschuhen nach Apfelsinenschalen und dem Einwickelpapier von mitgebrachten Süßigkeiten ab.

Peter Lockhart war einszweiundneunzig oder -dreiundneunzig groß und fuhr einen kleinen, viertürigen Hyundai, in den er sich mit einer Abfolge offenbar wohlerprobter Bewegungen hineinfaltete. Avery, fast fünfzehn Zentimeter kleiner und gut zehn Pfund leichter, stieß sich an der Tür, dem Wagendach und dem Armaturenbrett.

Die ist nicht richtig zu, sagte Peter, lehnte sich über ihn, öffnete und schloss die Beifahrertür und rammte dabei den Fenstergriff in Averys Hüfte. So ist es besser.

Peter redete fast während der ganzen Fahrt über die Loyalistenfehde. Die Shankill Road war in der Mitte geteilt. Die UDA, die Ulster Defence Association, beanspruchte das untere Ende für sich, die UVF, die Ulster Voluntary Forces, das obere. Anhänger der einen oder anderen Seite – ihre Verwandten, Freunde, offenbar sogar ihre *Milchmänner* –, die auf der falschen Seite der Grenze angetroffen wurden, ermunterte man mit Nachdruck, die Gegend zu verlassen, indem man ihre Häuser zerstörte und ihre Habe auf die Straße streute.

Die große Sorge war, dass die Fehde sich über den Fluss in den Osten Belfasts ausbreiten könnte.

Das gäbe ein Desaster, sagte Peter Lockhart, sah in den Rückspiegel und zog dann scharf zur Seite, um einem Taxi auszuweichen, das im absoluten Halteverbot stand. *Idiot!*

Unwillkürlich erinnerte sich Avery an den Spruch, mit dem man während seiner Kindheit sektiererische Morde abgetan hatte: Die haben doch alle Dreck am Stecken. Selbst heute konnte man noch oft hören, die Opfer solch interner Querelen seien kein großer Verlust für die Menschheit: Wieder welche weniger, um die sich die Polizei kümmern musste.

Dafür zu sorgen, dass jeder Tod – jedes Leben – ein gleiches Maß an Einzigartigkeit zugewiesen bekam, blieb einer der härtesten Kämpfe in diesem Land. Ach was, Land, innerhalb der Seelsorgerschar.

Und was hört man so?, fragte er Peter. Breiten sich die Probleme aus?

Sie waren im Stadtzentrum angekommen und hielten in der Parkbucht vor *Principles*, dem Kleidergeschäft, wo Avery abgesetzt werden wollte.

Ich fürchte, es fehlt nur noch der letzte Funke. Peter lächelte. Geben Sie ihr einen kräftigen Stoß mit der Schulter.

Avery besah sich die Tür, tat, wie geheißen, und landete seitwärts auf dem Bürgersteig.

Er hatte eine halbe Stunde. Er meinte zu wissen, dass er nicht so lange brauchen würde. Er konnte sich nicht vorstellen, dass Larry die ganze Zeit am selben Fleck stehen geblieben war, nur weil die geringe Chance bestand, es könnte ihm, Avery, gelingen, sich freizumachen – was zu versuchen er versprochen hatte.

Doch Larry war da. In eben jener engen Straße, deren Namen er genannt hatte, im Gewirr enger Gassen hinter der Kathedrale: das Kathedraleviertel, wie es höchstens noch von den Stadtplanern und dem Bezirksunterausschuss für Tourismusentwicklung genannt wurde. Er stand in der Tür zu einem Anwaltsbüro, fast direkt neben der Gegensprechanlage, als wollte er gleich um Zuflucht bitten, falls ihm die Straße noch bedrohlicher vorkommen sollte.

Avery, der aus dem toten Winkel auf ihn zukam, vorbei am einzigen Café der Straße (›*Par* – ein bisschen Paris mitten in Belfast‹), sprach ihn an, und einen Moment lang sah es aus, als wolle Larry in Ohnmacht fallen, doch dann drehte er sich um.

Bringen Sie mich von hier weg, sagte er. Avery wollte ihn am Arm nehmen, doch Larry schüttelte entschieden den Kopf. Gehen Sie einfach neben mir her – an meiner Außenseite. Nein, nicht da runter, hier lang.

Als sie sich dem Ende der Straße näherten, zog Larry die Schultern hoch und beschleunigte seine Schritte, damit ihn der Geistliche nicht doch noch überholte. Die letzten Meter rannte er fast. Dann eilte er weiter in hohem Tempo durch mehrere Straßen, ehe er anhielt, um mit Avery zu sprechen. Es war noch Mittagszeit, und in keinem der Cafés oder Sandwich-Bars gab es einen freien Platz. Sie setzten sich auf eine Bank neben ein Messgerät für die Luftverschmutzung der Stadt.

Ich hab keine Ahnung, wie ich hierhin gekommen bin, sagte Larry. Die Gegend liegt nicht mal auf meiner Strecke, aber aus irgendeinem Grund hab ich den Umweg gemacht. Da hätte ich schon was ahnen müssen. Und sobald ich in die Straße einbog – vom ersten Schritt an –, da wusste ich, das hier kommt dir bekannt vor.

Eine ziemlich belebte Straße heutzutage, sagte Avery.

Larry schüttelte den Kopf. Ich hab gezittert.

Es ist schattig.

Mir hat der Kopf gebrummt. Er pochte sich mit zwei Fingern fest an den Schädel, zeigte die Stelle. Das ist immer ein Signal, aber ich bin einfach weitergegangen. Ich glaube, ich hätte nicht umkehren können, selbst wenn ich es versucht hätte.

Er hielt inne, beugte sich leicht vor, schirmte die Augen mit beiden Händen ab.

Zwei Polizisten schlenderten vorüber. Blassgrüne, kurzärmlige Hemden, Hüfthalfter. Sie nickten Avery zu, als bekräftigten sie die unausgesprochene Versicherung, dass hier alles in Ordnung war.

Ist vielleicht nicht gerade der beste Platz hier, sagte Larry, sobald sie vorüber waren.

Nordirland hat in der gesamten westlichen Welt die höchste Polizeidichte. Es gibt daher kaum einen Ort, an dem es nicht wahrscheinlich ist, dass einem Polizisten über den Weg laufen.

Avery widerstand der Versuchung, einen Blick auf seine Uhr zu werfen. Larry biss sich auf die Lippen. Seine Augen glänzten.

Plötzlich, sagte er, als hätte es keine Unterbrechung gegeben, sah ich ein Bild dieser Frau vor mir. Und dann hörte ich sie deutlich sagen: Ach, Junge, tu's nicht. Sie redete mit mir. Ich stand vor dem Café. Ich schaute ins Fenster. Da waren noch zwei Frauen – zwei Frauen im Hier und Heute –, die sahen mich an und schienen sich verwundert zu fragen, was ich mit offenem Mund anstarrte. Die Frau in meinem Kopf aber legte die Arme um den Mann, mit dem sie zusammen war. Er bewegte die Lippen, konnte jedoch nicht sprechen. Die andere Frau weinte. Ach, Mummy, nein. Ach, Mummy, nein.

Ach, Mummy, nein, äffte ihn zur Begeisterung seiner Freunde ein Teenager nach, der sich ihnen genähert hatte.

Vielleicht war dies wirklich nicht gerade der beste Platz.

Mittlerweile starrten mich alle im Café an, fuhr Larry unbekümmert fort. Kellner und Kellnerinnen, einfach alle. Ich muss einen ziemlichen Anblick geboten haben. Seine Stimme verebbte. Ich muss wie ein Gespenst ausgesehen haben.

Glauben Sie an Gespenster? An Geister? Avery schien diese Frage ebenso sinnvoll wie irgendeine andere.

Nein, antwortete Larry. Aber ich glaube, dass einen selbst dann Erinnerungen verfolgen können, wenn jemand versucht hat, sie auszuradieren.

Wissen Sie, daran zu glauben, fällt manchen Leuten bestimmt schwerer, als an Geister zu glauben, sagte Avery und war froh, es endlich ausgesprochen zu haben. Er warf einen Seitenblick auf Larry, weil er sehen wollte, wie er reagierte. Ohne mit der Wimper zu zucken, lautete die Antwort.

Die Leute haben ja keine Ahnung.

Eine Uhr schlug. Wenn Avery sich nicht beeilte, versäumte er noch seine Mitfahrgelegenheit.

Ich frage mich nur, ob es nicht auch eine andere Erklärung gibt.

Sie meinen, ob ich mir alles nur einbilde?

Sie kommen mir nicht wie jemand vor, der einen Mord begehen könnte.

Larry durchwühlte seine Taschen und brachte diverse Kleinigkeiten zum Vorschein, ehe es ihm gelang, ein Kleenex aufzuspüren. Er lachte, während er sich die Nase schnaubte. Haben Sie in letzter Zeit mal ferngesehen? Und haben Sie sich die Jüngelchen angeschaut, die vor dem Stormont aus den Autos steigen? Wie viele von denen sehen denn wie Killer aus?

Er musterte den Inhalt des Kleenex, faltete das Papiertaschentuch zusammen und ging die wenigen Schritte zum nächsten Abfalleimer. Er setzte sich nicht wieder hin, gab aber Avery die Hand. Danke, dass Sie gekommen sind. Sie hätten Arbeitskollegen sein können, die sich nach einem produktiven Treffen an der frischen Luft wieder trennten. Ist bestimmt besser, wenn ich von jetzt an allein damit fertig werde.

Wieder schlug eine Uhr, diesmal zu spät. Avery warf einen Blick auf seine Armbanduhr. Ein gefalteter Umschlag, die Knickfalte mit Taschenschmutz verziert, lag dort auf dem Boden, wo Larry gesessen hatte, doch in den Sekunden, die Avery brauchte, um sich zu bücken und den Brief aufzuheben, war Larry schon ein ganzes Stück die Straße hinuntergegangen. Avery konnte nicht länger warten. Er stopfte sich das Kuvert in die Tasche und rannte in die entgegengesetzte Richtung.

Peter Lockhart hatte noch keine zwei Minuten gewartet. Er wies mit dem Daumen über die Schulter auf den Pappkarton auf dem Rücksitz. Alles geregelt, sagte er. Haben uns als Entschuldigung sogar noch einen Pokal ›Bester Spieler des Turniers‹ spendiert.

Er fragte Avery, ob er alles Nötige erledigt habe, war aber zu sehr damit beschäftigt, nach einer Lücke im fließenden Verkehr Ausschau zu halten, um wirklich an der Antwort interessiert zu sein. Als er dann wieder zu reden begann, knüpfte er an ihre frühere Unterhaltung über die Loyalistenfehde an. Gab es noch irgendwas, das die Kirche tun konnte, um die bewaffneten Gruppen von der Gewalt abzubringen? Oder war das Problem ähnlich dem, worunter die nordirische Fußballmannschaft litt: Spieler der Ersten Liga mit dreißigtausend Pfund in der Woche sollten sich einem Manager mit dreißigtausend Pfund im Jahr fügen. *Was springt für uns dabei heraus, wenn wir auf dich hören?*

Er hing diesen Gedanken immer noch nach, als er den Hyundai auf den Sportplatz lenkte und ein Krankenwagen in die entgegengesetzte Richtung davonbrauste.

Vor dem Pavillon standen Des und die übrigen Erwachsenen wie ein Puffer zwischen zwei genau gleich großen Gruppen von Kindern und starrten dem Krankenwagen nach.

Irgendwas sagt mir, dass wir mit unseren Trophäen zu spät kommen, sagte Peter Lockhart.

Sobald der Wagen hielt, sprang Avery heraus. Ronnie machte einen Schritt auf ihn zu, und im selben Moment wusste er Bescheid. Jemand von uns? Was ist passiert?

Alle redeten gleichzeitig. Er hörte *er hat nicht angefangen … sie hat den Kleinen doch kaum angerührt … kann von Glück sagen, dass er sich nicht den Hals gebrochen hat.*

Langsam, sagte Avery, langsam. Ronnie? Des? Würde mir einer von euch bitte erzählen, was hier los ist?

Und Ronnie sagte: Der kleine Kirkpatrick.

Avery meinte, ihm würde schlecht.

Die letzten Wettkampfspiele hatten gerade angefangen. Eine von Averys Mannschaften spielte gegen eine von Des'. Zwei Spieler traten gleichzeitig nach dem Ball, es gab kein Foul, aber beide lagen hinterher auf dem Rasen und hielten sich die Beine.

Und dann, sagte Des, ist es einfach explodiert. In zwanzig Sekunden, ehe einer von uns auf den Platz konnte, um sie aufzuhalten, fielen sie übereinander her.

Darryl Kirkpatrick steckte nicht mal mittendrin, aber ein Mädchen, das hinter der Linie gestanden hatte, um ihren Freund in der gegnerischen Mannschaft anzufeuern, stieß ihn – oder drängte sich an ihm vorbei, jedenfalls stolperte Darryl nach hinten und trat auf einen Ball.

Hätte fast Rad geschlagen, sagte Des.

(Schulter ausgerenkt, sagte der Krankenwagenfahrer.

Ich will nach Hause, sagte Darryl. Ich will nach Hause.)

Das Turnier wurde abgebrochen. Im Augenblick versuchte man vermutlich, nach Konfessionen getrennte Umkleideräume zu organisieren. Des fuhr zurück in den Ostteil der Stadt und sagte dem neben ihm sitzenden Avery, er solle aufhören, sich mit Vorwürfen zu quälen. Hör doch, es hätte nicht den geringsten Unterschied gemacht, wenn du dabei gewesen wärst. Wir waren neunzehn und konnten nichts tun.

Ich habe versprochen, auf ihn aufzupassen. Ich war bei ihnen zu Hause.

Sie bogen von der Ringautobahn ab. Sie fuhren über einen Zebrastreifen, jeder dritte Streifen war rot oder blau, vorbei an einem Briefkasten mit weißem Mittelteil und königsblauer Haube.

Bist du sicher, dass ich nicht mitkommen und erklären soll, was passiert ist, fragte Des.

Danke, aber ich bin mir sicher.

Hinter Tesco-Metro verließen sie die Hauptstraße und parkten in Averys Auffahrt.

Ein Zettel auf der Arbeitsplatte in der Küche gab Avery Anweisungen für den Fall, dass er zurückkommen und Frances und Ruth nicht daheim sein sollten. Kartoffeln, Wäschetrockner. Avery kritzelte einige Worte darunter. Er sei da gewesen, sei wieder fort, käme zurück, sobald er könne. Tut mir leid wegen Kartoffeln und Wäschetrockner.

Des fragte ihn noch einmal, ob er nicht mitkommen solle, dann setzte er zurück und wartete, bis Avery losgefahren war.

Er sah Sheila Kirkpatrick schon hinter dem Tresen stehen, als er in einem der ausgetrockneten Entwässerungskanäle gegenüber dem Waschsalon aus dem Wagen stieg. Ihren Kopf umrahmten zwei handgeschriebene, ans Schaufenster geklebte Zettel: *Mittwoch ist Rentnertag* und *Musikeruniformen nur £3.50*. Leuchtend gelb, leuchtend orange. Während Avery darauf wartete, dass die Ampel umsprang, sah er, wie sie eine Bettdecke faltete und in eine blaue Plastiktüte zwängte. Sie war noch dabei, der Besitzerin der Bettdecke Wechselgeld herauszugeben, als Avery die Tür aufstieß. Ihre Blicke zuckten zu ihm herüber und wandten sich wieder ab. Zuckten noch einmal. Die Frau, die ihre Bettdecke abholte, fragte noch, was Vorhänge kosteten, und mit einem unsicheren Lächeln über die Schulter ging Sheila in den notdürftig abgetrennten Bereich zwischen Tresen und Wäschetrocknern.

Auf einer Stange neben der Tür hingen die zum Reinigen abgegebenen Kleider. Daran schloss sich ein Gestell mit in durchsichtiges Plastik eingeschlagene Kleidung an. Die Luft war ein kräftiger Mix aus Chemikalien, Schweiß und Zigarettenrauch.

Schöner Tag heute, sagte die Frau und streifte die Zigarette am Rand des rosafarbenen Blechaschers ab.

Sehr schön, sagte Avery, obwohl er ganz anderer Ansicht war.

Sheila kam zurück. Zwölffünfzig für ein Paar bis zweidreißig, fünfzehn Pfund für alles, was länger ist.

Alles, was länger ist, müsste ich bei mir vom ersten Stock runterhängen lassen.

Die Frau behielt die Zigarette im Mund, als sie mit festem Griff die Tüte mit dem Bettbezug nahm. Seien Sie ein Schatz und machen Sie mir die Tür auf, sagte sie zu Avery.

Avery war ein Schatz. Als er zum Tresen zurückkam, verging Sheila das Lächeln. Warum sind Sie schon so früh hier? Wo ist Darryl?

Avery seufzte.

Oh mein Gott, sagte sie.

Er ist hingefallen, sagte Avery. Die Schulter. Man hat ihn in die Stadt gebracht.

Oh mein Gott.

Ich kann Sie hinfahren. Er wird sicher wieder gesund.

Avery stand jetzt am Tresen. Sheila presste die Hände auf den zerkratzten, rissigen Tisch, vielleicht, damit sie nichts tat, was sie hinterher bedauern würde.

Als sie den Mund wieder aufmachte, war ihre Stimme gefasst. Ich will genau wissen, was passiert ist.

Es gab eine Rangelei, sagte Avery, der nicht lügen konnte.

Ich dachte, Sie hätten mir gesagt, Sie würden dafür sorgen, dass es dazu gar nicht erst kommt.

Avery machte den Mund auf, fand aber keine Worte. Er blähte die Wangen auf und ließ langsam, hörbar, die Luft wieder ab.

Sheila Kirkpatrick verschwand plötzlich hinter der Trennwand und kam ohne ihren Overall zurück, Tasche und Zigaretten in der Hand. Sie öffnete die Kasse und angelte sich einen Zehn-Pfund-Schein heraus. Danke für Ihr Angebot, aber ich nehme mir lieber ein Taxi.

Hören Sie, sagte Avery und machte einen Schritt auf sie zu, als sie hinter dem Tresen hervortrat.

Sheila hob eine Hand. Nichts da, ich komme sehr gut allein zurecht.

Die Tür war jetzt auf.

Was ist mit dem Geschäft? Können Sie nicht jemanden anrufen, der herkommt und für Sie einspringt?

Es gibt niemanden, sagte Sheila, aber ich lasse Sie hier stehen, und Sie erklären den Leuten, warum sie heute Nachmittag ihre Wäsche nicht abgeben können.

Guy Broudie bestand darauf, dass Avery sich gleich am nächsten Morgen mit dem Kirchenanwalt unterhielt. Der Großvater des kleinen Kirkpatrick war in gewissen Gegenden für seine Streitsucht und weitreichenden Verbindungen berüchtigt. Er hatte sich fluchend und schimpfend bereits am Telefon gemeldet. Bodenlose Unverschämtheit, den Jungen solcher Gefahr auszusetzen. Wer hat überhaupt die geniale Idee gehabt? Und wo war eigentlich dieser Reverend Avery, als der *Angriff* stattfand?

Die Frage ist nicht, *ob* sie uns verklagen, sagte Guy, sondern nur *wann* und was sie gegen uns vorbringen.

Der Anwalt verharrte in teurem Schweigen und blätterte Averys hastig niedergeschriebenen Bericht durch. Hm, sagte er, schwieg dann wieder mehrere Minuten lang, stand schließlich auf, verließ den Raum, ging in das Zimmer auf der anderen Flurseite und kam nach einer Weile wieder zurück.

Okay, sagte er, für mich stellt es sich folgendermaßen dar: Am unteren Ende der Skala erwartet Sie eine Klage wegen Personenschadens. Also müssen Sie für nächstes Jahr mindestens mit einem deutlich höheren Versicherungsbetrag rechnen. Am oberen Ende, tja, das zahlenmäßige Verhältnis Aufpasser – Kind mag auch trotz Ihrer Abwesenheit gestimmt haben, doch ließe sich behaupten, Sie hätten die Betreuerpflicht gegenüber Ihrer eigenen Gruppe vernachlässigt. Das hängt ganz davon ab, wie die Anwesenheit des Hausmeisters ausgelegt wird: Hat er Sie vertreten?

Ich glaube, er hat zum entsprechenden Zeitpunkt gerade die Sitze im Minibus abgewischt, sagte Avery wahrheitsgemäß.

Der Anwalt hob die Brauen, Guy senkte seine.

Das könnte noch ein sehr teurer Ausflug für Sie werden, sagte Guy vor der Tür des Anwalts und drängte ihn damit zu einer Erklärung, die Avery nicht geben wollte.

Frances war ebenfalls völlig perplex. Ich kann nicht glauben, dass du einfach so verschwunden bist.

Sie lagen im Bett, dreißig Meter von der Umspannstation entfernt, noch neun Stunden bis zu Ruths erstem Schultag, und beide konnten sie nicht schlafen.

Es war ein Notfall, hab ich doch erklärt.

Das sollte es auch gewesen sein.

Hast du schon gesagt.

Du dafür noch nichts.

Was?

Gesagt. Wer es war, mit dem du dich getroffen hast.

Avery suchte ihre Hand und drückte sie. Ich kann nicht.

Ihre Hand wurde schlaff.

Warum nicht?

Das weißt du doch. Ich kann es einfach nicht.

5

Avery wälzte den Gedanken einige Tage hin und her, doch dann ging er zur Bibliothek. Zu irgendeiner *Bibliothek*. Er entschied sich gegen die, die seinem Haus am nächsten lag. Er wollte eine Weile ungestört herumstöbern.

Tatsächlich fand er fast sofort, wonach er suchte.

Im Jahr zuvor war ein Buch mit allen Einzelheiten über jene Menschen veröffentlicht worden, die man in den dreiunddreißig Jahren seit 1966 ermordet hatte. Es war ein überaus integeres, unaufdringliches Werk, gänzlich frei von aller Sensationsgier oder Sentimentalität, ein Monument der wahrhaften Liebe der Autoren für die Männer und Frauen Nordirlands. Außerdem war es eines der bestverkauften Bücher in Belfasts Geschichte. Gerüchteweise hieß es, in gewissen Gegenden des Stadtzentrums gäbe es Leute, die einem das Buch auf Bestellung klauten, garantierte Lieferung in maximal fünfzehn Minuten.

Avery wusste nicht genau, warum er sich selbst keine Ausgabe gekauft hatte. Er hatte sich das Buch bei Waterstone angesehen und natürlich als Erstes den Eintrag über Joanna nachgeschlagen. Zivilistin, Protestantin, 24, verheiratet, Jugendpflegerin. Starb in Armagh.

Ihn überraschte, wie ruhig er äußerlich blieb, als er las, wie sie nach einer kleinen Meinungsverschiedenheit mit ihrem Mann das Haus verließ und ans Meer fuhr. Ein Liebespaar hatte sie auf dem Weg nach Hause einen Moment im Licht der Scheinwerfer gesehen, wie sie an der Motorhaube ihres Wagens lehnte. Kurz darauf waren Schüsse gefallen, und am nächsten Morgen fand man ihren Leichnam.

Falls die Autoren des Buches die für das Verbrechen verantwortliche Organisation kannten, wurde sie genannt; falls die Mörder seither selbst gestorben waren, wurden auch sie genannt. Ausgehend vom Tatort, den Umständen und angewandten Methoden konnten sie manchmal allerdings bloß spekulieren. Nur sehr selten mussten sie zugeben, keine genaue Vorstellung davon zu haben, wer den fraglichen Mord begangen hatte. Joannas Fall war so einer.

Avery hatte das Buch zugeschlagen, auf den Umschlag geblickt, war einen Augenblick stehen geblieben und hatte genickt, als überdenke er den Preis, dann hatte er das Buch zurück auf den Stapel gelegt und war aus dem Laden gelaufen. Weiter und weiter.

In der Bibliothek nun nahm er ein abgegriffenes Exemplar, setzte sich an einen Tisch am Fenster und schlug das Ortsverzeichnis auf. Die Straße, in der er sich mit Larry getroffen hatte, kam zweimal vor.

Der erste Eintrag, den er fand, hatte eindeutig nichts mit Larrys albtraumhaften Visionen zu tun. Ein britischer Soldat war durch eine Autobombe ums Leben gekommen, Frühjahr 1972. IRA, die Autoren hatten keine Zweifel. Dennoch fühlte sich Avery gedrängt, den Beitrag bis zu Ende zu lesen. Alles andere wäre pornographisch gewesen.

Es hatte einen Anruf gegeben, ein Kodewort war mitgeteilt worden, doch waren die Warnungen zu unbestimmt gewesen. Der Soldat hatte geholfen, die Straße zu räumen, und stand neben dem Auto, als es in die Luft flog. Achtzehn, frisch verlobt, aus Solihull. Laut einer Quelle der Sicherheitskräfte war der Bombenbauer noch im selben Jahr gestorben, als er einen Sprengsatz in den Kofferraum eines Wagens hieven wollte.

Avery blinzelte, ein Sekundengebet. Er blinzelte ein zweites Mal und runzelte die Stirn angesichts seines Versäumnisses: zwei Tote, die es zu betrauern galt. Er wandte sich wieder dem Verzeichnis zu. Das Fenster der Bibliothek rahmte ein Bild des Ormeau Parks ein: Steinmauer, schmiedeeisernes Gitter, sich allmählich verfärbende Blätter. Draußen herrschte jene Stille, wie sie so typisch für die Zeit war, wenn die Schule gerade wieder angefangen hatte. Er verharrte mit dem Finger unter dem Straßennamen. Wollte er wirklich weitermachen? Aber, fragte er sich, blieb ihm eine andere Wahl?

Ein alter Knabe in einer himmelblauen Windjacke zog auf der gegenüberliegenden Tischseite einen Stuhl vor, nahm seine Brille aus dem Etui und schlug eine Ausgabe der Musikzeitschrift *NME* auf. Er sah nicht wie ein Obdachloser aus und las offenbar aufmerksam die Texte auf den ersten Seiten. Er hielt inne, senkte das Kinn und blickte Avery über die Brille hinweg an.

Tut mir leid, habe ich jemandem den Platz weggenommen?

Avery schüttelte den Kopf, blätterte im Buch und begann zu lesen.

April 1976. Café Par war damals noch eine Bar und hieß *Bei Ellis*. Es war halb neun an einem Dienstagabend, der Betrieb lief schleppend. Nur drei Gäste saßen im Schankraum, zwei Frauen und ein Mann, als ein Jugendlicher im Parka hereinkam, Kapuze über dem Kopf, Wollschal vor Mund und Nase, und die Einnahmen verlangte. Der Barkeeper gab ihm das Geld aus der Kasse. Der Bewaffnete sagte, er wolle alles, und der Barkeeper ging nach hinten und sagte, er hole noch mehr. Doch kaum war er aus der Bar, hörte er eine der Frauen sagen: Ach, Junge, tu's nicht, und dann war da ein Schuss, die andere Frau rief nach ihrer Mutter, und dann waren da noch mehr Schüsse. Im Hinterzimmer versuchte der Besitzer, 999 zu wählen, aber die Finger schienen zu dick für die Wählscheibe zu sein. Seine Knie waren wie Blei. Als er sich schließlich zurück in die Bar schleppte, war der Bewaffnete verschwunden; seine Kunden waren alle drei tot. Das Geld aus der Kasse lag immer noch da, wo der Besitzer es auf den Tresen gelegt hatte.

Die beiden toten Frauen waren Katholikinnen, der Mann war Protestant gewesen. Der Bruder einer der Frauen hatte wegen Verdacht auf Mitgliedschaft in der IRA im Knast gesessen; der Mann hatte wegen Hehlerei einige Zeit im Gefängnis verbracht, außerdem hieß es, er habe Verbindungen zur UVF gehabt. Er unterhielt eine Affäre mit der zweiten Frau, die vor Beginn der Troubles nur zwei Straßen von ihm entfernt gewohnt hatte. Dies war keine Zeit für komplizierte Beziehungen. Sie hätten mit allen möglichen Organisationen aneinandergeraten können. Vielleicht aber war der Killer tatsächlich nur auf das Geld aus gewesen. (Er hatte offensichtlich allein gearbeitet.) Vielleicht war ihm der Schal vom Gesicht gerutscht, als sich der Barkeeper im Hinterzimmer aufhielt, und er hatte ohne nachzudenken gefeuert, war dann in Panik geraten und hatte wieder und wieder gefeuert, um schließlich ohne das Geld zu fliehen.

Der Eintrag schloss fast mit den gleichen Worten wie der über Joanna: Einer der rätselhaftesten Vorfälle in drei Jahrzehnten Gewalt.

Der Barkeeper hatte nie wieder gearbeitet. Er sagte, er könne die Worte der beiden Frauen nicht aus dem Kopf bekommen.

Im Park auf der anderen Straßenseite erwachte der Motor eines Rasenmähers zum Leben. In seinem Lärm meinte Avery immer noch zu hören, was Larry unter dem Gerät zur Überwachung der Luftverschmutzung gesagt hatte.

Ach, Mummy, nein.

Er schloss das Buch, legte die Hände auf den Deckel und war sich nicht sicher, was er als Nächstes tun sollte.

Der alte Knabe ihm gegenüber musterte ihn erneut über den Rand seiner Brille hinweg. Alles in Ordnung?, fragte er. Die vor ihm ausgebreitete NME war bei den Charts aufgeschlagen.

Mir geht es gut, sagte Avery. Nur ein bisschen ...

Der alte Knabe nickte. Kenne ich, sagte er. Mein Sohn steht auch drin, 1974, 15. Oktober.

Tut mir sehr leid, sagte Avery. Aus irgendeinem Grund war er unfähig, den Blick von der himmelblauen Windjacke abzuwenden.

Ist schon lange her, sagte der alte Knabe. Seiner Stimme war keine Spur von Selbstmitleid anzuhören. Er leckte einen Finger an und schlug eine Seite der Zeitung um. Sehr, sehr lange, sagte er erneut, und sein Blick hangelte sich langsam die erste Druckspalte hinab.

Ehe Avery aus der Nebenstraße fuhr, in der er den Wagen abgestellt hatte, rief er Tony an, um ihn zu fragen, ob er morgen zum Mittagessen noch Zeit habe. (Mittagessen? Tony lachte. Gibt es das da draußen noch?) Dann telefonierte er mit Frances und sagte ihr, dass er Ruth aus der Vorschule abholen würde. Im ersten Monat blieb sie nur vormittags dort, doch schien das mehr als genug zu sein. Wenn sie nach Hause kam, redete sie die ganze Mittagszeit hindurch und aß nur, wenn sie daran erinnert wurde. Danach schlief sie den halben Nachmittag und auch noch länger, wenn sie nicht geweckt wurde, damit sie sich nicht um den Nachtschlaf brachten.

Er war der einzige Vater, der vor der Schule wartete. Die Mütter schienen sich alle zu kennen und verstummten, als Avery näher kam. Eine Frau aus seiner Kirche versteckte in der Hand eine Zigarette, die sie sich gerade hatte anstecken wollen. Avery hätte ihr am liebsten gesagt, sie solle aufhören, sich so lächerlich zu benehmen, doch stattdessen lächelte er, sagte, schöner Tag heute, und fragte, ob es schon geklingelt habe, und das war genau der Augenblick, in dem die Schulglocke ertönte. Geschlossen wandten sich die Eltern dem Zaun zu. Kurz darauf füllte sich der Hof neben dem Hauptgebäude mit Kindern, die es so aufregend fanden, freigelassen zu werden, dass sie nicht wussten, wohin sie zuerst laufen sollten. Sie flitzten hierhin und dorthin. Zwei Mädchen standen voreinander und sprangen auf und ab. Durch dieses Tohuwabohu führte Miss Peters, frisch vom Stranmillis College, in Zimmermannshose und rosafarbenen T-Shirt, eine Reihe Kinder, die sich gegenseitig fest an den Händen hielten und die Sieben- und Achtjährigen bestaunten, die um sie herumtobten.

Ruth war die Drittletzte in der Reihe, die ans Tor kam, und ihre Schultasche lugte auf beiden Seiten hervor wie bei einem Erwachsenen ein auf den Rücken geschnallter Koffer. Seine Tochter zog ein ernstes Gesicht, das noch ernster wurde, als sie Avery entdeckte.

Was hast du denn da, fragte er und beugte sich auf die Höhe ihres Kopfes hinunter.

Sie reichte ihm einen blau angemalten Pappteller, der willkürlich mit Wattebäuschen beklebt war.

Hast du das ganz allein gemacht? Ist das nicht prima, die Wolken hier?

Ruth nickte, so gut ein Kind, das das Kinn an die Brust presste, eben zu nicken vermochte.

Avery strich ihr das Haar aus dem Gesicht und befühlte ihre Stirn mit dem Handrücken. Alles in Ordnung, Liebes?

Wieder das verkrampfte Nicken.

Miss Peters hielt die Hand eines Kindes, dessen Eltern noch nicht gekommen waren. Sie rief hinüber zu Avery: Ist heute nicht ganz sie selbst. Schätze, sie vermisst Sie-wissen-schon-Wen.

Wollen wir dann zu Mummy fahren, fragte Avery, erhielt aber keine Antwort.

Er schnallte seine Tochter für die kurze Fahrt nach Hause in den Kindersitz. Sie lehnte den Kopf an das Seitenpolster, die Hände lagen kraftlos im Schoß. Trotz aller Versuche, sie auszufragen, sagte sie kein Wort, bis der Wagen in der Auffahrt hielt. Daddy, fragte sie dann, hast du einem kleinen Jungen am Arm wehgetan?

Ruckartig drehte sich Avery um. Ruth blickte mit zusammengekniffenen Augen aus dem Seitenfenster. Eine kalte Woge rollte über ihn hinweg, als er sich fragte, ob sie Angst vor ihm hatte.

Ob ich jemandem wehgetan habe? Wer hat das gesagt?

Ruth zuckte die Achseln. Irgendwelche Leute.

Avery nahm sich Zeit, als er seinen Sicherheitsgurt löste, den Wagen umrundete und zu Ruths Tür ging, um ihr beim Aussteigen zu helfen. Er wollte ihr die richtige Antwort geben und ging in die Hocke.

Ein Junge ist hingefallen, als Daddy auf ihn aufpassen sollte. Es war ein Unfall. Endlich gelang es ihm, den Blick seiner Tochter aufzufangen. Und wenn irgendwelche Leute noch mal so was zu dir sagen, dann erzählst du es deiner Lehrerin, okay?

Immer noch die ernste Miene. Okay, sagte sie.

Sie ging vor ihm her zur Haustür, wo sie sich umdrehte. Außerdem haben sie was ganz Schlimmes über dich gesagt, rief sie und rannte ins Haus.

Wenn ich raten müsste, würde ich vermuten, dass sie mich einen Fenier, einen katholischen Rebellen, genannt haben, sagte Avery.

Ronnie hatte auf ihn gewartet, als er zur Sitzung des Finanzkomitees in die Kirche kam. Avery folgte dem Hauswart entlang der Kirchennordseite zum Robinson Saal (dem großen Saal, wie er allgemein genannt wurde), wo ein meterbreiter Gang zwischen der Mauer und jener dicken Ligusterhecke verlief, die den Kirchengrund von der Straße trennte. Das Graffito war so frisch, dass es noch feucht war: Fenian Love.

Fenian Love und irgendein *Gekritzel.*

Bestimmt haben sie mich gehört und sind weggerannt, ehe sie noch ein *r* an *Love* anhängen konnten, sagte Ronnie.

Oder ein *rs*, sagte Avery. Ich meine, wenn es um einen bestimmten geht, heißt es doch meist: *Soundso ist ein* … Oder nicht?

Mein Spezialgebiet, Magnus, die Syntax des Sektierertums.

Diese Bengel, sagte Ronnie, und es hörte sich wie die Verkleinerungsform von ›Gangster‹ an. Wahllos schob er das Blätterwerk beiseite und suchte nach einer Stelle, an der sie die Hecke passieren konnten. Wir sollten hier Stacheldraht durchziehen. Früher hatten wir Stacheldraht.

Es war nicht Avery, sondern sein Vorgänger gewesen, der, als er zufällig davon erfuhr, entschied, dass sich Stacheldraht und Kirche nicht gut miteinander vertrugen. Wir sollten uns darauf konzentrieren, Menschen in die Kirche zu locken, sagte er, nicht darauf, sie davon fernzuhalten. Avery hatte nur zustimmen müssen, damit sich daran nichts änderte.

Meinen Sie, wir sollten die Polizei rufen?, fragte er.

Bringt nichts, behauptete Ronnie kategorisch. Lässt sich höchstens noch schwerer abwischen, wenn wir warten, bis die kommt. Womit Ronnie ihm zu sagen versuchte, es mangele der Polizei heutzutage auch am Stacheldraht in den eigenen Reihen.

Normalerweise freute sich Avery auf die Sitzungen des Finanzkomitees. Natürlich steckte die Kirche in Schwierigkeiten. Das lag allein schon an der Gegend. Was Luther angefangen hatte, führten Fernsehen und Internet zu Ende. Die christliche Kirche war wie kaum ein anderes Gewerbe dem freien Wettbewerb unterworfen. Nur Sekten erzielten heute noch Gewinn. Dennoch spendeten die Zahlen Trost. Wie groß die Herausforderung auch sein mochte, sie ließ sich wenigstens bemessen. Und wer weiß, vielleicht sogar bewältigen?

Doch heute Abend blickten die Gesichter am Tisch im Komiteezimmer noch grimmiger drein als sonst.

Die freiwilligen Abgaben sind gegenüber dem Vorjahr leicht gestiegen, bemerkte Avery irgendwann.

Der letzte August war der schlechteste Monat überhaupt, sagte Guy Broudie.

Immerhin haben wir den Abwärtstrend gestoppt.

Mervyn Armstrong, das jüngste Komiteemitglied, räusperte sich, um desto wirkungsvoller einen positiven Ton anschlagen zu können. Im Jahresvergleich haben wir in vier der letzten fünf Monate sogar zugelegt.

Guy Broudie schüttelte den Kopf. Wir müssen den Tatsachen ins Auge sehen. Sie sollten besser als jeder andere wissen, Reverend, dass wir bei unvorhergesehenen Ausgaben ganz schlecht dastehen.

Ach ja, dachte Avery und sah das Stirnrunzeln auf das Gesicht des jungen Mervyn zurückkehren, die unvorhergesehenen Ausgaben. Von den Anwälten, die Sheila Kirkpatrick beziehungsweise ihren Schwiegervater vertraten, war die Anordnung gekommen, Avery solle keinen Versuch unternehmen, den Jungen im Krankenhaus zu besuchen.

Gibt es sonst noch Neuigkeiten von dieser Front, fragte er.

Der Kleine wird zwei Wochen in der Schule fehlen. Gefährdung der schulischen Ausbildung, behaupten sie. Eins kommt zum anderen.

In der nachfolgenden Stille hörte Avery das rhythmische Schrubben an der Rückseite des großen Saals. Ronnie machte sich immer noch an der Mauer zu schaffen.

Komm rein!

Tony stand am Fenster, das Gewicht nach vorn auf die Krücke verlagert, doch als er Avery sah, warf er die Krücke fort und taumelte durch das Zimmer auf ihn zu. Ein Wunder! Ein Wunder ist geschehen!

Besser?, fragte Avery.

Tony blieb wie angewurzelt stehen, zog ein Hosenbein hoch und zeigte Avery etwas, das wie eine graue Nylonsocke aussah. Muss bloß noch dieses Ding da ein oder zwei Wochen tragen.

Sie setzten sich. Avery stellte eine Tüte neben den Meccano-Hubschrauber auf den Tisch. Ich habe dir ein paar Sandwiches mitgebracht.

Aber nicht drüben aus dem Ostteil, oder?

Weißt du das noch nicht? Wir haben neuerdings sogar Restaurants in der Stadt.

Tony stieß einen Pfiff aus und schaute in die Tasche. Seine Miene verriet, dass es ihn schon nicht umbringen würde, was immer es auch war. Er fragte, wie es Frances gehe.

Es geht ihr ausgezeichnet, angesichts der Umstände. Und Michele?

Angesichts der Zeit, die sie noch vor sich hat, ist ihr ständig übel. Michele, musste Tony leider sagen, schien von Natur aus nicht gerade mit einem stoischen Charakter gesegnet zu sein.

Ach ja, sagte Avery, wenn wir diejenigen wären, welche …

Wenn wir diejenigen wären, hätten wir längst dafür gesorgt, dass man sie in Laboratorien züchtet. Tony zog einen ledernen Drehstuhl an die Längsseite seines Tisches. Geschmacklos, ich weiß, sag nichts.

Avery rollte mit den Augen. Meine Güte, Tony, wie lange kennen wir uns jetzt schon?

Tony zog den Meccano-Hubschrauber zu sich heran und

musterte ihn einen Augenblick, als hätte er ihn nie zuvor gesehen. Avery wusste genau, dass er sich alle Mühe gab, nicht über seinen eigenen Schalk zu lachen. Tony klopfte mit der Fingerkuppe an einen Rotorflügel, doch der rührte sich kaum. Er klopfte erneut. Der Flügel bewegte sich keinen Millimeter. Tony schob den Hubschrauber beiseite.

Avery erinnerte sich daran, wie er in der Universitätszweigstelle ins Büro des Direktors gegangen war, um ihm Tonys Akte zu geben. Erinnerte sich, wie Tony ihm zugezwinkert hatte, so wie er nun selbst aus irgendeinem Grund Tony zuzwinkerte, der lachte und sich ein bisschen entspannte.

Arbeitest also immer noch an deiner Predigt, wie?, fragte er.

Meiner was?

Deiner Gedächtnis-Predigt. Sag bloß, du hast sie vergessen?

Nein, sagte Avery, ich erzähl dir, worum es geht.

Er hielt inne. Tony hatte nach einem Diktiergerät gegriffen und drehte es um. Einen Moment lang glaubte Avery, ein rotes Licht leuchten zu sehen.

Du erzählst mir, worum es geht, wiederholte Tony dann, als Avery immer noch nicht fortfuhr. Hallo?

Tut mir leid, anstrengender Vormittag.

Tony stellte das Diktiergerät wieder auf den Tisch – es war natürlich ausgeschaltet – und nahm sich ein Sandwich aus der Tüte. Willst du die Hälfte?

Avery schüttelte den Kopf. Ich hab schon gegessen, danke.

Tony nickte und nahm einen Bissen.

Also, vor etwa einem Monat kam eine gewisse Person zu mir, die mit mir sprechen wollte, sagte Avery. Der Mann war ein bisschen durcheinander. Ein bisschen sehr durcheinander. Behauptete, er habe Mühe, sich an bestimmte Dinge erinnern zu können.

Tony schluckte. Älter? Er nahm noch einen Bissen.
Mittleres Alter. Um die vierzig.
Und vergisst Dinge?
Erinnert sich auch an Bestimmtes, beides eigentlich.
Avery schwieg. Er machte das nicht besonders gut. Ein Teil von ihm versuchte immer noch, Larrys Worte zu vermeiden, weil er fürchtete, einen schlechten Eindruck zu machen, wenn er sie einfach nur wiederholte. Aber offenbar waren sie die einzig angemessenen Worte.
Um es kurz zu machen: Diese Person glaubt, ihr Gedächtnis sei absichtlich ausgelöscht worden.
Mit übertriebener Mimik klappte Tony den von Sandwichkrümeln umrahmten Mund auf.
Ich sag nur, was er gesagt hat, fuhr Avery fort. An seinem Hirn wurde herumgedoktert.
Tony warf das Brot auf die Tüte. Wie?
Hat er nicht gesagt.
Na ja, zumindest müsste es Narben geben.
Avery zog mit dem Finger eine Linie um seinen Kopf: *Ich hab sie gesehen*. Tony erwiderte nichts.
Aber was auch passiert ist, sagte Avery, ein Teil der Erinnerung kehrt zurück.
Nichts Gutes, vermute ich.
Nein.
Nein. Die Leute suchen einen nie mit glücklichen Erinnerungen auf.
Diese sind besonders schlimm.
Man hat ihm was getan?
Er hat etwas getan.
Ah.
Eine Schießerei in den Siebzigern.
Auch ohne Einzelheiten zu kennen, verzog Tony das Gesicht. Die Siebzigerjahre waren in Nordirland ein einziger langer Horrorfilm gewesen, und so mancher aus Tonys Ge-

neration hatte es sich zur Aufgabe gemacht, sich möglichst weit davon zu entfernen. Seine Hand wanderte wieder zum Hubschrauber. Er schnipste ihn mit dem Fingernagel an, verlor allmählich die Geduld.

Klingt mir wie eine Kopfverletzung. Vielleicht sogar ein Tumor. Überhaupt kann jedes Hirntrauma solche Probleme verursachen: Amnesie, Schizophrenie, Halluzinationen … Langsam zählte er die Möglichkeiten an den Fingern ab.

Avery unterbrach ihn. Einiges von dem, was er mir erzählt hat, stimmt mit anderem überein.

Womit?

Diesem Buch, das letztes Jahr rauskam, du weißt schon.

Das mit den Toten? Wieder verzog er das Gesicht.

Ja.

Tony beugte sich vor. Und was er dir erzählt hat, ist da beschrieben?

Avery sah, wohin das führte. Erstaunt fragte er sich, wieso er gestern nicht zum selben Schluss gekommen war, ehe er Tonys Nummer angerufen hatte.

Bist du sicher, sagte Tony, dass ›übereinstimmen‹ das richtige Wort ist?

Tony wuchtete sich aus seinem Drehstuhl und stapfte hinter den Tisch, zog eine Schublade auf und schloss sie wieder, da er nicht fand, wonach er suchte. In dieser Stadt laufen eine Menge schwer geschädigter Menschen herum, sagte er. Und wer sich nicht mit uns Ärzten unterhält, geht zu dir.

Avery erhob sich ebenfalls. Er hatte eigentlich nichts anderes erwartet und auch nicht richtig erhofft. Er dankte Tony für die Zeit und bat ihn, Michele Grüße auszurichten, so wie ihm welche für Frances und Ruth aufgetragen wurden.

An der Tür wandte er sich um. Kommt dir bestimmt alles ein bisschen merkwürdig vor?, fragte er.

Ach was, erwiderte Tony. Ich meine, rein theoretisch ist es möglich, am Gehirn zu operieren. Klingt wie eine Story aus dem Kalten Krieg, nicht? Nur solltest du dich mal fragen, warum man es, selbst wenn es möglich wäre, mit einem Typen aus unserer Gegend hier machen sollte.

Gerade diesen Ausklang hatte sich Avery für ihre Unterhaltung nicht gewünscht.

Außerdem, sagte Tony – Avery stand bereits mit einem Fuß im Flur –, bin ich mir ziemlich sicher, dass das die falsche Stelle für eine Narbe ist.

Schon besser. Schon viel besser.

Danke, sagte er.

Des war es gewesen, der Avery die Geschichte von der Hochzeit und dem Bruder des Trauzeugen erzählt hatte. Der Empfang hatte in einem dieser Hotels stattgefunden, die Avery ständig miteinander verwechselte, irgendwo an der Straße zum internationalen Flughafen: ehemalige Motels, während der Fünfziger- und Sechzigerjahre stetig vergrößert und erweitert, in den Siebziger- und Achtzigerjahren fast ausnahmslos zerbombt und seither mehr oder weniger liebevoll wieder aufgebaut. In welchem dieser Hotels der Empfang auch stattfand, Des war jedenfalls seit Jahren nicht mehr dort gewesen. Er kannte den Vater der Braut recht gut. Und er ließ sich überreden, nach dem Essen noch eine Weile zu bleiben. Genau genommen sogar eine ziemlich lange Weile. Irgendwann kam er von der Toilette und bahnte sich einen Weg durch das Foyer, als er den Trauzeugen und dessen Bruder traf, die Seite an Seite am Rand eines blau erleuchteten Brunnens eine Zigarette rauchten. Des fragte, ob er sich ihnen anschließen dürfe. Er hatte den Trauzeugen noch nicht zu seiner Rede beglückwünscht, die lustig, aber, anders als viele Hochzeitsreden heutzutage, nie unter der Gürtellinie gewesen war. Jedenfalls kamen sie ins Gespräch, Des stand erst, dann setzte er sich. Er nahm eine Zigarette an: Die erste und einzige dieses Jahr, sagte er ihnen und Avery.

Zusammen mit den Brüdern betrachtete er die fein angezogenen Leute, die aus dem Dunkel zum gelben Licht vor der Automatiktür strömten. Lampen waren im Stuck der Wände und der Decke eingelassen, Lichter leuchteten im Boden unter ihren Füßen auf. Stars und Sterne, dachte Des und meinte damit nicht nur das Licht. Er erinnerte sich, hier einmal auf einem speckigen, braun und blau gestreiften Sofa gesessen zu haben, eine Drehtür hatte über den Boden geschabt.

Immerhin hat sich hier doch einiges verändert, sagte er, und der Trauzeuge erwiderte: Sagen Sie das meinem Bruder.

Warum, fragte Des und beugte sich vor. Hatten Sie etwas mit den Bauarbeiten zu tun?

Der Bruder wandte den Blick ab.

Nein, sagte der Trauzeuge, er hat die Bombe gelegt. Hat dich fünf Jahre gekostet, nicht, Kid?

Fünfeinhalb, antwortete der Bruder.

Sie rauchten ihre Zigaretten. Mit einem freudlosen Lachen stieß der Trauzeuge den Rauch aus. Dumpfbacke, sagte er.

Achselzuckend tat der Bruder die Stichelei ab und betrachtete wieder das Kommen und Gehen der Leute im Firmament der Lichter.

Aber das Beste ist, sagte Des zu Avery, wie sich dieser Kerl im Gefängnis gemacht hat. Mittlere Reife nachgeholt, Abitur und Weiterbildung. Ich sehe ihn an und frage mich, ob der Typ jetzt ein schlechtes Beispiel ist oder das gute Beispiel eines bekehrten Schlechten. Meistens wird das Vokabular ebenso auf die Probe gestellt wie die Moral. Vom Aussehen käme man nie darauf, was die Leute so alles auf dem Kerbholz haben.

Avery hatte daran gedacht, Des anzurufen, nachdem er bei Tony gewesen war, aber der Vormittag war wirklich ziemlich anstrengend gewesen – eigentlich war das ganze Jahr ziemlich anstrengend. Er würde den Anruf auf einen anderen Tag verschieben.

Lou Reed trat an diesem Sonntagabend in der Ulster Hall auf. Avery gehörte zu seinen großen Fans, auch wenn er dies heutzutage eher nicht an die große Glocke hängte. Trotzdem kam es natürlich nicht infrage, dass er und Frances hingingen, denn auch, wenn er ausnahmsweise den Sonntagabend freibekommen hätte, war Avery nach zwei Gottesdiensten und einem mit Besuchen bei Bettlägerigen angefüllten Nachmittag viel zu müde. Er döste auf dem Sofa und hörte dabei das dritte Album von *Velvet Underground*: ›Jesus‹, ›Beginning to See the Light‹ und ›I'm Set Free‹. Balsam für jede Seele, diese Musik. Um halb zwei wachte er auf. Im Haus war es still, selbst die Umspannstation schien eine Art geräuschlosen Nachtstrom zu produzieren. Er öffnete die hintere Tür und meinte, den Wechsel der Jahreszeiten riechen zu können; dann ging er barfuß von Zimmer zu Zimmer, oben wie unten, ein Pilgermarsch aus Dankbarkeit für dieses Haus, dieses unvorhersehbare Leben.

Am Montagmorgen zog er die Hose an, die er am Tag des Fußballturniers getragen hatte. Irgendwas fiel aus einer der Taschen, ein Zettel, ein *Umschlag*, dreifach gefaltet. Er öffnete ihn, während er zum Papierkorb ging. Dann blieb er stehen. Der Umschlag gehörte ihm nicht, auch der Name sagte ihm nichts, er war sich nicht mal sicher, ob er den Vornamen richtig entziffern konnte, nur die Straße kannte er. Die Briefmarke trug keinen Stempel. Er zögerte einen Moment, ehe er in den Umschlag sah. Nichts.

Es dauerte einige Augenblicke, bis er sich erinnerte, wie er zu dem Umschlag gekommen war. In der Panik um Darryl Kirkpatrick war es ihm völlig entfallen.

Noch zwei Schritte bis zum Papierkorb.

Er machte einen Schritt.

Ich bin mir *ziemlich* sicher, hatte Tony gesagt.

Er machte noch einen Schritt.

Ziemlich.

Teil 2

I

Ehe Belfast seinen Fluss aufs Neue entdeckte und damit auch die Lust am innerstädtischen Wohnen (oder doch zumindest am Leben in innerstädtischen Wohnungen, mit denen nicht gleich standardmäßig Feuchtigkeit, Pfusch am Bau und Vandalismus einhergingen), hatten jene Straßen, die von der Universität aus strahlenförmig nach Süden verliefen, wohlhabenden Bürgern eine Wohnqualität geboten, die der modernen Idee des *urban village* am nächsten kam. Und obwohl das Verlangen nach teuren Spekulationsobjekten längst so gestiegen war, dass Stadtplaner mit großen Parkplätzen im Stadtzentrum liebäugelten, wechselten die Zwei- bis Dreizimmerwohnungen in den viktorianischen Reihenhäusern an der Stranmillis oder Lisburn Road den Besitzer noch immer für den Preis eines einträglichen Bauernhofes westlich von Bann oder einer ganzen Häuserreihe östlich vom Lagan und boten ihren Bewohnern kaum einen Steinwurf weit von der City entfernt das beste Tag- und Nachtleben der Stadt.

Für die Bewohner des Hauses, das Avery gerade vom Fensterplatz eines Cafés in der Stranmillis Road beobachtete, war es sogar nur ein Katzensprung.

The Place, wie das Café hieß, war in Konkurrenz zum Ur-Belfaster Café und Diner *The Other Place* gegründet worden, von dem es – so erfolgreich war das Original – bereits mehrere Ableger in diesem Teil der Stadt gab. *The Place* war ausschließlich mit schmucklosen Pressspanplatten eingerichtet und roch stark nach etwas, das, wie Avery schließlich einfiel, nachdem das x-te Glas schäumenden Tees an ihm vorbeigetragen worden war, Kardamom sein musste.

Avery nippte an seinem Mineralwasser und blätterte die *Daily Mail* durch. Den *Guardian* und die *Irish Times* hatte er bereits gelesen, ebenso die beiden Lokalzeitungen. Er war schon einmal hier gewesen, am Mittwoch letzter Woche, hatte Zeitungen durchgeblättert, am Wasser genippt und sich gefragt, was das für ein Geruch war. Und während der ganzen Zeit hatte niemand das vierte Haus auf der gegenüberliegenden Straßenseite betreten oder verlassen.

Natürlich hatte er beim letzten Mal erst angeklopft, genau wie heute. Er war einen Schritt von der Tür zurückgetreten und hatte zu den oberen Fenstern hinaufgeschaut, in denen nur Teile des frühen Herbsthimmels funkelten. Er lauerte niemandem auf, spionierte niemandem nach. (Er trug keinen Priesterkragen, stimmt, aber *so* ungewöhnlich war das nun auch wieder nicht.) Wenn unten keine Vorhänge gewesen wären, hätte er durch die Fenster gesehen.

Ist das leer? Eine Kellnerin nahm sein Glas und schüttelte die mit Wasser vollgesogene Zitrone hin und her. Darf ich Ihnen noch etwas bringen?

Avery schaute auf die Uhr. Fast fünf. Nein, danke, sagte er.

Die Frau am Fensterplatz neben ihm fragte, ob er die *Mail* noch lese.

Nein, entschuldigen Sie, sagte er, sah erst zu ihr hinüber, dann auf die Zeitung und schien von ihrer beider Anwesenheit überrascht. Nehmen Sie ruhig.

Darf ich Sie etwas fragen?, sagte sie dann. Warum interessieren Sie sich so für mein Haus?

Er sagte ihr, er sei Reverend. Er setzte gleich hinzu, was anzumerken sein Schicksal zu sein schien, dass sie sich keine Sorgen zu machen brauche, es sei nichts passiert. Doch als er

Larrys Namen nannte, kramte sie sofort in ihrer Handtasche nach dem Portemonnaie. Falls es Ihnen nichts ausmacht, würde ich dieses Gespräch lieber nicht hier führen.

Wo haben Sie ihn kennengelernt, fragte sie ihn im Flur des Hauses.

Es waren die ersten Worte, seit sie das Café verlassen hatten.

In meiner Kirche, antwortete Avery. Er kam mehrmals und hat mit mir geredet.

Die Frau musterte flüchtig die Briefe, die sie von den Bodenfliesen aufgelesen hatte, steckte sich einen in die Manteltasche und riss den anderen in zwei, dann in vier gleiche Teile. Avery war beiseite getreten, damit sie hinter ihm die Tür schließen konnte.

Ihre Kirche?, fragte sie, als hätte sie ihm nicht richtig zugehört.

Auf der anderen Flussseite, sagte Avery, in Ost-Belfast. Ich nahm an, er hätte dort vielleicht Verwandte.

Sie schaute ihn noch einige Sekunden an und wies dann zum Vorderzimmer. Gehen Sie nur hinein.

Man hatte die Wände durchbrochen, was den Raum dreimal so lang wie breit machte, links von der Tür stand ein Sofa vor dem offenen, kobaltblau eingefassten Kamin, ein weiteres Sofa befand sich an der hinteren Wand vor einem zweiten, rubinrot gefliesten Kamin. An der Zimmerlängsseite stand ein Klavier, Staub auf dem Deckel, kein Stuhl davor. Avery setzte sich an den blauen Kamin, wo auch der Großbildfernseher und die Hi-Fi-Anlage standen. Zwei separate Leuchtanzeigen erinnerten ihn daran, wie spät es bereits war.

Die Frau zog einen gepolsterten Korbstuhl zwischen die Kamine. Den Mantel hatte sie aufgeknöpft, aber nicht ausgezogen. Darunter trug sie einen gerippten Pullover. Lehrerin, hätte Avery getippt, obwohl kein Buch zu sehen war, das seine Annahme bekräftigt hätte.

Ich fürchte, er hat Ihnen allen möglichen Unsinn über mich erzählt, sagte sie.

Nein, erwiderte Avery, überlegte es sich dann aber noch einmal für den Fall, dass er erklären sollte, wie er an ihre Adresse gekommen war. Jedenfalls nichts Schlimmes.

Ich musste ihn bitten, das Haus zu verlassen, sagte sie. Hat er Ihnen das erzählt? Sie reckte das Kinn, als forderte sie Avery heraus, es mit ihr aufzunehmen.

Eigentlich, sagte er und blickte auf seine zwischen den Knien gekreuzten Hände, hat er mir nur sehr, sehr wenig erzählt.

Sie blickte in ihren Schoß und steckte den ungeöffneten Brief von der einen in die andere Tasche. Nein, sagte sie, als hätte Avery versucht, ihr zu widersprechen. Es wurde mir mit ihm zu unheimlich.

Ich verstehe, erwiderte Avery, und wieder reckte sie das Kinn, ein unsicheres Lächeln kaum wahrnehmbar auf den Lippen, und er war sich keineswegs sicher, ob er wirklich etwas verstand.

Sie stand auf und ging in die Küche. Eine Kühlschranktür wurde geöffnet und geschlossen, eine Besteckladе aufgezogen. Ein Korken ploppte. Mit einer Flasche Weißwein und zwei Gläsern erschien sie wieder in der Tür und fragte ihn, ob er ein Alkohol trinkender oder ein nicht Alkohol trinkender Reverend sei.

Heute ein nicht Alkohol trinkender, sagte er, und sie sagte, das täte ihr leid, denn dann könne sie ihm nur Leitungswasser anbieten.

Averys Nieren hätten das nicht verkraftet. Danke, nein, sagte er.

Sie schenkte sich ein Glas ein und trat ans Fenster. Sie öffnete die Vorhänge, schien offenbar aber nicht beeindruckt von dem, was sie sah, und schloss sie wieder.

Avery wusste nicht, wie er die nötigen Fragen formulieren sollte. *Glauben Sie, dass Ihr ehemaliger Lebensgefährte einen mehrfachen Mord begangen hat? Wie haben Sie reagiert, als er Ihnen zum ersten Mal erzählte, man habe sich an seinem Hirn zu schaffen gemacht?*

Stattdessen sagte er: Entschuldigen Sie, wie unhöflich von mir, ich habe mich noch nicht mal … Ich heiße Ken Avery.

Elspet Grey, sagte sie.

Elspet? (So also lautete der Name auf dem Umschlag.)

Ja, sagte sie müde. Elspet. Fluch meines Lebens. Jedes Mal, wenn ich vorgestellt werde, dieselbe Reaktion: Els-*was*? Dabei habe ich noch Glück gehabt. Meine Schwester heißt Morag und mein Bruder Hamish.

Schottische Familie?, fragte Avery.

Hätte mein Vater gern gehabt. Als wir Kinder waren, wurden wir bei jeder Gelegenheit zu den Alisons und Johns und all den anderen Schotten mit normalem Namen geschickt.

Sie setzte sich wieder, nippte an ihrem Wein und lächelte schwach. Ist schon komisch. Eine Sache, die Larry und ich gemeinsam hatten, waren unsere Möchtegern-Väter. Meiner war von Schottland wie besessen, Larrys vom Wilden Westen. Hatte es gern, wenn seine Freunde ihn ›Duke‹ nannten – Sie wissen schon, wie John Wayne. Aber am schlimmsten war, dass Larry, als er noch klein war, ihn tatsächlich für einen Duke, einen Herzog hielt. Na ja, in dem Alter …

Ihr Lächeln wurde ein wenig wärmer.

Avery hatte Mühe, sich Larry als kleinen Jungen vorzustellen, der Opfer eines so harmlosen Missverständnisses geworden war.

Wie hat er denn ausgesehen, als Sie ihn getroffen haben?, fragte Elspet.

Avery hatte nichts, woran er Larrys Aussehen messen konnte.

Ein bisschen wie – er legte besonderen Nachdruck auf diese Worte – *von Geistern gejagt*.

Elspet reagierte nicht darauf. Und hat er gesagt, wo er jetzt wohnt?

Nein, aber er muss immer noch irgendwo in der Stadt arbeiten, denn …

Elspet lachte.

Was ist?

Arbeiten? Larry? So lange ich ihn kenne, hat er noch nie gearbeitet.

Avery schaute sich im Zimmer um.

Ich weiß nicht, warum Sie sich so umsehen, sagte Elspet. Er hat nicht für das geringste bisschen in diesem Haus bezahlt.

Avery fragte, ob er nicht doch einen Schluck Wein bekommen könne.

Natürlich, wenn er ein, zwei Minuten wirklich nachgedacht hätte, wäre er vermutlich zu dem Schluss gekommen, dass nichts von dem, was Larry gesagt oder getan hatte, darauf hindeutete, dass er eine Arbeit besaß. Er hatte einfach bloß – welchen Eindruck er auch immer gemacht haben mochte – nicht wie ein Mann ohne Arbeit gewirkt.

Er hat ein Postfach, an das ich meine Schecks schicke, sagte Elspet. Ich lege jedem einen Rückumschlag bei, frankiert und adressiert. Manchmal kommt er nach zwei, drei Wochen zurück, manchmal dauert es ein paar Monate. Ich mache ihn schon gar nicht mehr auf. Der Umschlag ist die Botschaft. Er braucht Geld.

Sie saßen jetzt auf dem Sofa am Ende des Zimmers vor dem rubinrot gefliesten Kamin neben der Tür zur Küche.

Ich habe mich nicht gut dabei gefühlt, sagte Elspet, aber er wurde immer unberechenbarer. Ich kam einfach nicht mehr damit zurecht.

Jedenfalls behauptet er ziemlich ungewöhnliche Dinge, sagte Avery.

Die Hirnoperation?

Avery nickte, erleichtert, nicht mehr der Einzige zu sein, der die Geschichte kannte.

Sie ist nicht gänzlich frei erfunden. Eines Abends, vor vielen Jahren, hatte er einen Motorradunfall. Er war auf einer Party gewesen, fuhr ohne Helm. Man hat ihm eine Stahlplatte in den Schädel implantiert. Er muss in schrecklicher Verfassung gewesen sein.

Muss?

Wie?

Haben Sie ihn nach dem Unfall denn nicht gesehen?

Ich habe ihn damals noch gar nicht gekannt, erst achtzehn Monate später. Da war er noch in Behandlung. So sind wir uns übrigens auch begegnet. Ich habe ein freiwilliges Jahr gemacht, und mein Vater hatte mir eine Stelle in einem Genesungsheim gleich außerhalb von Edinburgh besorgt. Er war ein schrecklich netter, großer Kerl, dieser Larry, sehr still. Das hier hätte man sich damals gar nicht träumen lassen.

Avery hob das Glas an die Lippen. Hielt es dort.

Ist was?, fragte sie.

Er nahm einen kleinen Schluck. Denk nur nach.

Und?

Tja, Sie haben ihn nicht gekannt, als er angeblich einen Motorradunfall hatte.

Was meinen Sie damit? Angeblich? Ich habe ihn im Heim gepflegt.

Achtzehn Monate später.

Ach je! Elspet stand auf und schlug sich mit der rechten Faust auf den Oberschenkel. Ich kann es nicht fassen, dass ich mich von Ihnen dazu bringen lasse, so darüber zu reden.

Ich wollte nicht … sagte Avery, doch sie verließ das Zimmer.

Er hörte sie oben rumoren, hörte, wie etwas vorgezogen wurde, vielleicht unter dem Bett hervor. Einen Augenblick später rauschte sie mit einem großen Karton wieder ins Zimmer. Krachend stellte sie ihn auf den Boden und durchwühlte den Inhalt. Er sah Bankauszüge, alte Scheckhefte, von einem Gummiband zusammengehaltene Briefbündel.

Hier. Sie reichte ihm einen DIN-A4-Umschlag, las die auf der Vorderseite mit Bleistift vermerkte Inhaltsliste – nein, der nicht –, steckte ihn zurück und zog einen identischen Umschlag hervor. Hier. Sämtliche Briefe, die er je vom Krankenhaus erhalten hat, alle Arzttermine, Blutproben, Urinuntersuchungen, jede verdammte Kleinigkeit.

Avery warf einen Blick ins offene Umschlagmaul. Hören Sie, sagte er.

Sie wedelte mit dem Umschlag. Nehmen Sie schon!

Avery beugte sich auf seinem Sessel vor, und sie begann zu weinen.

Er fand allein hinaus. Es war Viertel nach sechs, als er sich in seinen auf der Stranmillis Road geparkten Wagen setzte. Sie hatte zwar gesagt, er solle gehen, doch musste er daran denken, in welcher Verfassung er sie zurückgelassen hatte. Einen Moment lang schloss er die Augen, spürte, wie die Entscheidung fiel. Er stieg wieder aus, rannte zurück zum Haus und wäre fast über die Leine eines Hundes gestolpert, der allein an der Straßenecke hockte und sein Hinterteil in die Gosse reckte. Der Hund kläffte, in seiner Konzentration gestört. Seine Besitzerin, eine ältere Dame mit Filzhut, hatte einen Kotbeutel in der Hand, aus dem oben der Griff einer blauen Plastikschippe herausragte.

Er stand fast fünf Minuten vor der Tür und wartete darauf, dass Elspet sich meldete. Er dachte Toilette, dachte Bad, doch war es der Gedanke an weit Schlimmeres, der ihn weiterklopfen und nicht gehen ließ.

Die Fenster boten ihm nun eine purpurrot getönte Version des Himmels.

Sie ist ausgegangen, sagte eine Stimme hinter ihm.
Avery drehte sich um. Die alte Frau im Filzhut stand am Gartentor. Der Beutel sah schwerer aus, der Hund leichter, zufriedener.
Ach, sagte Avery. Er sah wieder auf die Uhr. Er war höchstens zwei, drei Minuten fort gewesen, als er sich entschlossen hatte, noch einmal zurückzukehren. Sie musste praktisch gleich nach ihm das Haus verlassen haben.
Ich bin froh, dass ich sie gesehen habe, sagte die Frau, zerrte den Hund zu sich und wandte sich vom Tor ab. Ich habe mich schon gefragt, ob hier überhaupt noch jemand wohnt.

Entschuldigen Sie, sagte Frances und strich sich mit der Hand über den Nacken, während sie ihn im Küchenlicht musterte, aber kenne ich Sie?
Avery rieb sich auch den Nacken. Komm schon, ich treib's doch nicht jeden Tag so wild.
Ach nein, würdest du das heute keinen Tag nennen?
Avery schloss sie in die Arme und schmiegte sein Gesicht an ihre Wange. Das Baby trat ihn links in die Leiste. Er zuckte zusammen. Frances hörte auf, ihn zu küssen. Du hast etwas getrunken, sagte sie. Diese Entdeckung schien sie offenbar zu amüsieren. Jetzt habe ich genauso einen Mann wie alle anderen Frauen. Zieht sich seltsam an, kommt spät nach Hause und stinkt nach Alkohol.
Ein halbes Glas Wein, sagte Avery.
Das ist ein halbes Glas mehr, als du tagsüber jemals mit mir zusammen getrunken hast. Wer ist also die Glückliche?
Ich bin die Glückliche, krähte Ruth.
Sie saß am Küchentisch und war jetzt, eine Stunde nach Beginn, mit ihrem Abendessen fertig, Würstchen, Waffeln und Brokkoli. Dabei hatten Würstchen und Waffeln eigentlich nur als Lockspeise für den Brokkoli gedient; den Erdbeer- und Vanillejoghurt – gerade suchte sie nach einem letz-

ten Rest im Becher – bekam sie als Belohnung. Ruth wusste, dass es überall auf der Welt kleine Mädchen und Jungen gab, die nicht so glücklich waren, Würstchen und Waffeln und Joghurt, sogar Brokkoli zum Abendessen zu bekommen, denn sie bat Gott vor jedem Essen, dass sie die anderen Kinder nie vergessen möge.

Avery küsste sie auf die Stirn. Was hast du denn heute alles gelernt?

Es war dieselbe Frage, die ihm sein eigener Vater jeden Tag gestellt hatte, wenn er von der Arbeit nach Hause kam. Avery war schon über zehn Jahre alt gewesen, ehe er begriffen hatte, dass sein Vater nur Spaß machte, dass er gar nicht erwartete, alles genau aufgezählt zu bekommen.

Stirnrunzelnd versuchte Ruth, sich zu erinnern. Schule war schon eine Ewigkeit her. Es gab da ein Lied, sagte sie.

Ein Lied?

Ruth sang. Auch die Pinguine ratschen, tratschen,

klatschen, patschen, watscheln, latschen … diddeldum.

Was bedeutet diddeldum?, fragte sie.

Nichts, antwortete Avery, ist nur ein Liedwort.

Frances ging hinter ihm vorbei und flüsterte ihm ins Ohr: Ich warte, weißt du. Glaub nicht, ich hätte es vergessen.

Frances vergaß. In der Nacht wehte ein kräftiger Wind. Das alte Haus ächzte und stöhnte. Ruth fand nur schwer zur Ruhe. Sie wollte Märchen, Gesellschaft. Frances' Mutter rief an. Michele rief an. Avery ging in sein Arbeitszimmer und verließ es erst um elf Uhr wieder. Es war nicht nötig, etwas zu gestehen oder zu übergehen. Frances schlief bereits.

Am nächsten Morgen begleitete er Frances zur monatlichen Vorsorgeuntersuchung ins Royal Hospital, diesmal mit Priesterkragen. Da sie Ruth erst zur Vorschule und dann noch halb durch die Stadt fahren mussten, schafften sie es frühestens zu einem Termin um zehn Uhr. Bei ihrem ersten Termin – um neun Uhr (wie lang schien das schon her zu sein) – hatte man ihnen geraten, den Termin um zehn möglichst zu vermeiden. Das Wartezimmer war brechend voll. Es glich einem Frontalzusammenstoß von Planung und Zufall. Da waren schwangere Schulmädchen mit ihren Müttern, Frauen, die aussahen, als könnten sie schon Großmütter sein, Frauen mit Kleinkindern und Frauen mit Freundinnen sowie Paare, die in der Schlange vor dem Tisch hintereinander anstanden und sich umarmten, Paare, die müde aussahen, gelangweilt, gereizt, und Paare wie sie, Paare, die einfach einen Platz zum Sitzen suchten.

Die Mutter von einem der Schulmädchen überließ Frances ihren Platz direkt unter einem Schild, das vor dem Rauchen während der Schwangerschaft warnte. Da sag ich nicht nein, sagte Frances.

Ich weiß noch, wie es war, sagte die Frau, zeigte mit einem Kopfnicken auf ihre Tochter und ging, um sich die Zeitschriften auf dem Tisch in der Zimmermitte anzusehen.

Wann ist es so weit?, fragte Frances das Mädchen.

Silvester, antwortete sie, und in ihrer Stimme klang eine Spur von ›Pech gehabt‹ mit, während ihr Blick zu Avery hinüberwanderte.

Avery war es gewohnt, dass man ihn in solchen Momenten anstarrte. Manchmal nutzte er das zu seinem Vorteil und verwickelte die Gaffer in Gespräche. *Was konnten sie sich eigentlich nicht vorstellen? War es eine Überraschung, dass gesunder Sex kein Widerspruch zum religiösen Leben, sondern dessen perfekte Ergänzung bedeutete?* Dann wieder, so wie heute, stand er nur an Frances' Seite und tat gar nichts, ein erstarrtes Lächeln im Gesicht.

Man rief die Namen der werdenden Mütter auf, Sitzplätze wurden frei und schon in der nächsten Sekunde von denen besetzt, die bei der Anmeldung am Kopf der Schlange warteten. Ein Mann, eine Frau und ihre Vorschultochter stellten sich am Ende an. Die Kleine sprach Englisch mit dem Vater,

Französisch mit der Mutter, Vater und Mutter aber wechselten kein einziges Wort. Eine Frau kam mit verweinten Augen aus einem Nebenraum. Averys Blicke und die von einem Dutzend Leute im Wartezimmer folgten ihr zur Tür. In einer anderen Tür erschien eine Hebamme und las laut vom Blatt ab. Frances Avery? Und irgendjemand im Raum sagte: Piep, piep.

Das Baby lag leicht auf die Seite gedreht, der Po fast direkt unter Frances' rechtem Brustkorb.

Noch genügend Zeit. Noch genügend Platz, um sich zu drehen, sagte die Hebamme und massierte die Wölbung. Sie blickte in Frances' Unterlagen. Mit dem Ersten waren Sie über der Zeit?

Zehn Tage, antwortete Frances. Ich hoffe nur, ich muss nicht wieder so lang warten.

Die Hebamme lächelte. Jedes kommt zur rechten Zeit, nicht wahr? Es wird jetzt ein bisschen kalt.

Sie spritzte Gel auf Frances' Bauch.

Möchte der Papa – ich pass lieber auf, dass mir kein Vater über die Lippen kommt – nicht ein bisschen näher rücken?

Hand in Hand sahen sie die Zuckungen des Hirns, das anemonenhafte Beben des Herzens und wandten beide zusammen den Blick ab, als das Baby strampelte und sich in der Hüfte drehte.

Alles in Ordnung, sagte die Hebamme. Zu schnell, um was sehen zu können.

Frances war überzeugt, schon in der achtzehnten Woche gesehen zu haben, dass Ruth ein Mädchen werden würde.

Ich hab's dir gesagt, ich hab's ja gesagt, hatte sie als Erstes nach der Entbindung hervorgebracht und dabei wie ein Kind an Weihnachten geklungen, dachte Avery, das sich ärgerte, weil es endlich bekam, was es im Kopf schon in den fünfundfünfzig Tagen seit Halloween gehört hatte. Wochen vergingen, ehe sie sich über das Baby freuen konnte, doch dann war die Freude umso größer. Keiner von beiden wollte, dass etwas Ähnliches noch einmal passierte. Und Avery behielt den Verdacht für sich, dass er – nur ganz flüchtig – beim letzten Arztbesuch noch etwas anderes als ein Stück Nabelschnur gesehen hatte.

Auf dem Rückweg vom Krankenhaus machten sie an einem gerade erst eröffneten Möbelladen Halt, um bei Kaffee und Kuchen eine Pause einzulegen. Vom Fenster im ersten Stock blickten sie über die vielen Ausstellungsflächen der Autohändler zur Autobahn M1, den flachen Ausläufern der Belfaster Berge und den Wohnsiedlungen, die hier und da, wo die Wolkendecke aufriss, vom Sonnenlicht besprenkelt wurden. Schauten sie ins Geschäft, sahen sie Kunden, die Sofas ausprobierten, Rücken, Hintern und Hände flach anpressten; eine Frau, die sich vorbeugte, um das hinter der Glasscheibe falsch herum angehängte Preisschild zu lesen; ein Mann, der versuchte, die Größe eines Esstischs mit dem biblischen Maß der Elle zu ermitteln.

Frances rührte in ihrem Latte. Ich kann nur hoffen, dass es diesmal nicht wieder länger dauert, sagte sie. Ich weiß nicht, ob die Hebamme das je mitgemacht hat, aber nach vierzig Wochen ist es einfach kein Spaß mehr.

Avery erinnerte sich an die Tage vor Ruths Geburt, an Frances' Tränen, ihre beißenden Bemerkungen, mit denen seine Versuche, sie zu trösten, abgewiesen worden waren. Für ihn – und bislang hatte er geglaubt, Frances hätte es ebenso gesehen – waren diese Tage nur ein Bruchteil einer ansonsten problemlosen Bilderbuchschwangerschaft gewesen.

Er kratzte mit der Gabel über den Teller und kaute an einem nur dürftig gefüllten Eckchen *tarte au citron*.

Der Mann im Möbelladen wandte sich Hilfe suchend an einen Verkäufer, seine Arme waren unterschiedlich lang.

Egal, sagte Frances, und fand zu ihrem Lachen zurück.

2

Eddie Izzard hätte eine ordentliche gehalten, Bob Monkhouse nicht. Ken Dodd nur an einem seiner guten Tage, Lenny Bruce bloß, wenn er sich nicht allzu sehr bemüht hätte. Billy Connolly hielt praktisch jedes Mal eine, wenn er auf die Bühne trat. Avery konnte sich nie einen Komiker ansehen, ohne sich zu fragen, wie sie mit einer Predigt zurechtkämen. Für die Mehrzahl der Kirchgänger war ein Reverend stets nur so gut wie seine Predigt, und auch wenn die Auswahlkomitees und Vorstellungsrunden ihre Arbeit abgeschlossen hatten, beurteilten die Gemeinden neue Geistliche stets nach der Qualität ihrer Predigten. Sie mussten die richtige Mischung aus Unterweisung und Unterhaltung bieten. Im besten Fall dauerten sie nicht länger als eine halbe Stunde, und auch Scherze waren nicht fehl am Platz, so lange die Gemeinde Scherze als solche auch erkannte. In Averys erster Predigt waren zwei vorgekommen, doch keiner von beiden hatte auch nur ein halbes Lächeln hervorgelockt. Frances bestätigte widerstrebend, was er nicht hatte sehen können.

Das war ja genau dein Problem, du hast ständig nach unten geblickt.

Er hatte von Anfang bis Ende mehr oder weniger abgelesen, doch konnte er zu seiner Verteidigung vorbringen, dass er nicht viel Zeit zur Vorbereitung gehabt hatte. Reverend Twiss war von einem üblen Virus heimgesucht worden, der gerade die Runde machte.

Ihn hat's mit allem Drum und Dran erwischt, hatte Mrs Twiss gesagt, als sie am Freitagabend anrief und die schlechte Botschaft überbrachte. Erbrechen und Durchfall.

Es sei ein ständiges Hin und Her, sagte sie ihm am Samstagmorgen. Avery hörte die Toilettenspülung im Hintergrund.

Eine Stunde später rief Reverend Twiss selbst an. Tut mir leid, mein Sohn, sagte er, aber immerhin gibt es für ein Debüt schlimmere Sonntage als den ersten Sonntag im Advent. Man hangelt sich einfach von Punkt zu Punkt.

Aus diesem ›von Punkt zu Punkt‹ machte Avery ein undurchdringliches Theoriegebäude.

Die Sache lief mir völlig aus dem Ruder, erklärte er Twiss bei der erstbesten Gelegenheit, die frei von Erbrechen und Durchfall war.

Mrs Twiss sagte, es sei schon ein bisschen vertrackt. Reverend Twiss nahm aus einem hohen Glas Wasser einen kräftigen Schluck, wischte sich den Mund ab und sagte hinter vorgehaltener Hand: Ich verrate Ihnen, was mir mein Pfarrer gesagt hat, als ich noch sein Assistent war. Berufsgeheimnis. Sehen Sie sich den Komiker und Zauberer Tommy Cooper an.

Avery lachte.

Das ist nicht zum Lachen, sagte Twiss, doch seine Augen behaupteten das Gegenteil. Ich habe ihn mir angesehen, und der alte Mann hatte recht, er hat nicht ein einziges Mal den Faden verloren.

Also sah Avery fern, UK Gold, den Paramount Sender, fing mit Cooper an und arbeitete sich vor und zurück.

(George Burns hätte es gekonnt, Jack Benny auch, Bob Hope hätte es ums Verrecken nicht geschafft. Arthur Askey hätte Heiden bekehren können.)

Er experimentierte mit farbigen Stiften und Fließdiagrammen und fand schließlich heraus, dass es selbst sein

Gedächtnis schaffte, sich das Wesentliche eines Abschnittes zu merken, wenn er die erste Zeile eines etwa fünfzehn mal zehn Zentimeter umfassenden Absatzes in Blockschrift oben auf eine Karteikarte notierte. Er schrieb dann trotzdem noch den ganzen Text nieder, wenn auch in immer kleiner werdender Schrift. Es war das Gegenteil von Langstreckenschwimmen: Wie hielt man möglichst lang aus, ohne den Kopf zu senken?

Wenn er zu Beginn eines jeden Gottesdienstes zur Kanzel ging, hielt er die Karten mit abgewandter Vorderseite an die Bibel gepresst. Im Laufe der Zeit wurde er sehr geschickt darin, beim Predigen mit einer Hand (mit einem Finger, bloß mit dem Daumen) vorzublättern, während die Linke den Takt angab, damit die Worte mit ihm nicht durchgingen oder er in ein eintöniges Geleiere verfiel.

Weder Realitätssinn noch Bescheidenheit ließen den Gedanken zu, er könne einmal ein bemerkenswerter Redner werden, doch gab es keinen Zweifel daran, dass er es seit jenem ersten Adventssonntag in Holywood weit gebracht hatte. Weit genug jedenfalls, um zu wissen, dass einem Erfolg oder Misserfolg einer Predigt manchmal auf göttliche Weise aus den Händen genommen wurden.

Am Sonntag war der jährliche Beitrittsgottesdienst der Pfadfinder. In Zweierreihen marschierte die Truppe über den Mittelgang hinter ihren goldgesäumten Fahnen her, die Avery in vollem priesterlichen Ornat entgegennahm und in v-förmige Halter auf dem Boden vor der Kommunionsbank abstellte. Die Jungen drängelten in die ersten drei Reihen zu seiner Rechten. Es war genügend Platz. Dies war das erste Jahr, in dem keine Mädchen beitraten. Zum halben Dutzend im letzten Jahr hatten drei Schwestern gehört, deren Familie seither aus der Stadt fortgezogen war. Die Guides hätten schon immer Mühe mit dem Nachwuchs gehabt, hatte Guy Broudie erzählt, während die Pfadfinder sich früher einer hundertzwanzig Jungs starken Kompanie rühmen konnten. Dass damals, als die UDA in dieser Gegend gegründet wurde, die Hälfte der Offiziere aus diesem Verein kam, weil man Jugendliche mit Drillerfahrung bevorzugte, hatte Guy ihm verschwiegen, und Avery hatte es nicht nachweisen können.

Während seiner Ansprache blieb Avery vor der Kommunionsbank stehen. Er bat die Jungen, über ihren Wahlspruch nachzudenken. *Sure and steadfast, sicher und standhaft.* Wie oft hatten sie bei den Pfadfindern diese Worte schon gehört? Er wolle sie nicht selbstgefällig darum bitten, die Hand zu heben, falls sie wussten, was sie bedeuteten. Ihm sei klar, dass sie die Bedeutung der Worte kannten. (War das nicht sogar die Voraussetzung für den Beitritt?) Aber hatten sie, fragte er, je darüber nachgedacht, wie uns diese Worte überliefert worden waren? *Sure* über das Altfranzösische aus dem lateinischen *securus*. *Steadfast* aus dem altenglischen *Stede* für Stelle, Platz und *faeste* aus dem Deutschen *fest*. Die Worte waren nicht zusammen entstanden. Jahre-, gar jahrhundertelang hatten ihre Stämme kein einziges gutes Wort füreinander übrig gehabt. (Lächeln bei einigen Gemeindemitgliedern.) Und wenn man heute von der Sprache der Anpassung redete, sollten die Jungen daran denken, dass Sprache selbst größte Anpassung bedeute. Es ließen sich keine zwei Sätze aneinanderreihen, ohne den vielen Einflüssen Ausdruck zu geben, die uns zu dem gemacht haben, was wir sind.

Die Jungen in den ersten drei Reihen hielten die Blicke auf ihn gerichtet. Ein paar von ihnen hatten am überkonfessionellen Fußballturnier teilgenommen, und alle wussten vermutlich über Darryl Kirkpatrick Bescheid. Einer der Jungen war vielleicht sogar für das falsch buchstabierte Graffito auf der Kirchenrückseite verantwortlich, doch keiner zeigte irgendwelche Gefühle. Warum auch? Dies war ihr Teil eines Deals, der ihnen für den Juli eine Woche Ferienlager auf der Isle of Man verhieß.

Ihre Anwesenheit, sagte Avery und meinte es auch so, mache dem Verein und der Kirche alle Ehre. Er baue nun darauf, dass sie auch im kommenden Jahr mit dem, was sie taten und was sie sagten, sich selbst und dem Verein Ehre erweisen würden.

Wählt eure Worte stets mit Bedacht und lasst das Motto *Sure and steadfast* euer *Wahlspruch* sein.

Die Jungen in der ersten Reihe grinsten ihn ausnahmslos an – vermutlich waren sie erleichtert darüber, dass er es ernst gemeint hatte, als er sagte, er werde sie nicht aufrufen –, und dann kam hinten jene Unruhe auf, die Avery stets das Ende seiner Predigt signalisierte. Michael Simpson richtete sich mühsam auf. Guy Broudie rief: Reverend! Instinktiv zog Avery den Kopf ein, als er sich zur Kommunionsbank umdrehte. Eine Reihe Fahnenstangen fiel mitsamt den Halterungen um und streifte ihn am Oberarm. Seine Hände schossen vor, und er fing sie auf, ehe sie den Boden berühren konnten. Die Anführer der Pfadfindergruppen stürzten vor, um ihm zu helfen. Der Gemeinde entfuhr ein Seufzen, und sie klatschte noch nie gehörten Beifall, als er die Stangen wieder aufrichtete und die Fahnen sich entfalteten. Was jetzt noch fehlte, waren Feuerwerk und eine Marschkapelle, die aus einer Falltür hinter der Empore hervorkam.

Am Ende des Gottesdienstes hielten ihm einige Jungen ihren hochgereckten Daumen hin, als sie an ihm vorbei die Eingangsstufen hinabgingen.

Das war klasse, sagte einer von ihnen.

Avery konnte sich nicht daran erinnern, je eine besser gelaunte Gemeinde erlebt zu haben.

Er wachte mitten in der Nacht auf, neben ihm eine Leere, wo Frances hätte sein sollen. Sie saß auf dem Badewannenrand und sah in ihr Höschen. Jetzt schon?, fragte er.

Sie schüttelte den Kopf. Nur ein Zwicken.

Sie war nicht völlig wach. Er half ihr, wieder aufzustehen und das Höschen hochzuziehen. Sie trat ans Waschbecken und ließ heißes Wasser laufen.

Was für ein Glück, sagte er; im Spiegel sackte ihr Kopf vornüber und fuhr wieder in die Höhe. Ja.

Zwei Nächte später träumte sie, die Fruchtblase sei geplatzt, und sie machte ins Bett. Zusammengekrümmt lag sie auf dem Boden und weinte, während Avery das Laken abzog. Mir reicht es, sagte sie zwischen zwei Schluchzern.

Am Morgen packte Avery das Wäschebündel in den Kofferraum und brachte Ruth zur Schule. Danach machte er einen Hausbesuch bei einem Mr Booth, dessen Tochter ihn in der Woche zuvor angesprochen hatte. Der Mann lag im Sterben. Er hatte seit Jahren keinen Fuß in eine Kirche gesetzt. Er fürchtete sich, blieb aber störrisch.

Er würde nie selbst damit herausrücken und darum bitten, hatte seine Tochter gesagt, aber ich weiß, es wäre ein Trost für ihn, wenn er mit Ihnen reden könnte.

Er sagte kaum ein Wort, während Avery dort war. Guten Tag, auf Wiedersehen, könnte ich bitte noch etwas Zucker für meinen Tee haben? Das Haus machte den Eindruck, den Häuser von Witwern oft machen, ein Museum für die verstorbene Frau. Die Tochter des alten Mannes, die einige Häuser weiter wohnte und drei-, viermal am Tag vorbeikam, um nach ihm zu sehen, achtete peinlich genau auf Sauberkeit.

Mr Booth lehnte eng an der rechten Armlehne des Sofas und brauchte nur noch ein halbes Kissen, doch dachte Avery, dass er es früher bestimmt problemlos in ganzer Breite ausgefüllt hatte. Nun konnte man sich leicht vorstellen, er wäre ganz fort.

Die Tochter erzählte Avery, ihr Vater hätte früher in der Seilerei gearbeitet. Oder war Avery zu jung, um sich daran erinnern zu können?

East Bread Street, sagte Avery, die größte der Welt.

Der alte Mann blickte zu Boden, und Avery musste an Kinder denken, die er in Anwesenheit möglicher Pflegeeltern gesehen hatte.

Ach, in der Gegend drüben hat sich alles verändert, sagte die Tochter. Wer hätte das gedacht, ein Geschäft für Golfzubehör. Stimmt doch, nicht, Daddy? Ist wie dieses große Ding, das sie mitten zwischen die Werften setzen. – Das große Ding war das Odyssey: Kinos, Restaurants und Heimstätte für die Eishockeymannschaft der Stadt. – Was glauben Sie denn, wie viele Leute dadurch Arbeit bekommen?

Daddy behielt seine Meinung für sich.

Avery beteiligte sich noch an einigen Versuchen, ihm ein Wort zu entlocken, und dann sagte er, er mache sich besser wieder auf den Weg. Er würde nächste Woche noch einmal vorbeischauen. Diesem letzten Satz hängte er ein Fragezeichen an.

Prima, sagte die Tochter. Avery blieb dabei.

Endlich sah der alte Mann doch noch auf und nickte.

Prima, wiederholte die Tochter.

Am Waschsalon hing ein Zettel: Bin in fünf Minuten zurück. Avery wartete fünfzehn, ehe er den Motor wieder anließ. Als er losfuhr, sah er Sheila über das Abrissgelände auf der anderen Seite der Hauptstraße kommen. Er machte auf der Straße erst eine, gleich darauf noch eine und dann wieder eine Rechtskurve. Von hoch oben musste das Auto wie eine Spielfigur auf einem riesigen Monopolybrett aussehen. Er hielt direkt vor Sheila, sprang aus dem Wagen und tat, als wäre es eine zufällige Begegnung. Sie zögerte, zog kräftig an ihrer Zigarette, senkte den Kopf und wollte an ihm vorbeigehen. Er blieb neben ihr. Bitte, Sheila.

Ich soll nicht mit Ihnen reden, sagte sie.

Ich habe Wäsche dabei.

Und? Sie blieb einige Schritte vor der Hauptstraße stehen. Gibt genug andere Läden, in die Sie die bringen können.

Ein Tieflader mit Gerüststangen bog in die Straße ein. Ein bewundernder Pfiff. Sheila hielt zwei Finger hoch und führte mit denselben Fingern der anderen Hand die Zigarette an den Mund. Sie machte einen Zug, schürte die innere Glut.

Tja, sagte Avery, ich wollte fragen, wie es Darryl geht.

Stinksauer ist er, danke.

Tut mir leid, das zu hören.

Was haben Sie denn erwartet? Er geht zu einem Fußballspiel und endet angeschnallt in einem Bett im Krankenhaus, und keiner sagt auch nur ›buh!‹ zu dem, der ihm das angetan hat.

Ich denke, da irren Sie sich. Ich bin mir sicher, dass viel gesagt worden ist.

Sheila ließ sich nicht beeindrucken: Viel gesagt und nichts getan. Hätte es einer von uns einem von denen angetan, gäb's jetzt eine offizielle Untersuchung mit allem Drum und Dran.

Na ja, ich glaube kaum … ich meine, ich will nicht behaupten, es sei nicht ernst … Das ist es, ich weiß, für Sie und für Darryl.

Er kam durcheinander, aber das machte nichts, sie hörte sowieso nicht zu.

Denken Sie nur an Derry, sagte sie. Die brauchen bloß zu bitten, und sie kriegen's.

So viel zu dem Spruch: *Ich habe nichts dagegen, wenn meine Jungs mit Katholiken spielen, aber …* Der Spruch war nicht neu im protestantischen Ost-Belfast. Gemeint war, dass nach fast drei Jahrzehnten politischer Kampagne letztes Jahr eine neue richterliche Untersuchung wegen der Ermordung von dreizehn Zivilisten im Januar 1972, dem Bloody Sunday, eingeleitet worden war.

Avery hätte auf einen besseren Zeitpunkt und einen geeigneteren Ort hoffen können, aber er durfte die Bemerkung keinesfalls unbeantwortet lassen: Man könnte es doch auch so sehen, dass diese Untersuchungen für uns alle gut sind, sagte er. Wenn die Sicherheitstruppen was falsch gemacht haben, dann steht es uns zu, davon zu erfahren, nicht zuletzt zu unserem eigenen Schutz.

Dann ist es wohl in Ordnung, wenn die da dreißig Jahre lang auf uns schießen und uns mit Bomben bewerfen, sich aber keiner wehren darf?

Auf dem Abrissgelände wurden die Gerüststangen abgeladen, soll heißen, sie wurden auf den Boden gekippt.

Sie reden von denen da, sagte Avery, aber es waren nicht *die da*, die in Derry erschossen wurden, das ist genau der Punkt.

Der Punkt war, wie er wusste, dass es, selbst wenn sie es gewesen wären, ob nun mit oder ohne Prozess, immer noch unrecht gewesen wäre, aber das Argument würde größeren Widerstand wecken, als er jetzt verkraften konnte. Schließlich war er nur hergekommen, um sich nach dem Arm des Jungen zu erkundigen.

Sie sind über die Straßen marschiert, sagte Sheila.

Der Staat sollte uns beschützen, selbst wenn er nicht mit dem übereinstimmt, was wir tun, sagte Avery, selbst dann, wenn wir ihn kritisieren. Er sollte besser sein als wir und nicht bloß nicht schlechter. Sie würden doch selbst auch einen Untersuchungsausschuss wollen, wenn es einer Ihrer Lieben gewesen wäre.

Zu spät begriff er, dass er sich im Kreis gedreht hatte. Sheilas Lächeln breitete sich nicht über den Rand ihrer Lippen aus. Ihr Gesicht war vom Schmerz der zurückliegenden Jahre gezeichnet. Sie ging die wenigen Schritte bis zur Fußgängerkreuzung. Ich würde ihn vielleicht wollen, aber ich würde ihn nicht bekommen.

Avery schüttelte den Kopf. Das dürfen Sie nicht glauben.

Ich dachte, wir hätten alle letztes Jahr in diesem Referendum dafür gestimmt, dass wir glauben können, was wir wollen.

Das grüne Männchen blinkte. Sie warf die Kippe fort. Und jetzt, sagte sie, muss ich zur Arbeit.

Halb ging sie, halb rannte sie über die Straße. Hätte sie sich vor Betreten des Waschsalons noch einmal umgedreht, hätte sie Avery vor seinem Auto knien sehen können. Beim Öffnen der Tür hatte er vor lauter Aufregung die Schlüssel fallen lassen. Sie hingen im Gitter eines Gullys gleich hinter dem Vorderrad. Bei dem Versuch, sie herauszufischen, konnte es natürlich passieren, dass sie ganz hinab in den Abfluss fielen.

Behutsam musste er sein. Sehr behutsam.

Er bekam erst mit, dass der Laster zurückkehrte, als der Fahrer im Vorbeifahren völlig unnötigerweise den Motor aufheulen ließ.

He da!, rief aus dem Innern eine Stimme. Alte Mülldrossel.

Avery wirbelte herum, den Arm in die Höhe gereckt, in der Faust die Schlüssel.

Da war ein Anruf für dich, sagte Frances. Es war halb zwölf, und sie hatte sich immer noch nicht angezogen. Hat keinen Namen genannt.

Hast du gefragt?

Ach, du meine Güte, nein. Hätte ich das etwa tun sollen, nach dem Namen fragen? Natürlich habe ich gefragt. Ich frage immer, aber ich kann die Leute nicht zwingen.

Deshalb brauchst du ja nicht gleich sarkastisch zu werden.

Und du brauchst mich nicht wie eine Idiotin zu behandeln.

Und sie brauchte sich wegen gestern Abend auch nicht

schlecht zu fühlen, dachte Avery, doch fiel ihm keine Möglichkeit ein, wie er ihr dies sagen sollte. Er stand im Flur und spulte den Anrufbeantworter zurück, als hoffte er, der Anruf hätte doch noch irgendeine Spur hinterlassen. Dann klingelte erneut das Telefon.

Konfabulation macht etwa fünf Prozent unseres Gedächtnisses aus, sagte Tony gleich nach Averys Hallo. Das gilt für ein Gedächtnis wie deins oder meins, und damit sind Geschichten gemeint, die wir uns unbewusst ausdenken, um jene Löcher zu stopfen, die im Laufe der Zeit irgendwie entstanden sind. Es gibt aber auch überspannte Konfabulatoren, Leute, die aus dem einen oder anderen Grund weit über jede Kompensation und Überkompensation hinausgehen. Manche können Erinnerungen erleben, die keinerlei Zusammenhang mit ihrer Vergangenheit besitzen. Einige wenige Epileptiker zum Beispiel neigen zu besonders starken und zu besonders unwahrscheinlichen Déjà-vus. Ein Eintrag in einem Buch könnte dergleichen ohne Weiteres auslösen.

Hast du eben schon mal angerufen?, fragte Avery.

Ehrlich, Tony?, sagte Tony. Das ist ja sehr spannend, Tony.

Tut mir leid, sagte Avery; natürlich konnte es Tony nicht gewesen sein, Frances hätte ihn auch ohne Nachfrage erkannt. Das ist *wirklich* interessant. Herzlichen Dank, dass du dir so viel Mühe gemacht hast.

Hab ich gar nicht, sagte Tony. Das ist einfach auf meinem Tisch gelandet. Mitschrift eines Radiogesprächs in einer der Zeitschriften, die wir hier beziehen. Bringt alle möglichen Beispiele, wie weit das Unbewusste geht, um unmögliche Erinnerungen zu rechtfertigen. Dein Mann scheint mir genau in diese Kategorie zu gehören.

Ja, sagte Avery, dessen Konzentration wieder nachließ. Aus irgendeinem Grund musste er an den Umschlag voller

Briefe denken, den ihm Elspet gezeigt hatte. Er hatte nicht hineingeschaut.

Verdammt, sagte Tony.

Was denn?

Schade, dass ich dir von der Zeitschrift erzählt habe. Ich hätte dir die Gebühr für ein Praxisgespräch abknöpfen können.

Ich zahl's dir in gleicher Münze heim, falls du mal irgendwas von mir brauchst.

Angesichts der Branche, in der du jetzt tätig bist, bezweifle ich sehr, dass es je so weit kommt, sagte Tony und fuhr fort, ehe Avery reagieren konnte: Letztens habe ich mir mit Michele Babykataloge angesehen. Er stieß einen Pfiff aus. Wie könnt Ihr euch das alles bloß leisten?

Eine Frage, die Avery noch nie von einem gehört hatte, der zusammen mit seiner Frau über fünfzigtausend Pfund im Jahr verdiente.

Michele wird immer nur das Beste wollen, hatte Frances gesagt, als Avery ihr von diesem Teil des Gesprächs berichtete. Bei *Family* werden uns die beiden jedenfalls wohl kaum über den Weg laufen.

Avery machte Kaffee.

Frances stand hinter ihm und schob ihre Arme unter seine. Jetzt höre sich einer an, wozu Vaterschaft führen kann, sagte sie. Ihre Laune schien sich ein bisschen gebessert zu haben. Stell dir vor, Tony ruft an, und ihr redet über Babysachen.

Ja, sagte Avery, stell dir vor.

Einige Tage später parkte er vor dem Haus in der Stranmillis Road und klopfte an die Tür. Als niemand antwortete, holte er eine Visitenkarte heraus und schrieb auf die Rückseite: Sollte Ihnen je nach einem Gespräch zumute sein …

Er öffnete die Klappe des Briefkastens weit genug, um zu

sehen, dass er wohl schon seit einer Woche nicht mehr geleert worden war.

Wenn Sie mich fragen, hat sie irgendwo einen Mann, sagte hinter ihm eine Stimme.

Er drehte sich um und sah die alte Frau mit dem Hund und Bellos Kotbeutel.

Avery ließ die Karte fallen. Ich glaube nicht, dass Sie das was angeht, sagte er, ging zurück zum Bürgersteig und stieg in den Wagen.

3

Am Wochenende kam es auf der anderen Flussseite zu einem neuen Ausbruch loyalistischer Gewalttätigkeiten. Mordversuche, Rohrbomben, Plünderungen. Aus Ost-Belfast gab es bloß Berichte über Kneipenkrawalle und Auseinandersetzungen an Straßenecken, mehr nicht. Auf dieser Seite des Flusses konnte daher nur wenig vom selbst ernannten Strafkommando ablenken, das am Sonntagabend in ein Reihenhaus einbrach und mit Baseballschlägern und Radschlüsseln auf Kopf und Arme eines jungen Vaters eindrosch. Avery fuhr gleich vom Frühstückstisch zum Krankenhaus und hatte Mühe, den jungen Mann wiederzuerkennen, dessen Sohn Marshall er im August getauft hatte. Die Augen waren zugeschwollen, die Lippen dick aufgequollen, Nase und Wangenknochen gebrochen. Eine Seite des Ziegenbartes war abrasiert, weil der Chirurg am Kiefer operiert hatte, und eine Narbe, an der hier und da noch orangerot gefärbte Haarbüschel klebten, verlief in gezackter Diagonale über die Kopfhaut.

Auch fiel es Avery nicht leicht, in dem blassen und verhärmten Mädchen an der Bettseite, dessen Gesicht nur Stecker und Sicherheitsnadeln zusammenzuhalten schienen, die Mutter jenes Tages zu erkennen.

Sie wiegte das Baby im Arm. Ihr kleiner Finger war an der Spitze feucht, weil das Baby daran gesaugt hatte.

Genau so hat Dee den Jungen gehalten, erzählte sie Avery,

und ihm die Abendflasche gegeben, als sie zur Tür hereinkamen.

(Marshall, der Einzige der drei, der sich zum Besseren verändert hatte, war von Kopf bis Fuß in Kleidung von Baby Gap gehüllt. Das schwarze Haar glänzte, die Wangen schimmerten rosig. Er sah aus, als wäre er mit einer Fußballpumpe aufgeblasen worden.)

Es waren so viele, dass sie sich in der Tür verkeilten. Ich habe sie angeschrien, sie sollen verschwinden, und Dee hat immer nur gesagt, schon gut, schon gut, ihr könnt mich haben, aber lasst den Kleinen in Ruhe, ihr A...löcher, lasst das Kind in Ruhe.

Ihr Freund drehte den Kopf auf dem Kissen hin und her. Sie ließ ein kurzes Lachen hören, die Augen leuchteten. Er meint, er hätte sie noch was viel Schlimmeres als A...löcher genannt.

Avery sagte, er könne es ihm nicht verdenken.

Eine Schwester kam herein, um nach Tropf und Monitor zu sehen. Nun, sagte sie jedes Mal, wenn sie mit einer Aufgabe fertig war. Für Avery klang es wie das destillierte Konzentrat ihres Mitleids. Sie strich die Laken glatt, und einen kurzen Augenblick lang sah er die nackte Taille des Jungen, auf der ihm ein Tattoo den Namen des Mädchens verriet, Wendy. Er war ihm glatt entfallen.

Nun.

Wendy wartete, bis die Schwester wieder gegangen war.

Sie haben mich und den Kleinen nach oben ins Bad gebracht und die Tür hinter uns abgeschlossen. Ich kann Ihnen gar nicht sagen, wie es war, zuhören zu müssen. Bis ich wieder rausgelassen wurde, hatten sie Dee bewusstlos geschlagen. Bei seinem Anblick hätte ich schwören können, er sei tot. Überall an den Wänden war Blut.

Das Baby regte sich. Sie strich ihm mit dem Finger über die Wange.

Ein Krankenwagen war nur Minuten später eingetroffen. Sie wusste nicht, wer ihn gerufen hatte, falls es nicht sogar einer von denen gewesen war, die Dee verprügelt hatten.

Einen Freund von meiner Schwester haben sie auf seinem eigenen Handy den Notruf wählen lassen, ehe sie ihn fertiggemacht haben, sagte sie. Und zum Schluss haben sie sich auch noch sein Telefon vorgenommen.

Bevor Avery ging, fragte er noch, ob sie mit ihm ein Gebet sprechen wollten. Wendy langte nach Dees Fingern, die aus einer Schiene hervorlugten. Er versuchte, ihre Hand zu nehmen. Natürlich, sagte Wendy.

Auf dem Flur redete er mit dem Polizisten, der am Haus ankam, als der Krankenwagen fortfuhr. Rossborough hieß er. Seine Eltern gehörten zu Averys Gemeinde. Er hegte keine große Hoffnung, dass jemand für die Prügel zur Rechenschaft gezogen wurde. In Fällen wie diesen bekam man die Schuldigen nur selten zu fassen.

Schwer zu sagen, erklärte er, aber ich schätze, der Junge hat ihnen was gestohlen. Die untere Körperhälfte wurde verschont, man hat sich ganz auf Kopf und Arme konzentriert. Vielleicht ein Auto. Jedenfalls ist der Radschlüssel für mich neu.

Sind die wirklich so genau? Avery musste an die auf perverse Weise sinnbildlichen Verstümmelungen denken, über die er Berichte aus dem Innern Afghanistans gehört hatte.

Tja, Sie würden sich wundern, sagte der Polizist. Aber vielleicht war der Radschlüssel auch nur das, was ihnen zuerst in die Hände fiel.

Im Flur war unweit von ihnen ein Priester im Gespräch mit einer Ärztin mit safrangelbem Kopftuch vertieft. Ohne den Blick von der Ärztin abzuwenden, hob der Priester einen Zeigefinger, als Avery näher kam, und gab ihm zu verstehen, dass er auf ihn warten möge.

Die Ärztin schrieb sich mit der linken Hand eine Notiz

an den oberen Rand ihres Klemmbretts. Ich schau in einer Stunde noch mal vorbei, sagte sie.

Der Priester gab ihr die Hand, wandte sich um und hielt sie Avery hin. Bernard Moody, sagte er. Sie kennen einen Freund von mir, Des Kehoe.

Natürlich, ja, Des, sagte Avery und schüttelte lebhaft die dargebotene Hand. Ken Avery.

Pater Moody wies mit einem Kopfnicken in die Richtung, aus der Avery gekommen war. Tut mir leid, das mit dem jungen Kerl. Einer aus meiner Schar wurde Samstagnacht eingeliefert. Hände, Füße und Knie.

Avery zuckte zusammen, eine Kreuzigung nannte man das.

Ist schon das zweite Mal, sagte Pater Moody. Ihm wurde gesagt, er hätte seine Lektion beim ersten Mal offenbar nicht gelernt. Fünfzehneinhalb. Sie haben ihm einen Zettel angeheftet: Verbrechen wider die Gemeinschaft. Die linke Kniescheibe gibt es fast nicht mehr.

Avery stöhnte auf.

Richtet nicht, auf dass ihr nicht gerichtet werdet, sagte Pater Moody und schüttelte angesichts von Averys Qual mitfühlend den Kopf.

Die Ärztin im safrangelben Kopftuch kam erneut vorbei, lächelte, senkte den Kopf.

Trotzdem, sagte Pater Moody mit gesenkter Stimme, ich hoffe nur, dass die, die so was einem fünfzehnjährigen Jungen antun, bekommen, was sie verdienen.

Amen, sagte Avery.

Er rief Des vom Parkplatz aus an, hörte aber nur die Mailbox, doch war der Tagesbeginn so entmutigend gewesen, dass er beschloss, einfach auf Verdacht zu seinem Freund zu fahren. Als er eine Viertelstunde später in der Straße ankam, in der die meisten Villen längst von Versicherungsbüros besetzt wurden, joggte Des gerade auf das Pfarrhaus zu. Ein Fleck wie ein Brustharnisch schimmerte auf seinem weinroten Sweatshirt in tiefstem Burgund. Die Oberschenkel waren blau angelaufen.

Fix und fertig, konnte er gerade noch hervorbringen, als er Avery aus dem Wagen steigen sah. Er presste die Hände an die Rippen. Absolut fix und fertig.

Sieht mir nicht so aus, als wenn einem das gut tun könnte, sagte Avery.

Weißt du, was noch viel schlimmer ist? Des hatte sich ein wenig erholt. Ich habe mich für den Marathon im nächsten Jahr angemeldet.

Ich bin beeindruckt.

Mir schlottern vor Angst die Knie.

Er führte Avery ins Esszimmer, in dem nicht zusammenpassende Sessel vor einem Panoramafenster mit Blick auf einen Garten voller Pflaumen- und Quittenbäume standen. Auf dem Tisch hinter den Sesseln lag ein einzelnes Platzdeckchen, davor eine auf den Feuilletonseiten aufgeschlagene *Irish News*.

Bin gleich bei dir.

Während Des sich umzog, saß Avery am Fenster und betrachtete einen Farbdruck der Heiligen Jungfrau in leuchtendem Weißblau, die Hände offen ausgestreckt. Für einige extreme Mitglieder seiner Kirche wäre diese Maria im besten Fall ein rivalisierender Zwilling ihrer selbst, den man bei Geburt in ein prachtvolleres Haus geschmuggelt hatte. Im schlimmsten Fall wäre sie eine gotteslästerliche Hochstaplerin. Königin des Himmels, fürwahr. Keine Frage, dieselben Leute wären entsetzt über Reverend Twiss' Versuch gewesen, den Unterschied in dieser Zweieinigkeit als mal prachtvolle, mal ärmlich gekleidete Maria zu kaschieren.

Ihm wurde bewusst, dass von irgendwoher im Zimmer ein Kratzen kam, und er erhob sich aus seinem Sessel und verfolgte das Geräusch zu einem Kamin in der Ecke, vor dem ein gescheckter Hamster in seinem Käfig – im Fressnapf – saß und sich putzte.

Dieser Dämlack, sagte Des, als er, jetzt in seiner Arbeitskleidung, zur Tür hereinkam, ein Tablett mit Teebechern in der Hand. Mit dem Fuß stieß er kurz an den Käfig, um den Hamster an einen etwas hygienischeren Platz zu scheuchen.

Sonst hielt er keine Haustiere, doch war ihm der Hamster von einer Frau aus seiner Gemeinde vererbt worden, deren Kinder das Interesse daran verloren hatten. Ich weiß nicht, was sie sich von dem Tier versprochen haben, sagte sie. Dabei hatte sie ihnen gesagt, sie habe keine Zeit, es zu versorgen, und dass das Tier fortgebracht und eingeschläfert werde müsste, wenn sie sich nicht anständig darum kümmerten.

Ehrlich gesagt, der Gedanke mit dem Marathon ist mir gekommen, während ich dem Kleinen in seinem Laufball zugesehen habe, sagte er.

Er nahm den Hamster aus dem Käfig, hielt ihn so, dass das pelzige Hinterteil in der Luft baumelte, und streichelte dem Nager mit dem kleinen Finger über den Bauch. Der Hamsterball war aus trübem Plexiglas mit einer Schiebeluke, durch die das Tier rein und raus konnte. Die Beine des Hamsters regten sich, noch ehe Des ihn auf dem Boden abgesetzt hatte. Der Ball rollte gegen die Fußleiste. Des bückte sich, drehte ihn um, und er rollte gegen ein Tischbein, dann gegen ein Stuhlbein, danach wieder gegen ein Tischbein.

Die Tugend der Ausdauer?, sagte Avery und legte die Nützlichkeit des Hamsters für eine Predigt dar, konnte er doch immerhin zu einem Marathonlauf inspirieren.

Des hob seinen Becher und verkniff sich ein Lächeln. Ich habe mich gerade gefragt, was wohl das Gegenteil einer solch *sinnlosen* Anstrengung sein könnte.

Ich habe im Krankenhaus deinen Freund Bernard Moody getroffen, sagte Avery.

Barney? Wie geht's ihm?

So lala, den Umständen entsprechend.

Avery erzählte ihm von den Jungen, die sie besucht hatten.

Barney ist in einer üblen Gegend, sagte Des. Ich meine, wir glauben, wir sind schlimm dran, aber ich habe noch nie so viele junge Kerle mit Krücken gesehen wie bei ihm. Ist wie in diesem Film. Wie heißt er noch? Du weißt schon, den mit dem – wie heißt er gleich? –, der die Beine verloren hat. Tom Hanks.

Doch nicht *Geboren am 4. Juli*?

Heißt der so? Den mit der Parade der Vietnamveteranen in Rollstühlen? So ist es bei ihm auch, ganz im Ernst.

Da musst du dir, sagte Avery, obwohl er ebenso gut ich hätte sagen können, ziemlich hilflos vorkommen.

Des riss das Papier von einem Müsliriegel – ich bin am Wochenende nicht zum Einkaufen gekommen, sagte er – und brach ihn in zwei Hälften. Die Burschen wissen genau, wer ihnen das angetan hat, erzählte er Avery, aber sie sagen kein Wort, weder zur Polizei noch zu sonst wem. Und wer will ihnen das verdenken? Sie sind zu jung, jedenfalls die meisten von ihnen, sie haben keine andere Wahl, sie müssen auch in Zukunft noch hier leben. Und die Nachbarn überschlagen sich auch nicht gerade, damit es endlich aufhört.

Vor einigen Jahren hatten in Newry drei Teenager trotz eines Auslieferungsbefehls der IRA Zuflucht im Haus eines Priesters gesucht. Avery konnte sich lebhaft an die Angst in ihren Stimmen erinnern, an die geschwärzten Gesichter im Fernsehen, aber er erinnerte sich auch ebenso deutlich an die verhaltene Reaktion auf die Bitte des Priesters um Unterstützung von Seiten der Gemeinde. Er versuchte sich auszumalen, wie es wäre, wenn er einen dieser Jungen in sein Haus aufnähme, und hoffte, sollte es je so weit kommen, dass er die Kraft hätte, den plötzlichen Zweifel zu überwinden, den allein der Gedanke in ihm auslöste.

War es nicht Tom Cruise?, sagte er.

Was hab ich gesagt?

Hanks.

Tut mir leid, ja, Tom Cruise.

Der Hamsterball krachte an die Wand unterhalb des gegenüberliegenden Fensters.

Des fragte ihn nach der Sache mit dem kleinen Jungen und dem Arm.

Darryl?

Sie waren in den Garten gegangen, jedenfalls bis an den Rand. Das Gras war lang und voller Tau. Die Spinnweben in den Büschen sahen aus wie zum Trocknen hingehängt.

Schwer zu sagen, antwortete Avery. Es heißt, er brauche Physiotherapie, aber ich weiß nur, was ich vom Anwalt zu hören bekomme. Ehrlich gesagt, die meiste Zeit mache ich mir mehr Sorgen um die Mutter. Man würde es kaum glauben, wenn man sie sieht, aber sie steckt voller Bitterkeit und Wut.

Des nahm ihm den Becher ab und schüttete den restlichen Tee ins lange Gras. An uns ist die Sache auch nicht spurlos vorbeigegangen. Einige Leute in der Diözese zögen es vor, wenn unsere übergreifenden Aktivitäten in nächster Zeit nicht ganz so sehr Mann gegen Mann ablaufen würden.

Was soll das denn heißen?

Man hat eine Konferenzschaltung vorgeschlagen.

Ehrlich?

Wer weiß?

Das Telefon klingelte.

Entschuldige, sagte Des.

Ich sollte jetzt auch lieber gehen, rief Avery ihm nach, doch als Des fünf Minuten später vom Telefonieren zurückkam, hatte Avery es nicht weiter als wieder in den Sessel vor dem Panoramafenster gebracht.

Gibt es noch etwas, worüber du mit mir reden wolltest?, fragte Des.

Ich weiß nicht.

Zwischen dir und mir und diesen vier Wänden?, schlug er vor.

Ein Amselweibchen landete im Garten, blickte prüfend nach links, nach rechts und hüpfte dann bis auf Pickdistanz an gelbbraunes, zermatschtes Obst heran. Prüfte wieder links und rechts. Pickte. Der Hamsterball war unter dem Tisch zur Ruhe gekommen. Avery ließ die Schultern rotieren, um die Spannung abzuschütteln, die ihn gefangen hielt. Langsam holte er Luft und blies durch die Nase wieder aus.

Stell dir vor, sagte er und hielt inne, bis er einen anderen Ansatz gefunden hatte. Nur einmal angenommen.

Sich was vorzustellen ist schließlich keine Sünde, sagte Des mit Nord-Dubliner-Akzent. 'tschuldige.

Avery schüttelte den Kopf, obwohl die Worte kaum zu ihm durchgedrungen waren. Nur einmal angenommen, jemand würde dir erzählen, er hätte ein paar Leute umgebracht. Schon vor langer Zeit.

Des nickte, nahm einfach mal an.

Die Polizei oder die Armee, die wussten damals Bescheid, haben selbst aber nichts getan. Wenigstens, na ja, haben sie doch, sie haben nämlich versucht, es zu vertuschen, wollten es ihn vergessen lassen. Ich meine, auf immer vergessen lassen.

Des' Nicken kam langsamer – die Haut um seine Augen wirkte angespannter –, als wappnete er sich innerlich für das, was noch kommen sollte.

Avery schwieg. Er war auf Skepsis gefasst gewesen, auf offenen Unglauben. Fändest du das nicht, ich weiß nicht, ein bisschen weit hergeholt?

Des' Kopfnicken wurde zu einem Kopfschütteln und ging

über in ein Achselzucken jener Art, das besagen will: Tut mir leid, wenn ich dich im Stich lasse. Bei dem, was man in letzter Zeit so hört, sagte er.

Ehrlich gesagt, hielt Avery manches von dem, was man in letzter Zeit so hörte, für ziemlichen Blödsinn. Ja, aber sich an der Erinnerungsfähigkeit von Leuten zu schaffen machen, sagte er. Das klingt doch wie aus einem John Le Carré.

Wahrscheinlich würde man dasselbe auch über Wäschereien sagen, die ganz anderen Zwecken dienen, und über Geheimagenten, die einen Massagesalon führen.

Avery war aufgestanden. Er ging zum Tisch.

Der Hamster, rief Des. Pass auf.

Der Ball trudelte unter dem Tisch hervor.

Vielleicht habe ich mich nicht deutlich ausgedrückt, sagte Avery. Ich rede davon, jemanden zu *operieren*. Glaubst du ernsthaft, die Sicherheitskräfte würden so etwas machen?

Na ja, warum hast du mich gebeten, es anzunehmen, wenn du selbst es nicht für möglich hältst?

Avery öffnete die Esszimmertür. Ach, vergiss, dass ich je davon angefangen habe, sagte er.

Ich kann es, wenn du es kannst, antwortete Des.

Avery musste einen ganzen Nachmittag wie wild im Haus arbeiten, um seinen Ärger zu überwinden.

4

Frances sagte, es helfe nichts, sie könne einfach nicht mehr an seiner Seite schlafen. Jedes Mal, wenn sie die Augen schließe, schlage ihr das Herz bis zum Hals bei dem Gedanken, sie könnte wieder ins Bett machen. In den letzten Nächten habe sie kaum ein Auge zugemacht. Es war ein Uhr früh. Avery fragte, ob sie nicht am Morgen drüber reden könnten. Nein, könnten sie nicht, sagte Frances, sie sei zu erschöpft, sie gehe jetzt ins Gästezimmer.

Im Gästezimmer war seit letztem Winter die Heizung nicht mehr an gewesen.

Das wirst du nicht tun, sagte Avery und ging selbst, um dort zu schlafen.

Erst als er die Tür aufmachte, fiel ihm die zerbrochene Vorhangstange ein. Die Wäschekammer lag auf dem Treppenabsatz, direkt vor Ruths Tür. Er konnte es nicht riskieren, sie aufzuwecken, nur weil er nach einem Laken suchte oder es gar vor das Fenster nagelte.

Die Matratze war klamm vor Kälte. Er lag unter dem fremden Oberbett, spürte, wie die Körperwärme aus ihm entwich und wie sie dann nach und nach langsam zurückkehrte, und schaute über den dunklen Gartenteich zum Treppenaufgang des Wohnblocks, der rosig im nächtlichen Notlicht schimmerte. Einmal hatte er nebenan in seinem Arbeitszimmer bis früh in den Morgen hinein zu tun gehabt und einen alten Mann mit Baseballmütze aus einer Wohnung im obersten Stock mit einem Müllsack kommen und langsam nach unten gehen sehen. Er brauchte zwanzig Minuten für den Hin- und Rückweg. Zwanzig Minuten, in denen sich Avery jeden Moment sagte, dass er nun aufstehen und ihm helfen würde.

Sämtliche Flaggen des Sommers waren eingeholt worden, eine einzige ausgenommen, die zerlumpt wie ein Eremit oben, links von der Treppe, an einem Lampenpfeiler aus Beton hing. Bei dem Licht und aus dieser Entfernung war es fast unmöglich, die Farben zu erkennen, aber das hinderte sein erschöpftes Hirn nicht daran, es trotzdem zu versuchen. Als irgendwann nach drei Uhr dann der Wind zunahm, wickelte sich der Lumpen um das Lampengehäuse, und Avery schlief endlich ein.

Mitte der kommenden Woche war das Gästezimmer für ihn eher zur Regel als zur Ausnahme geworden, obwohl es Avery trotz reparierter Vorhangstange schwer fiel, sich daran zu gewöhnen. Er las in der Bibel, las Sitzungspapiere, las über Undercover-Operationen der Armee in Nordirland in einem Taschenbuch, das er in einem Paket mit neun weiteren Büchern bei einem Trödelmarkt in seiner letzten Gemeinde für ein Pfund erworben hatte. Es war schlecht geschrieben – schludrig zusammengestoppelte Zeitungsnotizen, um an jener Leselust zu verdienen, die durch ähnliche Bücher über den Golfkrieg geweckt worden war.

Jedes Buch, das er sich je zu diesem Thema angesehen hatte, behandelte die gleichen Vorfälle. Die Wäscherei und der Massagesalon, von denen Des bereits gesprochen hatte, der tapfere – oder draufgängerische – Captain der SAS, der tief im Feindesland gefangen und irgendwo so tief vergraben worden war, dass man bis heute nicht die geringste Spur von ihm gefunden hatte, seine Verwicklung vor Jahren in die Autobombenattentate von Dublin und Monaghan.

In diesem Buch wurden die Morde, die Larry begangen

zu haben behauptete, nicht nur nicht erwähnt, sie passten auch in keines der Schemen, die Avery aus den Fällen erkennen konnte. Zwei Frauen und ein Mann an einem Dienstagabend in einer Bar in Belfast kümmerten sich um ihre Angelegenheiten, die nur geringfügig komplizierter als normal waren.

Er war nicht gerade immun gegen den müden Widerwillen, den Tony an den Tag legte, wenn man ihn drängte, sich mit diesen Themen zu befassen. Dunkle Taten zehrten an der Seele. Es war für ihn daher eine doppelte Erleichterung, als Frances an dem Abend, an dem er das Buch ausgelesen hatte, sich beim Zähneputzen im Bad zu ihm umdrehte und sich in seinen ausgebreiteten Armen vergrub. Könntest du es ertragen, eine Nacht neben mir zu verbringen?, wollte sie wissen und zuckte mit den Schultern, als setze sie ein Fragezeichen hinter sich selbst.

Nichts auf der Welt wäre mir ein größeres Vergnügen, sagte er und sprach aus tiefstem Herzen.

Avery träumte, er sei auf einem Busbahnhof und warte auf Joanna. Er wusste im Traum, dass sie tot war, doch dank Verhandlungen, die er begriff, ohne sie genauer ausführen zu müssen, hatte man den Toten der Troubles ein Wochenende daheim bewilligt. Befristete Entlassung. Auf dem Bahnhof drängten sich Menschen, deren Hände sich um Fotos, alte Kleiderstücke, Plüschtiere, Briefe oder Zeitungsausschnitte klammerten.

Ein Bus bog ein, doch war niemand an Bord. Kurzer Halt, stand auf einem handgeschriebenen Schild, das vor dem Lenkrad an der Windschutzscheibe lehnte. Die Türen öffneten sich, und die Leute im Wartesaal stürmten nach vorn, winkten, riefen Namen und hielten ihre Fotos und Erinnerungsstücke hoch über die Köpfe.

Das ist der falsche Bus, rief Avery, aber seine Worte gingen unter im Lärm des tränenreichen Wiedersehens um ihn herum.

Wie durch Kontakt mit der Bahnhofsluft nahmen die Toten Gestalt an. Sie sahen aus, als hätten sie ziemlich anstrengende Ferien hinter sich, erschöpft, doch randvoll mit Geschichten. Avery fragte jeden in seiner Nähe, ob er Joanna gesehen habe, aber alle waren zu sehr in Gespräche vertieft. Er versuchte, sich durch die Bustür zu zwängen. Die Menge wogte in die entgegengesetzte Richtung, trug ihn mit sich zurück. Er hörte das Zischen der sich lösenden Bremsen, das Knirschen, mit dem der Rückwärtsgang eingelegt wurde. Und plötzlich war kein Widerstand mehr, wo er ihn gerade noch gespürt hatte, die Menge schmolz dahin, und er schlug mit der flachen Hand an die Bustür.

Ronnie saß am Steuer. Er sah Avery, schüttelte den Kopf und fuhr fort, den Bus um hundertachtzig Grad zu wenden.

Eine Avery unbekannte Frauenstimme sagte in seinem Rücken: Ihr Wunsch war offenbar nicht stark genug, doch als er sich umdrehte, war niemand da.

Gegen Mittag des nächsten Tages (Avery war froh, dass sein Glaube keine Vorahnungen zuließ) rief Larry an.

Entschuldigen Sie, sagte Avery. Ich wollte mich längst gemeldet haben.

Nein, sagte Larry. Ich habe eine neue Nummer. Außerdem bin ich es, der sich entschuldigen sollte. Schließlich habe ich gesagt, ich würde Sie nicht länger belästigen, aber es ist was passiert, das ich Ihnen lieber erzählen sollte.

Sie trafen sich eine Stunde später neben der Tür zu Habitats Warenabholstelle für Kunden in einem Café, das von einem falsch herum auf die hintere Wand projizierten Bild einer Uhr dominiert wurde. Da wären sie sicherer, hatte Larry in einem Ton gesagt, der so beunruhigend klang, dass Avery ohne zu zögern einen Nachmittagstermin absagte. Irgendwo, wo viel los ist.

Im Café war so viel los, dass Avery Mühe hatte, Larry ausfindig zu machen, der auf der linken Seite an einem Zweiertisch etwa in der Mitte saß. Sein Blick war bereits einmal über ihn hinweggewandert, ehe er zu ihm zurückkehrte.

Sie haben nicht gesagt, dass Sie sich einen Schnurrbart wachsen lassen, sagte er und setzte sich.

Larry strich mit den Fingerspitzen darüber. Der kommt morgen wieder ab.

Steht Ihnen.

Glauben Sie mir, darum geht es nicht, sagte Larry.

Am Nachbartisch saßen Händchen haltend ein Junge und ein Mädchen in den Schuluniformen eines Gymnasiums. Ihnen gegenüber saß ein zweites Mädchen, zündete aus der Werbeschachtel ein Streichholz nach dem anderen an und redete pausenlos, immer ein Dezibel lauter als die Musikanlage des Cafés: Wisst ihr, dann hab ich sie gefragt, was glaubst du denn, wer du bist? Sagt sie doch: Ich weiß jedenfalls, wer ich bin, Schätzchen, und ich sag, Puppe, komm du mir bloß nicht mit deinem scheiß Schätzchen.

Avery war wieder ohne seinen knapp vierzig Zentimeter großen Schimpfwortblocker unterwegs. Larry hatte ihn gebeten – ihm sogar befohlen –, in Zivil zu kommen, um unnötige Aufmerksamkeit zu vermeiden. Außerdem hatte er ihm geraten, sich über nichts erschrocken zu zeigen, was immer Larry ihm auch sagte.

Was immer, zum Beispiel: *Ich glaub, sie sind hinter mir her.*

Wer denn?, fragte Avery, die Miene ganz unerschrocken.

Die Leute, die mir das angetan haben, sagte Larry und schlug die Augen zum Haaransatz auf. Und noch ein paar mehr. Eine Clique, mit der ich mich früher rumgetrieben habe.

Die macht doch für jeden die Beine breit, sagte das Streichholzmädchen. Meint Marnie zu ihr, haben sie dich noch nicht als Anlaufstelle in den Reiseführer aufgenommen, Honey?

Sie warf die Streichholzschachtel auf den Tisch und wedelte mit der anderen Hand den Rauch fort.

Kaffee?, fragte Larry. Avery blickte sich um und sah einen Kellner hinter sich stehen.

Wie? Ja, schwarz.

Zwei Kaffee, schwarz, sagte Larry.

Zwei Americanos, rief der Kellner, sammelte das Besteck ein und behielt den Nachbartisch im Auge, unter dem sich nun auch die Beine des Händchen haltenden Paares ineinander verhakelten. Er griff nach dem Aschenbecher und den Überresten der Streichholzschachtel.

Ha!, rief das zweite Mädchen und verschränkte die Arme.

Larry beugte sich zu Avery vor. Jemand hat letzte Nacht auf mich gefeuert.

Gefeuert?

Gefeuert.

Wie mit …

Ja.

Avery holte tief Luft – *sei unerschrocken, sei unerschrocken* –, doch seine Lippen explodierten in einem feuchten Knall. Die Nachrichten hatten an diesem Morgen nichts über eine Schießerei gebracht. Und warum sollten die das tun?

Was glauben Sie denn? Man will mich tot sehen.

Die Musik im Café verklang um einen entscheidenden Bruchteil früher als Larrys Satz. Der Junge am Nachbartisch zuckte zusammen, als wäre er geschlagen worden.

Alles in Ordnung?, fragte das Mädchen. Der Junge runzelte die Stirn und schüttelte den Kopf. Für einen Jungen in seinem Alter war es eine nützliche Überlebensstrategie, so zu tun, als würde er Sätze nicht hören, in denen das Wort ›tot‹ vorkam. Blechern setzte das nächste Stück ein.

Von ihm übertönt sagte Larry: Sie wissen, dass meine Erinnerung zurückkehrt. Sie müssen irgendeinen Hinweis erhalten haben.

Avery hatte das mittlerweile vertraute Gefühl, auf Z zugeschoben zu werden, während er eigentlich noch versuchte, sicheren Halt auf A zu finden. Ganz abgesehen vom Wie oder gar vom Wer, war er immer noch nicht vom Ob überzeugt. Ob irgendwas davon. Wieder dachte er an Elspet und den Umschlag, der, wie sie sagte, voller Briefe vom Krankenhaus war. Sie konnte nicht sicher sein, dass ihre Tränen ihn wirklich davon abhielten, in den Umschlag zu sehen. Warum sollte sie das Risiko eingehen, wenn sie log?

Weil es der Preis wert war. Der Preis war, dass Avery ging, ohne weitere Fragen zu stellen, dass er die Sache fallen ließ.

Und dann kam ihm ein weiterer Gedanke. Weder Tony noch Des hatte er Larrys Namen genannt. Elspet war der einzige Mensch, der sie miteinander in Verbindung bringen konnte. Elspet, die verschwunden war, gleich nachdem er ihr Haus verlassen hatte.

Stühle scharrten über den Boden. Die jungen Leute standen vom Tisch auf und ließen dreißig Cent Trinkgeld liegen.

Der Kaffee wurde gebracht.

Americano, sagte der Kellner. Americano.

Avery schüttelte eine längliche Zuckertüte, die er nicht brauchte. Hatte er Larry erzählt, dass er zu Elspets Haus gegangen war? Warum eigentlich? Weil er einen Beweis dafür suchte, dass Larry sich alles nur einbildete, dass er krank war?

Nein.

Ich finde, wenn Sie wirklich in solchen Schwierigkeiten stecken, sollten Sie besser mit jemand anderem reden, sagte er.

Larry fing an zu lachen. Ach ja, mit der Polizei?

Avery legte die Zuckertüte auf den Rand der Untertasse; sie hing durch, das Rückgrat gebrochen. Was werden Sie tun?

Dafür sorgen, dass mich keiner findet, ehe die Erinnerungen nicht deutlicher werden.

Und dann?

Mal sehen.

Avery konnte nicht anders: Versprechen Sie mir, mich anzurufen, ehe Sie irgendwas unternehmen?

Mal sehen.

Bevor er die Stadt verließ, hielt Avery an einer Tankstelle und kaufte sich die Frühausgabe des *Belfast Telegraph*. Die Neuigkeiten in Kürze standen auf der zweiten Seite. Rentner ausgeraubt, Student erhielt Preis, behinderte Sportler umjubelt. Dann dies: Der Polizei wurde ein Schusswechsel gemeldet, zu dem es am späten gestrigen Abend in der Nähe des Stadtzentrums gekommen sein soll. Ein Sprecher sagte, bislang habe man nicht feststellen können, ob jemand verletzt wurde und wem der Anschlag gegolten habe. Wer Näheres wisse, möge sich bitte im RUC-Revier in der Musgrave Street melden.

Als Avery die Zeitung schloss, fiel sein Blick auf seine Hände. Sie waren feucht vor Schweiß und Druckerschwärze. Er wischte sie sich an den Schenkeln ab, und zu spät fiel ihm ein, dass er, ehe er aus dem Haus ging, eine honigfarbene Kordhose angezogen hatte.

Irgendjemand hatte gegenüber Avery mal gewitzelt, Nordirland sei in zwei Hälften geteilt, nämlich in eine, die an Verschwörungstheorien glaube, und in eine, die meine, solche Theorien würden nur in Umlauf gebracht, um alle paranoid zu machen.

Twiss vielleicht? Doch unabhängig davon, wer es gewesen sein mochte, war Avery sich ziemlich sicher, dass dieser Scherz aus dem heiklen Jahr vor der Unterzeichnung des Belfaster Abkommens stammte. An einem frühen Sommerabend war er mit Frances im Lyric-Theater gewesen (sie hatten in der Lobby mit Michele geredet: Wir müssen uns unbedingt mal wieder sehen), als zwanzig Minuten nach Beginn der zweiten Hälfte – man spielte Friedrich Dürrenmatts *Der Besuch der alten Dame* – die Lichter ausgingen. Fünf Minuten oder länger saß das Publikum da und schaute still und ehrerbietig zur Bühne. Man konnte spüren, dass viele schon klatschen wollten. Erst als die Geräusche aus dem Off nicht mehr mit etwas Geplantem oder Absichtlichem verwechselt werden konnten, begann man, sich leise murmelnd zu unterhalten. Ein Lichtkegel blitzte in der Seitenkulisse auf und brachte erst eine Hand, dann einen Arm zum Vorschein. Auf der Bühnenmitte verharrte der Strahl, drehte sich um neunzig Grad und schien dem Direktor wie ein Spotlight ins Gesicht. Er erklärte, das Licht werde in der – entschuldigen Sie das Wortspiel – vorhersehbaren Zukunft wohl nicht wieder angehen, weder im Theater noch sonst irgendwo in der Stadt. In Belfast herrschte Stromausfall.

Durch einen *glücklichen* Zufall aber verlange dieses Stück geradezu den Einsatz von Taschenlampen (ein allgemeines Aaah aus dem Publikum: Clever, nicht?). Falls Sie, sagte der Direktor, der sich nach seiner Verbeugung wieder aufrichtete, also nichts anderes vorhaben sollten ... (allgemeines Gelächter). Die Schauspieler kehrten zurück auf die Bühne und hielten sich Taschenlampen unter das Kinn. Weitere Lampen wurden an das Publikum in der zweiten Reihe ausgegeben. (Das Haus war an diesem Abend zu achtzig Prozent belegt.) Am Ende der Vorstellung brannte immer noch kein Licht, doch Publikum und Schauspieler standen voreinander und beklatschten sich, beide gleichermaßen begeistert.

Das Hauspersonal war unterdessen eifrig damit beschäftigt gewesen, Kerzen auf Tische und Tresen der Lobby-Bar zu stellen. Zustimmendes Geraune und entzücktes Seufzen erklang, als das Publikum aus dem Theatersaal kam. Frances drückte Averys Arm.

Die Bar, die an diesem Abend keine Kreditkarten akzeptierte, machte ein gutes Geschäft, doch ging die Mehrzahl der Leute gleich auf die Straße vor das Theater, um diese merkwürdige Gelegenheit wahrzunehmen, bei der nichts deutlich zu sehen war, weder rechts der Fluss noch weiter vorn der Botanische Garten oder die Häuser links, wo das Gelände langsam zur Stranmillis Road anstieg.

Man telefonierte mit Freunden und der Familie, bot Leuten das Handy an, die keines dabei hatten, und versuchte, das Ausmaß des Stromausfalls festzustellen: Glengormley ist dunkel, schrie jemand. Mallusk auch, ein anderer, Dunmurry, Ballygowan.

Frances rief ihre Eltern an. Ruthie geht es gut, sagte sie Avery. Schläft wie ein Stein. Ihren Eltern ginge es auch gut. Eigentlich genau wie früher. Sie hatten die Kerzen hervorgekramt, die vorsichtshalber immer unter dem Waschbecken bereitlagen, und hörten sich auf Kurzwelle den Funkverkehr der Notdienste an.

Es war das erste Mal, seit das Licht aus war, dass Avery Worte wie Not oder Ausnahmezustand hörte. Gleich darauf erklang eine Sirene.

Da weder Straßenlampen noch Ampeln funktionierten, kam gar nicht infrage, dass man nach Hause fuhr. Wer in der Nähe wohnte, ging zu Fuß; wer blieb, erzählte sich Geschichten von früheren Stromausfällen: die Drei-Tage-Woche; Mai 1974 – der Streik der loyalistischen Arbeiter. Die Rede kam auf Los Angeles, die Unruhen und Plünderungen, die den dortigen Stromausfällen gefolgt waren. Dann fragte man sich, wie lange es dauern mochte, bis Ähnliches in Belfast passierte. Avery schien es, als ob die Stimmung umschlug, aber vielleicht war es auch nur die Kälte, die in jedes

Gebäude drang, wenn die Türen zur Straße aufstanden, es seit fast einer Stunde keinen Strom mehr gab und die Kerzen hier und da zu flackern begannen. Trotzdem, fast war es, als ob Angst umginge.

(Wovor haben wir am meisten Angst, wenn das Licht erlischt? Vor anderen Menschen? Vor uns selbst? Avery warf die Worte in die Runde, um zu sehen, ob sie längeren Debatten standhalten konnten.)

Die erste Theorie hörte er, noch ehe der Strom wieder da war. Die Angestellten der Kraftwerke, deren Arbeitsniederlegung 1974 entscheidend gewesen war, erinnerten die New-Labour-Regierung daran, wozu sie im Fall weiterer Zugeständnisse an Sinn Féin fähig waren.

Am Sonntag wurde ihm von drei verschiedenen Mitgliedern seiner Gemeinde im Brustton der Überzeugung erzählt, dass der Stromausfall ein Test für die Sicherheitskräfte gewesen sei, die ihre Vorgehensweise bei einem Zusammenbruch der öffentlichen Ordnung prüfen wollten. Die Theorie über die Kraftwerkangestellten wurde verächtlich abgetan. Fast niemand, mit dem Avery sprach, glaubte an ein einfaches mechanisches Versagen. In der gesamten Stadt? Länger als anderthalb Stunden? Vergiss es.

Wie er da unter dem Vordach der Tankstelle stand, Hände und Hosenbeine mit Druckerschwärze verschmiert, sah Avery sich mit einer wachsenden Zahl von Tatsachen konfrontiert, die einzeln betrachtet den Status eines mechanischen Versagens hatten. Eine Narbe verlief rund um Larrys Kopf. Elspet war in Tränen ausgebrochen, ehe er in den Umschlag hatte sehen können, der, wie sie behauptete, alles erklären würde. Es hatte an jenem Abend einen unbestätigten Schusswechsel am Stadtrand gegeben, an dem, wie Larry behauptete (oder hatte er das doch nicht gesagt?), ein Anschlag auf sein Leben verübt worden war.

Avery fragte sich, wann die kritische Masse erreicht wäre, wann der Drang, die Fakten zur Theorie zu kombinieren, unwiderstehlich würde, doch nahm er an, dass er, solange er darüber Mutmaßungen anstellte, noch weit davon entfernt war.

Jeder konnte einen Schusswechsel melden. Avery konnte das, Larry auch.

5

In der dritten Oktoberwoche kam der Dalai Lama nach Belfast. Avery war einer von mehreren Hundert Mitgliedern des Klerus, der Laienwelt und des vierten Standes, die sich, zusammen mit hundertneunzehn uniformierten Beamten und zwölf Polizisten in Zivil, dem Buddhistenführer auf der kurzen Wegstrecke durch ein Tor anschlossen, das in der Regel nur dreimal im Jahr geöffnet wurde und von der einen Seite der Springfield Road zur anderen Seite der Friedenslinie führte. Jeder Schritt wurde von Kameras aufgezeichnet. Averys Gesicht, ein fahler Mond, halb vom sonnenhellen Lächeln des Dalai Lamas verdunkelt, wurde von hoch oben im All in Häuser auf der anderen Globushälfte ausgestrahlt und Sekunden später, gerade als es sich gänzlich aus dem Halbdunkel löste, von einem freien Fotografen eingefangen, der seine Bilder meist an die Zeitungen der Stadt verkaufte.

Warum ich?, fragte er, als der Fotograf an ihm vorbeidrängte und versuchte, mit dem Dalai Lama Schritt zu halten.

Warum überhaupt irgendeiner von uns?, rief der Fotograf über die Schulter zurück und brachte damit die vorherrschende Stimmung auf den Punkt.

Avery war es in letzter Minute gelungen, eine Karte für einen von Amnesty International veranstalteten Vortrag am Abend in der Ulster Hall zu bekommen. Frances machten die Beine zu schaffen – sie hatte fast den ganzen Tag auf dem Sofa gelegen –, und nur weil ihre Eltern angeboten hatten,

Ruth für einige Stunden zu übernehmen, konnte er sich überhaupt freimachen.

Des hatte auch eine Karte erhalten. Avery war ihm an der Friedenslinie über den Weg gelaufen. Keiner von beiden erwähnte ihr letztes Gespräch in Des' Esszimmer, doch dürfte Des es ebenso deutlich wie Avery gespürt haben: Dieser kurze, misslaunige Gedankenaustausch hatte den Vorhang vor einer Kluft in ihren Auffassungen beiseite gezogen, die breiter war, als sie irgendein liturgischer Unterschied graben konnte.

Sie redeten davon, sich abends beim Vortrag zu treffen, beließen es am Ende aber bei der Aussicht, sich dort vielleicht zu sehen. Avery musste bei der Ankunft in der Ulster Hall allerdings feststellen, dass seine Karte für die zweitletzte Reihe auf dem Balkon galt, von wo aus er sich anstrengen musste, die Figuren auf der Bühne überhaupt zu erkennen.

Ein Mann von Amnesty International gab einen Überblick über das Programm des Abends. Vor dem eigentlichen Vortrag gab es eine Feier zur kulturellen Vielfalt Nordirlands. Eine Frau in der Reihe vor Avery beugte sich zu ihrer Nachbarin hinüber und flüsterte etwas, woraufhin diese grinste und nickte. Als der Mann von Amnesty an den Moderator übergab, einen bekannten Rundfunksprecher, der gleich darauf mit der Vorstellung der einzelnen Künstler begann, war es eigentlich die Farbe Weiß, die Avery am stärksten beeindruckte: das weiße Kleid der Nicaraguanerin, die barfuß zwei Tänze von ungekünstelter Schönheit aufführte, begleitet von einer Musik, die Averys Ohren suggerierte, dass ihr Heimatland nicht auf der anderen Seite des Ozeans, sondern dem Ende der Hafenpier viel näher lag; die weiße Robe des Nigerianers, der ihr auf die Bühne folgte, einen Gitarrenkoffer trug und geduldig auf dem Barhocker wartete, während ein Techniker nach dem richtigen Eingang für das Verstärkerkabel suchte. Einen Moment lang fragte sich Avery taktlos – schließlich ruhten aberhundert Augen auf diesem Mann –, ob es bei seinem Auftritt um eben diese Suche nach dem richtigen Verstärkereingang ging, doch dann sang der Mann: ›Biko‹ und ›Stand By Me‹, die Stimme zittrig vor Aufregung oder Gefühl. Als er aber zu ›Nkosi Sikelel' iAfrika‹ ansetzte, schwang sich seine Stimme zu voller Kraft auf. Manch einer im Publikum erhob sich und wiegte sich im Takt. Die Frau vor Avery blickte wieder zu ihrer Nachbarin hinüber, die erneut nickte, diesmal aber lächelte und die Finger spreizte.

(Avery kam plötzlich eine Erinnerung: November 1990. Thatchers Rücktritt. Billy Bragg in genau diesem Saal, wie er das Publikum ein letztes Mal ›Stand Down Margaret‹ und die ›Internationale‹ anstimmen ließ. Er selbst und zwei seiner Kollegen von der Bank hatten die Fäuste geballt wie drei alte Veteranen im Fäusteballen.)

Ein Hüne von einem Dichter stieg aus der ersten Reihe zur Bühne hinauf, weiße Haare, weißer Bart. Er las ein Gedicht, das, wie Avery sich erinnerte, in den Tagen des Waffenstillstandes der IRA in den Zeitungen erschienen war: Der alte König Priamos küsst die Hand von Achill, dem Mörder Hectors, seines Sohnes.

Danach gab es noch mehr Musik, eine Band – vom indischen Subkontinent, wie der Moderator vom Blatt ablesend bekannt gab und sich dabei vermutlich, wie Avery, über den Schlagzeuger mit langem blonden Haar wunderte –, doch dann trat der Dalai Lama schließlich selbst auf die Bühne, richtete im Gehen seine rote Robe, verbeugte sich bei jedem zweiten Schritt und bedeutete dem Publikum, das sich klatschend von den Sitzen erhoben hatte, es möge sich doch bitte wieder setzen, und dabei, wie Avery auffiel, erst erschrocken dreinsah, um dann, wie Frankie Howerd in ›Her mit den römischen Sklavinnen‹, offenbar von einem unbändigen Verlangen nach Heiterkeit gepackt zu werden. Lasst ab, *hört auf*.

Reverend Twiss hätte seinen Spaß gehabt.

Das Publikum gab endlich Ruhe. Der Dalai Lama setzte sich.

Englisch könne er nicht gut, sagte er. Und er sei alt. Aber er wolle es ohne Dolmetscher versuchen. Er lachte. Kein gutes Englisch. Spart Zeit, aber vielleicht Sie verstehen mich falsch.

Dies war die Ulster Hall, in der Generationen von Parteiführern der Unionisten gewählt worden waren, in der Lord Randolph Churchill einst verkündet hatte: *Ulster will fight and Ulster will be right!* Es konnte nicht viele Menschen geben, die im Laufe der Jahre auf dieser Bühne gestanden und sich so locker damit abgefunden hatten, möglicherweise missverstanden zu werden. Lou Reed gehörte jedenfalls nicht dazu.

Das Thema – der Dalai Lama schwieg, blickte nach rechts, und ein Assistent nannte es ihm: Was ist Gerechtigkeit?

Was ist Gerechtigkeit?, wiederholte er und sagte einen Moment lang nichts weiter. Etwas Wahres, etwas Positives.

Avery war daheim einmal anonym angerufen und von der Stimme am anderen Ende gebeten worden, eine Frage aus dem Bereich Allgemeinwissen zu beantworten. Richtig, hatte der Anrufer gesagt und ihm mitgeteilt, dass er sich am nächsten Abend mit einer weiteren Frage melden würde. Nachdem Avery an vier Abenden richtig geantwortet hatte, hieß es, er habe einen Hauptpreis gewonnen und sei zu einer Übergabeveranstaltung eingeladen. Seine Eltern warnten ihn, sagten, das klänge nach Betrug (die Begegnung mit Frances lag noch in der Zukunft), aber er kannte den Veranstaltungsort: Da ließe sich jedenfalls eine Preisverleihung gut ausrichten. Also ging er hin und fand sich in einem Saal wieder, in dem außer ihm noch vierhundert Menschen saßen, die die Fragen richtig beantwortet und die Zweifel ihrer Freunde, der Familie und des eigenen Verstandes ignoriert hatten.

Damals ging in dem Moment ein Raunen durch die Reihen – oder ein Geräusch, das der Anfang eines Nicht-nicht-Raunens war –, in dem das Wort Timesharing zum ersten Mal fiel, ein Geräusch, das Avery erneut in jener langen Pause vernahm, die auf die stockende Erwähnung des Dalai Lamas von *grundsätzlichen Lebenswerten* folgte.

Der versuchte doch nicht aus dem Stegreif zu reden, oder?

Der Dalai Lama ordnete sein Gewand, rückte die Brille zurecht, lächelte.

Natürlich hätte Avery wissen müssen, dass der Knalleffekt immer dann kam, wenn man am wenigsten damit rechnete.

Gerechtigkeit, sagte er, herrscht, wenn jeder Einzelne sich um die Rechte des anderen sorgt.

Es klang wie die Antwort auf ein eher mathematisches als moralisches Problem, eine simple Formel, die Phrasen und Gewäsch beiseite wischte. Gerechtigkeit war, was man tat, nicht, was man forderte. *Quod erat demonstrandum.*

Münder hätten verstummen, Hände verharren, Busse und Autos stehen bleiben müssen. Die Zeiger der Uhren sollten sich verstellen.

Avery wurde an jenen Morgen zurückversetzt, sechs Wochen nach Joannas Tod, als er aufwachte und spürte, dass all die schartigen Puzzlestücke seines Lebens an die richtige Stelle gerutscht waren. Er dachte daran, wie sich der Augenblick zu absoluter Zufriedenheit, absoluter Gewissheit gedehnt hatte.

So, das war mein Vortrag, sagte der Dalai Lama. Er wandte sich an seinen Assistenten in der Seitenkulisse und drehte sich dann wieder dem Publikum zu.

Noch zehn Minuten, sagte er. Wer möchte eine Frage stellen?

Die Leute lachten laut auf, so begeistert waren sie von all dem Neuen, das sich zu Neuem fügte. Einem Religionsführer eine Frage stellen? Hände gingen in die Höhe: Warum nicht?

Die erste Frage galt der Geduld, die zweite der Gnade. Geduld war die Erkenntnis, dass zur Einsicht ein langer, langer Weg führt. Eigentlich, und auch diese Worte waren vermutlich nie zuvor auf der Bühne der Ulster Hall gefallen, war sich der Dalai Lama nicht einmal sicher, was Geduld genau bedeutete. Die Gnade allerdings war es, die uns akzeptieren ließ, dass wir aufgrund früherer Leben sind, wer wir sind.

Als er gefragt wurde, was man für Tibets politische Gefangene tun könne, antwortete er: Gebt euch weiterhin Mühe. Als man ihn fragte, ob es möglich sei, eine gerechte Gesellschaft zu bilden, sagte er, es sei leichter, darüber zu reden, als etwas dafür zu tun, und die Masse müsse sich bessern. Dann waren die zehn Minuten vorbei, und der Dalai Lama verließ Hände schüttelnd und winkend die Bühne.

Der Moderator erklärte, noch ist der Abend nicht zu Ende, Leute, aber die Veranstaltung dauerte bereits länger, als Avery angenommen hatte. Er wollte Frances' Eltern nicht über Gebühr belasten, wollte Ruth nicht einfach nur rasch nach Hause bringen und gleich ins Bett stecken. Also schloss er sich jenem Teil des Publikums an, das zu den Türen strömte, als eine hochgewachsene, junge Frau im Unterhemd mit einer akustischen Gitarre die Bühne betrat. Die Kleine von der Bombengeschichte in Omagh, hörte er jemanden sagen.

Auf der Treppe kam es zu einem Gedränge, als alle, die die Veranstaltung verlassen wollten, auf jene trafen, die von der Toilette und einer nachdenklichen Rauchpause zurückkehrten. ›Entschuldigung‹ und ›tut mir leid‹ war zu hören, auch ein paar weniger nette Kommentare. Auf der zweitletzten Stufe ließ Avery gerade eine Frau an sich vorbei, als ihn jemand von hinten anstieß. Er stürzte vornüber, wurde aber im selben Augenblick von einer Hand gehalten, die ihn am

Kragen zurückriss. Sein Kopf schnellte in den Nacken gegen ein Bündel brennender, angeschlagener Nervenenden.

Tut mir leid, tut mir leid, sagte eine Männerstimme.

Gemeinsam stolperten sie ins Foyer.

Avery wollte sich umdrehen, aber Schmerz flammte in seinem Schädel auf. Er zog die Schultern ein, als versuche er, sich darunter durchzuducken. Die Augen tränten.

Der Mann trat vor ihn, hielt ihn an den Oberarmen fest.

Alles in Ordnung? Wollen Sie sich setzen? Es tut mir wirklich sehr, sehr leid.

Autsch, sagte Avery und musste fast lachen. Er wusste, dass nichts Schlimmes passiert war.

Tut's im Hinterkopf weh? Ist es schlimm?

Endlich konnte Avery aufschauen und genauer hinsehen. Er blinzelte. Wenn sich sein Kopf nicht angefühlt hätte, als wolle er gleich von den Schultern abheben, hätte er ihn kräftig geschüttelt.

Ist wirklich alles in Ordnung?, fragte der Mann.

Selbst als er die Stimme jetzt von Neuem hörte, schien sie ihm bekannt vorzukommen.

Doch schon als ihm der Name einfiel, wusste er, dass er nicht stimmte, sein durchgerütteltes Hirn ließ ihn aber trotzdem aus dem Mund entweichen: Larry?

Der Mann ließ seine Arme los.

Avery richtete sich auf, bot seinerseits eine Entschuldigung an. Stimmt irgendwas nicht?

Larry heißt mein Bruder, sagte der Mann.

Ruth schlief, als Avery zum Haus von Frances' Eltern kam.

Frances hat schon zweimal angerufen, sagte Mr Burns.

Mrs Burns stand auf der Treppe. Ich habe sie hingelegt, sagte sie. Es wäre eine Schande, sie jetzt wieder zu wecken.

Sie muss morgen in die Vorschule, sagte Avery.

Na und? Jim oder ich können sie hinfahren.

Ich habe Frances ja gesagt, dass so was dauert, sagte ihr Vater kopfschüttelnd.

Mr Burns war pensionierter Zeitungshändler und Rotarier. Frances behauptete, seine ständigen Verspätungen wären ihr ein warnendes Beispiel dafür gewesen, was sie zu erwarten habe, wenn sie einen Geistlichen heiratete.

Nur schade, dass er sich an meinem Gehalt nicht auch ein Beispiel genommen hat, hatte ihr Vater geantwortet.

Von einer Begegnung zur nächsten wusste Avery nicht, ob er wohlwollend oder mit der amüsierten Verachtung des Profis für den unterbezahlten Amateurspieler empfangen werden würde.

Danke, sagte Avery und beugte sich vor, um oben auf der Treppe seine Schwiegermutter sehen zu können, aber ich denke, ich sollte sie doch mit nach Hause nehmen.

Frances könnte sich mal ausruhen, beharrte sie mit übertrieben leiser Stimme.

Avery fand, sie habe sich wie ein Wachtposten auf der Treppe positioniert. Am Wochenende vielleicht, antwortete er.

Mrs Burns sah ihren Gatten an, der sich umwandte und ins Wohnzimmer ging.

Also schön, sagte sie in einem Ton, der sagte, was wisse sie denn auch schon, schließlich habe sie nur drei Kinder großgezogen. Ich hole sie.

Avery blieb in der Tür stehen. Mr Burns las die Lokalnachrichten im Teletext.

Und? Wie stehen die Aktien?, fragte Avery.

Na ja, ich glaube nicht, dass wir uns jetzt nach Florida absetzen können.

Frances behauptete, ihre Eltern könnten gleich morgen nach Florida fliegen, ohne dass ihnen auch nur ein Penny im Portemonnaie fehlen würde. Doch gab es, wie Avery sich sehr wohl erinnerte, keine verbisseneren Sparer als frisch pensionierte Sparer. Wer wusste schon, wie lange das Geld reichen musste?

Beim Hinunterkommen klangen die Schritte seiner Schwiegermutter schwerer als beim Hinaufgehen, sodass es eigentlich möglich sein musste, aus diesem Unterschied das genaue Gewicht seiner Tochter in den Armen ihrer Großmutter zu errechnen. Im harschen Flurlicht rieb sich Ruth mit dem Handrücken über die Augen.

Ach je, ach je, sagte Mrs Burns und küsste sie auf die Wange. Du arme, müde Kleine, du arme, müde Kleine.

Es klang fast wie eine Aufforderung zum Weinen, doch gab ihr Ruth zum Glück nicht nach. Sie vergrub das Gesicht an Averys Schulter, und ehe er sie auch nur in den Kindersitz geschnallt hatte, war sie schon wieder eingeschlafen.

Er winkte seinen Schwiegereltern zu, als er von ihrem Haus losfuhr, hielt aber außer Sichtweite noch einmal an, um zum dritten Mal, seit er aus der Ulster Hall gekommen war, nachzusehen, ob er das Flugblatt mit der Telefonnummer von Larrys Bruder noch hatte.

Er hieß Blain und hatte seit einer Ewigkeit nichts mehr von Larry gehört. Larry war fünf Jahre älter, sie waren sich nie sonderlich nah gewesen. Daheim hatte es Schwierigkeiten gegeben, solange sich Blain erinnern konnte. Ihr Vater war ein Säufer. Er schlug seine Mutter, die Larry schlug, der wiederum seinen Vater schlug, bis er als Jugendlicher irgendwann entschied, ihr könnt mich mal, mir reicht's.

Tut mir leid, sagte Blain zu Avery. So ist das eben bei anderen Leuten. Alles ein bisschen verzwickt.

Sie saßen in einem Gang der Ulster Hall. Wenn hin und wieder eine Tür zum Auditorium aufging, war es, als würden ihre verstopften Ohren freigepustet. Die junge Frau im Unterhemd sang immer noch. Irgendwas von einem schwarzen Anzug.

Jedenfalls ist er verschwunden, sagte Blain. Kein Anruf, kein Brief. Er hätte überall sein können. Hätte tot im Straßengraben liegen können, wie meine Mutter oft sagte, wenn auch wohl nur, um meinem Vater damit auf die Nerven zu gehen. Irgendwann ist er dann einfach wieder aufgetaucht und hat gefragt, ob er heimkommen könne. Hatte irgendwo in einem Haus in der Cliftonville Road gewohnt. Damals blieb er knapp einen Monat, ehe er sich erneut auf und davon machte. Ein paar Jahre später starb mein Dad. Suff, was sonst? Larry kam zur Beerdigung und ging wieder, noch ehe der Sarg unter der Erde war. Das war's dann. Bis er seinen Unfall hatte, blieb er spurlos verschwunden.

Der Unfall, richtig, sagte Avery, als wisse er darüber Bescheid.

Irgendwo hinter der Bühne konnte man eine große Trommel hören, die gespannt und gestimmt wurde.

Muss ziemlich schlimm gewesen sein, sagte Avery.

Blain schob die Unterlippe hoch und nickte. Ich war damals selbst auf Achse, sagte er. Ein bisschen weiter weg. Indien, Pakistan, Afghanistan. Briefe haben Wochen gebraucht, um mich zu erreichen, und dann habe ich gedacht, na ja, was kann ich jetzt noch *tun*?

Er schaute flüchtig zu Avery hinüber.

Wenn ich heute so daran zurückdenke, war es doch eine sehr egoistische Zeit. Er hob Zeigefinger und Mittelfinger der rechten Hand an den Mund und tat, als ob er rauchte. Ein Armband aus Jadeperlen schmiegte sich um sein Handgelenk. Als ich meinen Verstand wieder beisammen hatte und nach Hause fuhr, war Larry schon in der Rehaklinik.

Applaus brandete im Saal auf und flutete nach draußen, als sich die Türen öffneten und Leute aus dem Saal auf den Flur drängten. Im Hintergrund konnte man den Moderator sagen hören, dass das Programm noch nicht zu Ende sei.

Instinktiv standen Blain und Avery auf und schlossen sich dem Strom an.

Ich hoffe, die Frage macht Ihnen nichts aus, rief Avery Blain ins Ohr, aber lebt Ihre Mutter noch?

Ja, leider, sagte Blain, fügte dann aber ein rasches ›Gott verzeih mir‹ an. Alzheimer, erklärte er. Und das nach dem Leben, das sie mit meinem Dad hatte. Wenn man sie sieht, bricht es einem das Herz. Hat keine Ahnung, wer ich bin.

Sie gingen durch das Foyer auf die Straße. Die Geschäfte waren lange geöffnet, Start ins Wochenende. Unter einer Uhr ohne Zeiger verkündete eine Tafel vor einem nahen Café: Bei uns ist jede Stunde Happy Hour! Busse und Autos brachten die Menschen zu ihrem Abendvergnügen in die Stadt.

Zwei Jugendliche strichen mit Zeitungen und Flugblättern durch das nach draußen eilende Vortragspublikum. *Socialist Worker*, riefen sie. Schluss mit der Unterdrückung hier und überall.

Ich fürchte, Ihr Bruder könnte Hilfe brauchen, sagte Avery.

Hören Sie, sagte Blain und kritzelte etwas auf ein Flugblatt, hier ist meine Nummer für den Fall, dass er sich noch einmal mit Ihnen in Verbindung setzt.

Ruth wurde wach, als er sie ins Haus trug. Beim Anblick von Frances schluchzte sie auf und streckte die Arme nach ihr aus.

Ich fasse es nicht, sagte Frances über die Schulter des Kindes hinweg. Der einzige Abend, an dem ich dich bitte, ausnahmsweise einmal pünktlich zu sein.

Kaum hatte sie Ruth wieder besänftigt, ließ sie sich ein Bad ein und machte sich bettfertig. Avery sagte, er wolle noch eine halbe Stunde aufbleiben. Lass dir nur so viel Zeit wie du willst, sagte Frances in einem Ton, der das ›Machst du doch immer‹ überflüssig machte.

6

Meinen Bruder haben sie doch auch in der Tasche, sagte Larry.

Er hatte angerufen, weil er sich noch einmal mit ihm treffen wollte, am Taxistand vor der Central Station, wenn der Mittagszug aus Dublin eintraf. Der Schnurrbart war ab, und rote Flecken auf beiden Nasenflügeln ließen vermuten, dass er kürzlich eine Brille getragen hatte. Doch selbst mit Brille hätte er ihn sofort erkannt. Wie Avery nämlich erst jetzt – bei ihrer fünften Begegnung – auffiel, trug er jedes Mal dieselbe Sportjacke, aus blaugrauem Tweed und so unauffällig, dass sie jede Version seiner selbst, sei sie nun echt oder nur vorgetäuscht, zu bekräftigen schien, vom Besoffenen am Sonntagmorgen über den Lebemann, der geschäftlich in der Stadt zu tun hatte, bis hin zum Tagesausflügler von jenseits der Grenze.

Es war ein Dienstag. Die alte Jahreszeit schien sich am Tag zuvor endgültig verabschiedet zu haben. Sie waren zum Fluss gegangen oder vielmehr vom Wind dorthin getrieben worden, vorbei am Sportzentrum Maysfield, zum Treidelpfad am Lagan bis hinüber zu den Gaswerken, ehe Avery Blain erwähnte.

Larry war stehen geblieben, hielt sich am Geländer fest und hörte zu, während Avery berichtete, worüber sie sich auf dem Flur der Ulster Hall unterhalten hatten. Ein Achter mit erschöpft aussehenden Mädchen trieb in weitem Bogen am alten Schleusenhaus vorbei. Ein Mann mit einem Rad, offenbar einem Kunstrad, dem launischen Lenkrad nach zu urteilen, fuhr am gegenüberliegenden Ufer entlang und rief den Ruderinnen Anweisungen zu, doch waren sie über die Entfernung nicht zu hören. Larry warf ein, sie hätten seinen Bruder auch in der Tasche.

Avery stand neben ihm und sagte nichts.

Larry hieb auf das Geländer. Jetzt kommen Sie schon, das müssen Sie doch einsehen. Die bezahlen ihn. Oder sorgen dafür, dass er nicht in den Knast muss. Er ist mal wegen einer Drogengeschichte verurteilt worden. Hat er Ihnen das auch erzählt?

Nein.

Nein, natürlich nicht.

Es fing an zu regnen. Der Mann stieg vom Rad und zog einen Nylonanorak aus seinem Hüftbeutel. Die Mädchen rissen sich zusammen, beugten sich vor in den Wind, lehnten sich dann weit zurück, und ehe der Mann sich wieder in den Sattel schwingen konnte, schoss das Boot hinter dem Schleusenhaus außer Sicht.

So gehen die eben vor, sagte Larry. Finden Sie es denn nicht ein bisschen seltsam, dass Sie meinem Bruder so zufällig über den Weg laufen? Sie und er in einer Stadt voller Menschen?

Nicht in einer Stadt voller Menschen. Immerhin haben wir die Wahrscheinlichkeit vergrößert, indem wir Ort und Gruppe auswählten. Ich habe ein professionelles Interesse am Dalai Lama, und Ihr Bruder hat jenen Teil der Welt bereist.

Als ich meinen Unfall hatte.

Auf der Fahrt zu diesem Treffen hatte Avery beschlossen, nichts auszusparen. Ich habe Ihnen nur gesagt, was er mir erzählt hat.

Avery hatte ihm nicht gesagt, dass er auch durch Elspet

vom Unfall wusste, schließlich konnte keine Zufallsbegegnung erklären, wieso er mit ihr geredet hatte.

Ein blauer Pendlerzug kam aus der Richtung, in die gerade die Schulmädchen mit ihrem Achter verschwunden waren, allerdings tauchte er auf der anderen Seite der alten Schleuse auf und wand sich träge zwischen Treidelpfad und Gaswerken hindurch zur Central Station.

Sie glauben, ich würde mich vielleicht daran erinnern, diesen Unfall gehabt zu haben.

Avery sagte nichts.

Larry lachte. Das also ist ihre Rückversicherung. Falls ich mich daran erinnere, was wirklich passiert ist, behaupten sie einfach, ich wäre vom Motorrad gefallen und seither nicht mehr ganz richtig im Kopf. Und je besser ich mich erinnere, desto öfter behaupten sie ihre Geschichte einfach, bis mir schließlich keiner mehr glaubt.

Eine ziemlich gute Rückversicherung, dachte Avery, falls es denn eine war.

Der Pendlerzug war hinter ihnen zum Stehen gekommen. Irgendwie sah er, fand Avery, als er kurz hinübersah, mit den Waggons auf hohen Rädern und den Passagieren an den Fenstern einen Moment lang so zweidimensional aus wie die Zielscheiben einer Schießbude auf dem Rummel. Er dachte an die merkwürdige Zusammenhangslosigkeit seiner Unterhaltungen mit Larry. Heute schien es, als hätte es die Schüsse nie gegeben, von denen bei ihrer letzten Begegnung die Rede gewesen war. Ein ungeheures Schweigen endete in dem Augenblick, als sie es durch das Poltern eines Güterzugs bemerkten, der mit seinen schaukelnden, rostroten Waggons hinter der Halle Richtung Süden hervorschoss.

Larry schaute auf seine Armbanduhr. Der Regen nahm zu. Wir sollten zurückgehen, sagte er, rührte sich aber nicht vom Fleck. Seine Augen waren geschlossen, und es dauerte lang, ehe er sie wieder aufschlug.

Mir ist, als ließe ich Sie im Stich, wollte Avery sagen.

Larry steckte eine Hand in die Jackentasche. Seine Finger spielten mit irgendetwas – mit einer Münze vielleicht.

Letzte Nacht kam die Erinnerung zurück, sagte er, so deutlich, als wäre ich wieder dort; mit dem Fuß habe ich einen Bartisch umgestoßen. Eine der Frauen war zur Seite weggesackt, und ich wollte zu ihr, wollte mich überzeugen, wissen Sie.

Er hüstelte und nahm die zur Faust geballte Hand wieder aus der Tasche.

Aber man brauchte sie bloß anzusehen, um zu wissen, dass sie tot war. Sie konnte unmöglich noch leben. So wie sie hingefallen war, hatte sie sich den Hals völlig verdreht, ihre Kette war gerissen. Ich meine, es war so ein billig aussehendes Ding mit einem kleinen Medaillon aus Gold.

Er öffnete die Hand.

Avery stockte der Atem.

Larry zeigte ihm, wie leicht sie war. Die Kette wirbelte herum und glitt dann lautlos auf das Medaillon im Brunnen seiner Hand herab.

Aus irgendeinem Grund fand Avery es falsch, dem Versuch nachzugeben, sie mit den Fingerspitzen zu berühren.

All die Jahre lag das Medaillon in einer Schachtel, und ich habe versucht herauszufinden, wem es gehört. Vielleicht war es das Geschenk einer ehemaligen Freundin. Vielleicht hat sie es sich im Streit abgerissen und mir hingeworfen.

(Die Kette war eindeutig am Verschluss gerissen.)

Gestern Nacht ist mir dann endlich wieder eingefallen, wie ich die Hand aufgehalten habe, als die Kette von ihrem Hals rutschte. Und ich weiß, dass ich in Panik geriet. Ich bin total ausgeflippt. Deshalb wurde mir auch die Schädeldecke geöffnet. Man hat nach dem Aus-Schalter gesucht.

Und warum wurde Ihnen die Kette nicht abgenommen?

Larry schaute erst die Kette und dann Avery an, der Blick schmerzverzerrt, weil es immer noch Lücken gab, die er nicht füllen konnte, für sie beide nicht füllen konnte. Er zuckte die Achseln. Vielleicht habe ich keinem gesagt, dass ich sie hatte. Vielleicht habe ich geahnt, was mich erwartete, und ich habe sie behalten, um mich zu erinnern.

Über zwanzig Jahre später, sagte Avery.

Wieder zuckte Larry die Achseln. Besser als nie, oder?

Seine Hand wanderte wieder zur Tasche, als Avery ihn fragte, ob etwas im Medaillon sei.

Da er keine Fingernägel hatte, jedenfalls keine, die der Rede wert gewesen wären, nahm er die Daumenballen zur Hilfe. Der Druck, den er ausübte, war so groß und das Medaillon so zierlich, dass Avery glaubte, Larry hätte es zerbrochen, als der Deckel schließlich aufsprang. Doch mit sanftem Griff schob Larry den Deckel weit auf, damit Avery sehen konnte, was das Schmuckstück enthielt. Ein verschrumpeltes Sträußchen kleiner, blauer Blüten.

Vergissmeinnicht, sagte Avery.

Sie trennten sich auf dem Bahnhofsvorplatz, wo die miteinander konkurrierenden Fahrer schwarzer Taxen ihrem unkontrollierten Gewerbe nachgingen. Taxi?, fragten sie, tauchten plötzlich neben einem auf und ließen einen warten, wenn man Ja gesagt hatte, bis weitere vier Gäste gefunden waren, die den Wagen füllten. Taxi?, für einen Moment ließ sich Avery ablenken, sah nicht, wohin Larry ging, obwohl sich im Bahnhof zu dieser Nachmittagsstunde kaum mehr Reisende als rufende Taxifahrer aufhielten. Eben war er noch da gewesen, im nächsten Augenblick schon nicht mehr. Es hätte Avery auch nicht gänzlich überrascht, hätte er ihn gesehen, wie er in seiner Sportjacke fünf verwirrte Fahrgäste zu seinem wartenden Taxi brachte.

Sie hatten zwar nicht vereinbart, sich wieder zu treffen, doch zweifelte Avery kaum daran, dass es bald dazu kommen würde.

Ehe er nach Hause konnte, hatte er noch einen Besuch zu erledigen – beim schweigsamen Mr Booth und dessen Tochter. Heute redete die Tochter für alle drei. *Das hier war mal eine großartige Gegend zum Einkaufen, aber jetzt gibt's bloß noch Handys und Tinnef.* Die ganze Zeit über musste sich Avery Mühe geben, nicht an den Spaziergang am Lagan und an das Medaillon in Larrys Hand zu denken.

Es war nicht mehr fünf, sondern schon fast halb sechs, als er die Haustür aufschloss. Ruth saß unbeaufsichtigt im Wohnzimmer und sah fern. Avery rief Frances zu, er sei jetzt zu Hause und setzte sich zu seiner Tochter auf den Boden.

Was schaust du da?, fragte er.

Äh.

Ihr war gesagt worden, dass sie nicht einfach vor dem Fernseher sitzen und glotzen, sondern sich bloß ausgewählte Sendungen anschauen dürfe. Er sah ihr an, dass sie wusste, sie sollte es wissen, und das machte es für sie nur noch unangenehmer.

Da sind Jungen, sagte sie. Äh. Und dann ist da noch eine Frau in einem Dingsda.

In einer Burg?, fragte er, da er gerade eine Frau sah, die in die kindergerechte Ausgabe eines Burgverlieses hinabstieg.

Ein Hut, sagte Ruth.

Averys Knie knackten, als er aufstand.

Schalt aus, wenn das vorbei ist, okay?

Erleichtert entspannte sich Ruth.

Frances saß seitwärts am Küchentisch, die Beine auf einem Stuhl, und löffelte aus einem Topf Püree auf eine Lage Minze. Mach die Tür zu, sagte sie.

Ruth sitzt da drinnen.

Ich weiß, aber einen Moment lang wird sie schon allein zurechtkommen. Lehn die Tür wenigstens an.

Avery machte sie fast ganz zu.

Schalt das Radio ein.

Was ist denn los?, fragte Avery.

Tony hat eine Affäre.

Was?

Eine Affäre. Michele war hier, sie ist fix und fertig.

Tony?

Ich weiß. Ist das nicht schrecklich?

Hat er was gesagt? Ich meine, weiß sie es genau?

Das habe ich sie auch gefragt. Sie sagt, sie kennt die Anzeichen. Offenbar ist es nicht das erste Mal. Aber mit dem Baby und so hätte man doch glauben sollen … Na ja, *Michele* hat jedenfalls geglaubt, mit dem Baby sei sie auf der sicheren Seite.

Avery ging zum Waschbecken, drehte den Hahn zu weit auf und wieder zu, bis nur noch ein weicher Strahl herauskam. Er tauchte die Fingerspitzen ein, schüttelte sie ab und knetete kurz das Handtuch. Was will sie jetzt machen?

Mit der Gabelrückseite zog Frances Furchen ins Püree. Von oben nach unten, links nach rechts, kreuz und quer.

Ich hab ihr gesagt, wenn ich an ihrer Stelle wäre, würde ich keine Sekunde überlegen, sondern den Kerl gleich vor die Tür setzen.

Das hast du ihr nicht gesagt, oder?

Doch, habe ich. Und das würde ich auch tun.

Sie sagte es weder drohend noch herausfordernd. Sie stellte sich immer noch vor, in der Haut ihrer Freundin zu stecken.

Einer Frau, die sich mit so was abfinden muss, ob schwanger oder nicht, braucht man nun wirklich nichts vom heiligen Sakrament der Ehe zu predigen.

Avery gab keine Antwort.

Findest du das falsch?, fragte Frances und wuchtete sich von ihrem Stuhl.

Sie musste wissen, dass ihre Frage unfair war.

Man sollte sich jedenfalls genau überzeugt haben, ehe man etwas tut, das man hinterher vielleicht bedauert, sagte er.

Wovon soll sie sich denn noch überzeugen? Sie hat es doch alles schon einmal erlebt, die Herumschleicherei, die *Heimlichtuerei.*

Hat sie mit ihm geredet?

Was würde er ihr denn sagen? Komisch, dass du fragst, denn ich habe tatsächlich eine Affäre? Er ist ein Heimlichtuer; es hat keinen Zweck, mit ihm zu reden.

Ich frage mich nur, ob es nicht vielleicht eine andere Erklärung gibt.

Welche denn? Dass er Priester ist?

Was soll das denn heißen?

Dass ich nur froh sein kann, dir in der Beziehung trauen zu können.

Zum ersten Mal meinte er in ihrem Gespräch einen warnenden Unterton herauszuhören. Nun mal langsam, findest du nicht, wir sollten hier noch einmal ein paar Schritte zurückgehen?, fragte er.

Frances sackte gegen den Kühlschrank. Ach, hör zu, ich weiß nicht, was ich sage. Ich bin ihretwegen durcheinander. Es ist so mies, was ihr passiert, und sie ist schwanger. Es ist einfach nicht fair.

Avery nahm seine Frau in die Arme. Nein, du hast recht, es ist nicht fair. Überhaupt nicht fair.

Am nächsten Tag hinterließ er vier Nachrichten, ehe Tony schließlich zurückrief. Er war ziemlich außer sich. Ich weiß nicht, ob dir klar ist, wie das hier läuft, Avery. Das ist ein Krankenhaus, weißt du, mit kranken Menschen, sterbenden Menschen. Wir können hier nicht die Leitungen mit Privatgesprächen blockieren.

Es geht um etwas, weswegen ich dich nicht zu Hause anrufen kann, sagte Avery. Michele war bei uns.

Es folgte eine Pause. Avery meinte zu hören, wie Tony an die Rotoren des Meccano-Hubschraubers pochte. Der dann folgende Seufzer klang gespielt.

Ich erzähle dir das ganz vertraulich, sagte Avery. Sie glaubt, du hast was laufen. Und ich wollte dir bloß sagen, dass ich da bin und dass du als mein Freund jederzeit mit mir reden kannst.

Der nächste Seufzer klang kein bisschen überzeugender. Bilde dir bloß nichts ein, sagte Tony und legte auf.

Eine Stunde später rief er zurück. Tut mir leid, das war nicht nötig. Du hast recht, ich bin ein wenig in der Bredouille.

Willst du drüber reden?

Ein andermal vielleicht.

Jetzt war es an Avery, sich aufzuregen. Tony, sagte er, Michele …

Und das Baby, ich weiß, das musst du mir nicht sagen, ich denke die ganze Zeit an nichts anderes und versuche, die Geschichte in den Griff zu kriegen.

Das klang ehrlich genug, entschied Avery. Er bohrte nicht weiter nach. Falls ich irgendwas tun kann …

Lass ich es dich wissen, ich weiß, danke.

Avery räusperte sich. Hör mal, da ich dich schon am Apparat habe.

Oh nein, geht das schon wieder los, sagte Tony und war wieder ganz der Alte. Du willst, dass ich was für dich nachsehe. Was ist es diesmal?

Eine Krankenakte.

Tony stieß ein scharfes *Ha* aus, ein explosiver Laut wie ›das F in das schlägt dem Fass den Boden aus‹. Soll das ein Witz sein? Sag mir, dass das ein Witz ist.

Natürlich ist es das.

Ein schlechter Witz, sagte Tony. Ein ganz schlechter.

Am nächsten Tag, einem Donnerstag, kam die *East Belfast Community News* heraus. Avery war auf Seite drei. In der Menge, die sich um den Dalai Lama versammelt hatte, sah er ein wenig verärgert aus. Die Überschrift erklärte, das Bild sei an der Friedenslinie in der Springfield Road aufgenommen worden, doch der Artikel gleich rechts daneben handelte von den Protesten, die fundamentalistische protestantische Geistliche am Tag des Besuchs in anderen Stadtteilen veranstaltet hatten.

Es ließ sich nur vermuten, welche Bedeutung der flüchtige Leser diesem Sammelsurium von Bildern und Worten abgewann. Avery sah aus, als stünde er mit einem Fuß – einem Gesicht – in beiden Lagern.

7

Nord-Belfast glich weniger einem anderen Land als vielmehr einem anderen Kontinent. Verglichen mit der Vielzahl innerer Grenzen verliefen die konfessionellen Trennlinien im Osten und Westen so klar und eindeutig wie der achtunddreißigste Breitengrad. Als Bankangestellter in Holywood hatte man Avery gebeten, sich um einen Kollegen aus England zu kümmern, der zur Generalversammlung gekommen war und sich Belfast ansehen wollte. Über Umgehungsstraße und Autobahn fuhr Avery in die Stadt und begann im Norden beim Carlisle Circus, dieser konfessionellen Drehscheibe. Fünfundzwanzig Minuten später – also nach Crumlin Road, Ardoyne, Ligoniel, Oldpark, Limestone Road, Tiger's Bay und North Queen Street – Enklave nach Enklave – kam er wieder zur Kreuzung, um diesmal in die Shankill und in die westlichen Gegenden abzubiegen, als sein Passagier darum bat, in der Stadtmitte abgesetzt zu werden. Er müsse noch einige Einkäufe erledigen. Avery entschuldigte sich, ihm nicht mehr gezeigt zu haben, er hätte nicht gewusst, dass die Zeit so knapp bemessen war.

Das konnten Sie nicht wissen, sagte der Engländer. Aber keine Sorge, Sie haben mir viel gezeigt. Er berührte Averys Hand, als täte es ihm leid, ihm solche Umstände zu bereiten. Ehrlich, sagte er, ich habe genug gesehen.

In Nord-Belfast verlief die Friedenslinie sogar durch öffentliche Parkanlagen. Wenn sich ein politisches Gewitter zusammenbraute, konnte man davon ausgehen, dass sich die Wolken zuerst über Nord-Belfast entluden. Selbst angesichts des neuen Milleniums und des beginnenden Friedensprozesses schien Nord-Belfast hin und wieder noch einem anderen Jahrhundert anzugehören.

Avery schloss das Handschuhfach und trat hinaus auf die von Bäumen gesäumte Seitenstraße der Cavehill Road. Es war ein herrlicher Morgen, Äste und Zweige ließen die letzten Blätter fallen, die in trägen Spiralen durch den fahlen Novembersonnenschein segelten. Verkehrslärm klang nur gedämpft herüber. Ein Hund – vielleicht der, den Avery eben schon mit einem Stock im Maul auf der Anhöhe bei den Wasserwerken gesehen hatte – kläffte verzückt in der Ferne.

Das war die andere Seite von Nord-Belfast: Es gab kaum eine Gegend in dieser Stadt – Avery fiel nicht mal eine andere Stadt auf der Insel ein –, die schöner gewesen wäre.

Er klingelte an der Tür des dreistöckigen viktorianischen Stadthauses. Ein Mann Ende sechzig machte auf, untersetzt, eine Ausgabe der *Irish Independent* in der Hand.

Sie haben uns gefunden, sagte er und hielt Avery die Hand hin. Leo.

Durch einen langen Flur gingen sie zum hinteren Wohnzimmer. Die Fenster blickten auf einen Hof mit einem Torbogen, der zu einem schmalen Garten führte, an dessen Ende ein grüner Öltank auf Beton stand. An einem Haken an der Wand hing ein Vogelhäuschen. Eine Frau kam aus der Küche. In jedem Ohr trug sie ein Hörgerät, doch waren die Apparate so klein, dass man sie für Schmuckstücke hätte halten können.

Patricia, stellte der Mann sie vor.

Ken Avery, sagte Avery und schüttelte auch ihr die Hand.

Ist es noch zu früh für einen Tee?, fragte sie.

Avery hatte gerade erst gefrühstückt. Danke, im Moment nicht, aber falls Sie einen möchten?

Ach, wir haben auch gerade erst einen getrunken, nicht, Leo?

Ja, ja.

Auf dem Kaminsims aneinandergereihte Geburtstagskarten. Frau, Mama, Oma, Schwester.

Es ist doch nicht heute, oder?, fragte Avery entschuldigend.

Gestern, erwiderte Patricia.

Einundsiebzig Jahre jung, sagte ihr Mann, und sie lachte; Avery lachte.

Sie sahen sich die Karten an.

Wollen Sie? Patricia zeigte auf einen Sessel.

Verzeihung. Leo nahm die Fernbedienung von der Sessellehne und drehte einen anderen Sessel zur Zimmermitte. Setzen Sie sich, wohin Sie mögen.

Er wartete, bis Avery sich einen Platz ausgesucht hatte, ehe er sich selbst setzte. Seine Frau blieb stehen. Ich hoffe, meine Frage stört Sie nicht, sagte sie, aber waren Sie das nicht vor Kurzem im Radio?

Wie? Ach so, ja, das war ich. Aber woher wissen Sie das? Ich meine, fuhr Avery fort, der nicht wollte, dass sie glaubte, er dächte dabei an ihre Hörgeräte, na ja, das war doch mitten im Sommer.

Leo hat sich an Ihren Namen erinnert, sagte sie.

Es wurde Samstagmorgen in *Best of* wiederholt, sagte Leo. Manchmal nehme ich die Sendung auf und schicke sie meinem Bruder in Kalifornien. Am Telefon war mir dann, als käme mir Ihr Name irgendwie bekannt vor. Avery. Also habe ich ihn angerufen und gebeten, das Band herauszusuchen.

Sie haben sich meinetwegen viel Mühe gemacht.

Für mich war das keine Mühe, sagte Leo. Schließlich musste sich mein Bruder die ganzen Aufnahmen anhören, um Sie zu finden.

Sie waren sehr gut, sagte Patricia. Normalerweise kann ich die Sendung nicht ausstehen.

Eine Uhr auf dem Flur schlug die Viertelstunde an.

Ich setze trotzdem den Kessel auf, sagte sie. Bereite schon mal alles vor.

Leise zog sie die Küchentür hinter sich zu. Avery verstand dies als Signal dafür, dass er beginnen konnte. Ich weiß es wirklich zu schätzen, dass Sie bereit sind, mit mir zu reden. Es ist bestimmt nicht einfach.

Leo ordnete die gefaltete Zeitung auf seinem Schoß. Ehrlich gesagt, es gibt Tage, da kann ich mich kaum an sie erinnern, sagte er. An ihre körperliche Anwesenheit, meine ich, nicht an die Fotos, an dieselben Geschichten, die man ständig über sie wiederholt.

Mit einem Kopfnicken wies er zu den Karten auf dem Kaminsims hinüber. Wir erzählen uns oft, wie hoffnungslos sie in Sachen Geburtstag war. Irgendwas sorgte immer dafür, dass sie ihn vergaß. Zwei, drei Tage später rief sie dann ganz zerknirscht an und entschuldigte sich, oder sie kam mit irgendwas an, einer Schachtel Gebäck. Aber vielleicht hat sie das auch nur ein einziges Mal getan. Vielleicht hat sie, zählt man alles zusammen, auch nur eine Handvoll Geburtstage vergessen.

Er hielt inne, schien zu überdenken, was er gerade gesagt hatte und schüttelte dann den Kopf, als wollte er es damit abtun. Geht doch allen so, nicht? Egal, wie sie gestorben sind oder wie man auch versucht, die Erinnerung lebendig zu halten. Irgendwie schrumpfen sie zusammen. Sie verlieren ihre – na ja, wie schon gesagt –, ihre körperliche Anwesenheit.

Avery nickte trotz der klaren Erinnerung an Joannas Körper, daran, wie er einen Stuhl umgestoßen hatte.

Etwas so Kleines wie die Halskette, von der Sie mir am Telefon erzählt haben, sagte Leo, zu dem könnte ich deshalb Ja oder auch Nein sagen. Schon weil Sie sie erwähnt haben, könnte ich mir einbilden, Mairead hätte so eine gehabt, oder ich könnte schwören, dass sie mir nie unter die Augen gekommen ist, könnte vergessen, dass sie sie jeden Tag getragen hat. Verstehen Sie, was ich meine?

Wieder nickte Avery. War dies das Haus, zu dem die Polizei an jenem Abend mit ihrer Nachricht gekommen war? (Polizei? Außer der Polizei sicher noch ein halbes Bataillon Soldaten, bedenkt man die Hinterhalte und all das.) War Leo derjenige, den man damals verhaftet hatte? Oder war es der Bruder in Kalifornien gewesen? Des' Freund Bernard Moody hatte ihm geholfen, diese Adresse ausfindig zu machen. Fragt man nur lang genug herum, findet man garantiert jemanden, der jemanden kennt, der jemanden gekannt hat oder der jemanden anderen kennt, der ein Opfer der Familie gekannt hat. Das musste er Des lassen, er hatte Avery nicht gefragt, warum er sich so dafür interessierte.

Ich habe mit Clare telefoniert, sagte Leo, mit Roisins Tochter.

Roisin war jene andere Frau in der Bar gewesen, die Frau mit der Affäre. Ihre Tochter aus früherer Ehe war zwölf Jahre alt gewesen, als man ihre Mutter ermordet hatte.

Sie wohnt in England und kommt eigentlich gar nicht mehr her. Egal. Sie meint, bei Halskette würde es bei ihr auch nicht klingeln. Allerdings hat sie die letzten Monate damals hauptsächlich bei ihrer Großmutter gelebt, nachdem Roisin was mit diesem Davy angefangen hatte. Möglich wäre es also durchaus. Alles ist möglich.

Die Küchentür öffnete sich einen breiten Spalt, und Patricia kehrte zurück. Sie setzte sich in den erstbesten Sessel und schaute aus dem Fenster, als wollte sie damit eine zusätzliche, eine freiwillige Taubheit signalisieren.

Roisin und meine Schwester, fuhr Leo fort, hatten einen, na ja, wie soll ich sagen, einen gewissen Ruf. Sie waren beide ein bisschen verwegen. Zumindest sehr sorglos.

Aus dem Blickwinkel sah Avery ein verstohlenes Lächeln über Patricias Lippen huschen. Eine Katze patrouillierte auf der Hofmauer über dem Vogelhäuschen.

Wie alt sind Sie?, wollte Leo aus heiterem Himmel wissen.

Ich? Avery blinzelte. Vierunddreißig.

Leo nickte. Die Menschen hatten ihre eigene Art, mit dem fertig zu werden, was damals so passiert ist, sagte er. Das heute kritisch zu sehen, fällt leicht.

Nichts läge mir ferner, sagte Avery. Ich hoffe, Sie glauben nicht ...

Nein, sagte Leo. Nein.

Er senkte den Blick auf die Zeitung, schien einen Moment lang in die Lektüre einer Kolumne versunken.

Patricia stand auf. Zeit für eine Tasse Tee, sagte sie.

Ja, sagte Avery, bitte.

Leo legte die Zeitung beiseite. Glauben Sie, er war's?, fragte er. Patricia setzte sich wieder.

Ich weiß nicht, antwortete Avery.

Bei seinem Telefongespräch mit Leo – nachdem er mit Des geredet hatte, der mit Bernard geredet hatte, der wiederum mit demjenigen geredet hatte, von dem aus die Nummer über Des zu Avery zurückgekommen war – hatte er behauptet, in den Besitz gewisser Informationen gelangt zu sein, die vielleicht, doch nur vielleicht, mit der Ermordung seiner Schwester zusammenhängen könnten. Nicht gerade der geschickteste Weg. Leo hatte immer wieder nahe liegende und vernünftige Fragen gestellt, und so sehr Avery die Beantwortung auch bis zu dem Augenblick hinausschieben wollte, da sie sich von Angesicht zu Angesicht gegenübersaßen, hatte er doch nicht kategorisch Nein gesagt, als er gefragt wurde, ob er mit jemandem geredet habe, der direkt in den Fall verwickelt gewesen sei.

Und wenn er es ist, sagte Leo, überlegte es sich dann aber anders. Ich meine, was es auch mit der Halskette auf sich hat,

Sie würden sich doch nicht einfach irgendwas ausdenken, oder?

Sollte man nicht meinen, dachte Avery.

Seltsam, sagte Patricia.

Die beiden Männer sahen zu ihr herüber. Sie schüttelte den Kopf, als hätte sie ungewollt einen Gedanken geäußert. Gewissen, sagte sie. Sie klang noch immer fast entschuldigend, doch glaubte Avery nicht, dass ihr der Einwurf ungewollt über die Lippen gekommen war. Wie sie erst dann nicht mehr damit leben können, wenn sie wissen, dass man sie nicht mehr für das belangen kann, was sie getan haben.

Ihre Auffassung vom rechtlichen Status aller vor dem Waffenstillstand begangenen Straftaten war ebenso weit verbreitet wie fern aller Wirklichkeit.

Patricia und ich sind in dieser Sache unterschiedlicher Meinung, sagte Leo schlicht.

Patricia wandte sich wieder dem Fenster zu. Die Katze war verschwunden. Ein für die Jahreszeit ungewöhnlich dicker Spatz saß stattdessen auf der Mauer. Ich finde es einfach nur seltsam, mehr nicht.

Und ich finde, es täte gut, Bescheid zu wissen, sagte Leo zu Avery. Jemandem ins Auge zu blicken und zu fragen, wie sie gestorben ist. Nach dem Warum zu fragen.

Einen Moment lang schwiegen sie, dann sprang Leo auf. Bleib du nur sitzen, sagte er zu Patricia. Ich hole den Tee.

Eine halbe Stunde später öffnete er auf dem Flur seine Brieftasche und zeigte Avery ein Foto. Ein Passfoto, aufgenommen in einem Studio, die Größe allein verriet, dass es schon älter war. Alles im Gesicht lief auf den Mund zu, eine Studie in bemühtem Nicht-Lächeln. Das Haar thronte auf ihrem Kopf wie eine Perücke aus dem Requisitenregal – *Dauerwelle, frühe Sechzigerjahre*; die Augen waren leicht nach oben verdreht, als überraschte es sie, wie hell das Licht war. Übermut strahlte sie aus, durchaus.

Wie alt ist sie da?, fragte Avery.

Fünfundzwanzig? Leo überlegte. Ungefähr. Hatte damals ein bisschen Übergewicht. Eigentlich wird ihr das Foto nicht gerecht.

Er nahm die Brieftasche wieder an sich und schaute in ihr sich schließendes V. Nein, es wird ihr überhaupt nicht gerecht.

Avery legte eine Hand an den Türknauf. Ich rufe Sie an, sobald ich was Genaueres weiß.

Leo schnalzte mit der Zunge. Ich habe schon so lange gewartet. Ehrlich gesagt, hatte ich längst jede Hoffnung aufgegeben.

Sie standen auf den Eingangsstufen, als Patricia ihnen etwas nachrief.

Was? Leo ging zurück in den Flur. Er steckte den Kopf ins Wohnzimmer, zog ihn wieder heraus. Sie sagt, sie hofft, Sie noch mal am Radio zu hören.

Ach, ich schätze, ich hatte meine fünfzehn Minuten Ruhm; die werden mich kaum noch mal haben wollen.

Leo gab dies ins Wohnzimmer weiter: Er sagt, er glaubt nicht, dass man ihn noch mal haben will.

Und Patricia antwortete – was Avery verstand, noch ehe Leo für ihn wiederholte –: Sag ihm, er soll dafür sorgen, dass er noch mal zu hören ist.

Avery hatte den Fluss überquert und den halben Weg zu seiner Kirche schon hinter sich – die Wischer arbeiteten immer noch daran, seine Frontscheibe von Nord-Belfasts Blättern zu befreien –, als ihm ihre Worte erst die in ihnen verborgene Rüge offenbarten.

Er steckte den Kopf durch die Tür der Hatton Memorial Hall, des kleinen Saals also, in dem das vormittägliche Kaffeekränzchen der alten Damen zu Ende ging.

Morgen, meine Damen.

Typisch Mann, sagte eine Alte (es war Dorothy Moore) mit dem Mut und der Unverblümtheit der Alten. Kommt gerade zu spät zum Abwasch.

Hören Sie nicht auf sie, sagte eine andere und schlug damit eine andere typische Tonart der alten Damen an. Kommen Sie ruhig herein, Reverend.

Vor vielen Jahren, als Avery noch nicht einmal ein sündiger Gedanke seiner Eltern und PC noch eine höfliche Abkürzung für Streifenpolizist war, da waren die alten Frauen junge Frauen gewesen, bis die Kirche, die mit der Zeit Schritt halten wollte, sie schließlich in Frauenschaft umbenannte, dann in Frauengruppe, worunter sie in den wöchentlichen Ankündigungen und jährlichen Rechenschaftsberichten immer noch geführt wurden. Doch die acht verbliebenen alten Frauen kümmerte es längst nicht mehr, welche Bezeichnung die Kirche angemessen fand. Sie machten weder sich noch irgendjemand anderem etwas vor: Sie waren alt. Dazu standen sie laut und deutlich. Sie hatten überlebt.

Vier von ihnen umdrängten Avery. Tupperware mit Selbstgebackenem wurde ihm unter die Nase gehalten.

Ananaskuchen?

Danke, lieber nicht.

Nehmen Sie ein Stück mit nach Hause. Nehmen Sie zwei. Nehmen Sie gleich mehrere, ein Stück für jeden daheim.

Nicht mehr lang, und Sie brauchen noch eines mehr.

Wie geht es Mrs Avery?

Prima. Sie hat ihre Tasche schon gepackt.

Kann ich mir vorstellen.

Wo geht sie hin? Ins Royal? Ins Dundonald?

Ins Royal.

Ach, das Royal ist großartig.

Aber die Jüngste von unserer Karen hat ihrs in Dundonald gekriegt, und sie hatte kein bisschen was daran auszusetzen.

Tja, das Dundonald hat nun mal einen guten Ruf.

Haben sie beide.
Stimmt auch wieder.
Genau wie das City Hospital.
Ach ja, das City.
(Nachdem dies geklärt war, wandten sie ihre Aufmerksamkeit wieder Avery zu.) Die Kleine wird sich bestimmt wundern.
Wie alt ist sie jetzt? Sechs?
Wird demnächst fünf.
Fünf?
Dabei ist sie schon so groß.
Meine Güte, wie schnell das geht.
Ist bestimmt ein wahres Engelchen.
Hier – wieder wurde ihm der Ananaskuchen unter die Nase gehalten –, nehmen Sie alles mit, wir haben keine Alufolie mehr. Die Schale können Sie mir ein andermal zurückgeben.
Es war wie ein umgekehrter Raubüberfall. Sie stoben in Richtung Mantel und Taschen auseinander und ließen ihn mit mehr stehen, als er beim Hereinkommen gehabt hatte.
Am anderen Saalende kippte Lorna Simpson, die jüngste der alten Frauen, einen Tisch auf die Seite.
Nicht doch, sagte Avery.
Aber sicher, sagte Lorna. Wir hinterlassen den Saal immer exakt so, wie wir ihn vorgefunden haben.
An der Wand über ihrer Schulter hing ein Schild, das Gruppen und Vereine genau darum bat, falls man etwas, das mit drei roten Ausrufezeichen versehen war, eine Bitte nennen konnte.
Dann lassen Sie mich das lieber machen.
Avery stellte die Kuchenschale ab.
Geht schon, sagte Lorna. Ich mache das jeden Monat. Ist ein Trick dabei.
Sie hieb mit dem Handballen gegen ein Scharnier. Schlug

noch einmal zu, und wie in Notwehr knickten die Tischbeine ein. Sie ließ zu, dass Avery ihn umdrehte und zum Lagerraum brachte.

Das hätte doch auch Ronnie tun können, sagte er.

Ronnie hat schon genug zu tun.

Und dafür wird er auch gut bezahlt, dachte Avery, sagte es aber nicht. Stattdessen fragte er nach Michael.

Er ist viel unterwegs, ich sehe ihn kaum. Wissen Sie, um diese Jahreszeit ... Avery half ihr in den Mantel. Tja – danke schön –, die Vorbereitungen für Sonntag laufen auf vollen Touren.

Sie strich den Kragen glatt und sah an sich herab, um sich zu vergewissern, dass die Mohnblume richtig saß. Avery drehte sich um; auch die übrigen Frauen hatten sich ihre Mäntel angezogen; Schurwolle, Tweed, Steppmäntel, aus diesem Jahr, letztem Jahr, aus keiner Zeit, der sich noch eine Jahreszahl zuordnen ließ; die Mohnblumen an den Revers ließen die Mäntel wie Uniformen aussehen.

Einen Augenblick lang habe ich gedacht, Sie hätten es vergessen, erklang Lorna Simpsons Stimme dicht neben seinem Ohr.

Nein.

Was Avery vergessen hatte, das war die Mohnblume, die er trug, als er aus dem Haus ging, und die, da er es zwanzig Minuten später, als er den Motor in jener Straße fallender Blätter ausstellte, diplomatisch fand, sie abzunehmen, noch im Handschuhfach lag.

Tut mir leid, sagte er, bin gerade ziemlich beschäftigt.

Natürlich sind Sie das, sagte eine Frau aus der Gruppe. Aber nun ab mit Ihnen nach Hause. Stellen Sie den Kuchen gleich in den Kühlschrank, da ist frische Sahne drin. Und sagen Sie Ihrer Frau, ich hätte nach ihr gefragt.

Ich auch.

Ich auch.

Ich auch.

Ich auch, sagte Lorna Simpson. Ich freue mich schon darauf, Sie am Sonntag in der Kirche zu hören.

Frances aß vier Stück Ananaskuchen, eines nach dem anderen. Sie stöhnte. Ach, die sind einfach ... Oje, ich bin eine schreckliche Mutter. Stell wenigstens eins für Ruthie beiseite, sonst esse ich das auch noch auf.

Eine halbe Stunde später aß sie auch das letzte Stück.

Geh nach der Schule mit ihr aus und mach was Schönes mit ihr, sagte sie.

Avery hatte einen hektischen Nachmittag. Das Schöne musste bis Samstagvormittag warten. Er ging mit Ruth in eine Tierhandlung und bestaunte die Kaninchen und die Goldfische. Er ging mit ihr ins *Buy Rite*, ein zu einem Kaufhaus umgewandeltes Kino, in dem Ruth lange durch die Gänge stromerte, ehe sie sich für ein durchsichtiges Portemonnaie und ein Lineal entschied. An der Tür hielten sie an, damit Ruth ein Pfund in die Blechdose eines Mohnblumenverkäufers werfen konnte, und sie traten gerade auf die Straße, als eine Jugendliche, die unter der Markise von *Granny Knows Best* stand, das Haar bis hinauf zur Kopfhaut in viele blonde Zöpfe geflochten, Avery einen Gruß zurief.

Er lächelte sein Auf-Zeit-spielen-Lächeln.

Wendy!, sagte das Mädchen, dessen Lächeln unsicher wurde. Marshalls Mutter?

Wendy!, sagte er, tut mir leid. Die Haare.

Sie hob eine Hand an den Kopf. Hab's vorgestern machen lassen. Wollte mir eine kleine Veränderung gönnen, verstehen Sie?

Die Veränderung war ihr – wieder einmal – gelungen. Jedenfalls schien sie kaum noch jenem Mädchen zu gleichen, das er zuletzt gesehen hatte, wie es am Krankenhausbett des Freundes Wache hielt. Man redete offenbar nicht ohne Grund von der Unverwüstlichkeit der Jugend.

Meine Mama passt auf das Baby auf, sagte sie. Damit ich mal ein bisschen Zeit für mich habe. Aber ehrlich gesagt, ich laufe hier bloß herum, schlage die Zeit tot und warte darauf, dass ich ihn wieder abholen kann.

Bei jedem Wetter war die Markise vor *Granny Knows Best* ausgefahren. Darunter hingen auf einer Kleiderstange kleinkindgroße T-Shirts, die nicht im Rhythmus der Jahreszeiten, sondern mit dem Aufstieg und Fall kindergeeigneter Chart-Stars ausgewechselt wurden, da sie mit den Gesichtern der Interpreten bedruckt waren; außerdem standen dort ein Drahtkorb mit Socken, ein weiterer mit Unterwäsche sowie ein dritter, in dem zur Marschsaison Union Jacks und zu Halloween Hexenmasken lagen; was man zu anderen Jahreszeiten darin fand, ließ sich nie vorhersagen; einmal waren es mit Haschischblättern verzierte Tabakdosen gewesen: *Nur £2,99!*

(Die Dosen waren in Folie eingeschweißt, zusammen mit einer Packung Rizla, einem billigen Feuerzeug und – weiß *Granny* warum – einer klobigen Digitaluhr.) Avery hatte ein Päckchen gekauft. Das Feuerzeug war ein Lippenstift, und auf der Tabakdose stand unter dem Haschischblatt der Slogan: *Love It Like It Is.*

Normalerweise kaufe ich hier nicht für ihn ein, sagte Wendy, als müsste sie dafür um Verzeihung bitten.

Avery sagte, man könne hier gute Schnäppchen machen, und entschuldigte sich dann, dass er nicht noch mal nach Dee gesehen hatte.

Wendy sagte, dafür brauche er sich nicht zu entschuldigen, sie und Dee hätten es cool gefunden, dass er überhaupt bei ihnen gewesen war.

Wissen Sie, Dee und ich sind mit unseren Lehrern an der Schule nie besonders gut zurechtgekommen, sagte sie. Und nach Marshalls Taufe sind wir auch nie wieder in die Kirche gegangen.

Manchmal erstaunt es mich, dass Eltern es überhaupt zur Taufe schaffen, sagte Avery. Vor allem in den ersten Wochen kann man doch von Glück sagen, wenn man bis zur Haustür kommt.

Haustür?, sagte Wendy. Ich hab gedacht, ich schaff's nicht mal mehr aus dem *Bett*. Wie zwei Mann und ein kleiner Junge musste Dee für mich springen und alles erledigen.

Wenn sie lachte, warf sie den Kopf in den Nacken, dass die Zöpfe zitterten und die Perlen aneinanderklackten. Ruth war wie gebannt.

Ist das Ihre Kleine?, fragte Wendy und strich sich mit der Hand das Haar glatt. Ein hübsches Ding. Darauf hatte ich auch gehofft, auf ein kleines Mädchen. Nicht, dass ich enttäuscht bin oder so, verstehen Sie mich nicht falsch. Ich würde Marshall gegen nichts auf der Welt eintauschen, aber anfangs, verstehen Sie, da war ich mir sicher, es würde ein Mädchen.

Ich krieg bald ein Brüderchen, sagte Ruth.

Einen Bruder oder eine Schwester, korrigierte Avery.

Bruderoderschwester.

Das wäre doch prima, nicht?, fragte Wendy, und Ruth, die davon keineswegs immer, ja, eigentlich sogar nur selten überzeugt war, nickte begeistert.

Wann ist es bei Ihrer Frau so weit?, fragte Wendy.

Bald, antwortete Avery. Und wie geht es Dee? Wann soll er entlassen werden?

Könnte schon Ende nächster Woche sein. Er ist von der Intensivstation runter und kann Messer und Gabel und überhaupt alles wieder halten.

Sie lief plötzlich rot an.

Tatsächlich? Ist ja wirklich toll, sagte Avery, und setzte eine mitfühlende Miene auf.

Frances war da, wo sie auch vor einer Stunde gewesen war, als sie aus dem Haus gingen, und wo sie, ließe man sie, sämtliche Stunden dieser letzten langen Tage verbringen würde, nämlich im Bad. Avery fragte an der Tür, ob es in Ordnung wäre, wenn sie hereinkämen. Ruth ging voraus, einen Strauß gelber Chrysanthemen in der Hand.

Sind die für mich? Frances nahm die Blumen und zog Ruth zu sich herab, um ihr einen Kuss zu geben.

Wir haben eine schicke Frau getroffen, sagte Ruth, und Daddy ist ganz rot geworden.

Frances' Gesicht tauchte aus den Blumen auf. Der Stöpsel war alt und löchrig, der Wasserpegel hatte seinen höchsten Stand an ihrem rosigen Nabel langsam hinter sich gelassen.

Ach ja?, sagte sie.

War nur Wendy, sagte Avery. Du erinnerst dich an das kleine Mädchen, deren Freund zusammengeschlagen wurde? Ich habe ihn im Krankenhaus besucht. Du weißt schon, die beiden haben ein Baby.

Frances reichte ihm die gelben Blumen. Und warum wirst du so rot?

Das kann ich dir jetzt nicht sagen, sagte er, und wies mit einem Kopfnicken auf Ruths Rücken.

Frances tat, als hätte sie nichts gesehen. Du kannst mir in letzter Zeit nicht gerade viel sagen. Also, warum bist du rot geworden?

Bin ich gar nicht, jedenfalls nicht so.

Nicht wie? Nicht so wie jetzt?

Ich werde doch gar nicht rot.

Wurde er doch, er konnte es spüren. Ich stelle die hier mal ins Wasser.

Solltest deinen Kopf vielleicht auch mal unter Wasser halten.

Leuchte, leuchte, sagte Ruth, die auf dem Spielplatz natürlich ebenso viel lernte wie im Klassenzimmer. Ihre

Hände ahmten kleine blitzende Scheinwerfer nach. Leuchte, leuchte.

So hatte er den Tag nicht gerade anfangen wollen. Nach dem Mittagessen ging er in sein Arbeitszimmer, um die Predigt vorzubereiten, konnte sich aber nicht konzentrieren. Er kehrte erneut ins Zimmer zurück, als Ruth im Bett lag und auf dem Treppenaufgang zu den Maisonettewohnungen nicht mehr so viel Betrieb herrschte. Trotzdem schweiften seine Gedanken immer wieder ab. Er ging nach unten, sah sich am Fernsehen eine Zeit lang die Feiern zum Volkstrauertag an, betrat wieder das Arbeitszimmer. Er grübelte. Er zermarterte sich das Hirn. Er griff zum *Lektionar*. Jahr B, Jahr des Heiligen Markus, empfohlene Lektüre für den Volkstrauertag – Fünftes Buch Mose, viertes Kapitel, Anfang Vers neun: Hüte dich nur und bewahre deine Seele wohl, dass du nicht vergessest der Geschichten, die deine Augen gesehen haben, und dass sie nicht aus deinem Herzen kommen all dein Leben lang.

Er las nicht bis Vers zehn. Frances kam, um ihn ins Bett zu schicken. (Er hatte die letzten Nächte wieder im Gästezimmer geschlafen.) Komme gleich, sagte er und blieb sitzen, bis die Uhr langsam vom Samstag in den Sonntag tickte, wartete auf eine Eingebung. Er blieb immer noch sitzen, musterte den Stapel Karteikarten und sah, dass die obere mit Zeichnungen übersät war. Kunstvoll verschlungene Ketten, Felder mit winzigen Blumen. Er zerriss die Karte und legte den Kopf auf den Tisch.

8

Avery kniete in seinem Arbeitszimmer und betete. Ein Gebet frei von jeglicher Form, frei von den Sprungbrettworten *VaterunserderdubistimHimmel.* Eher ein sich Öffnen, zu tief aus dem Innersten heraus, als dass sich seine Herzensausschüttung an Vorgaben hätte halten können.

Es war elf Minuten nach der elften Stunde, und noch im letzten Moment, ehe die Worte kamen, hatte er sich gefragt, wie er seine Gedanken während der nächsten neunzig Minuten von jenen Dingen fernhalten sollte, die er in letzter Zeit gesehen hatte, von den Anschuldigungen, die in diesem Zimmer und in seinem Beisein gegen die Angehörigen jener Soldaten erhoben worden waren, deren Opfer er nun öffentlich zu gedenken hatte.

Morgen, am dreizehnten Tag des elften Monats, würde die Kommission in Derry wieder ihre Untersuchung der Ereignisse vom Blutigen Sonntag aufnehmen, die vom letzten Krieg so viel Zeit wie von heute trennte. Avery fiel es nicht schwer zu glauben, dass sich die Armee strafbar gemacht hatte, doch fand er, man müsse den mörderischen Taten nicht auch noch unbedingt Absicht unterstellen. Für den Kampf – für einen Angriff aus der Luft! – ausgebildete Männer, Jungs, waren aufgeputscht und in ein Wohngebiet geschickt worden? Ein unverantwortlicher Leichtsinn.

Er kniete noch, als Joel Prentice klopfte, um ihn wissen zu lassen, dass der Gottesdienst in fünf Minuten anfing. Wie ein

Mann, der zufällig gestürzt war, richtete Avery sich auf, sah nach, ob die Hose, die Schuhspitzen sauber waren und vertat die Hälfte der verbleibenden Zeit damit, sich zu vergewissern, dass Talar, Amikt und Bänder richtig saßen. Er griff nach der Bibel, presste die sechs mal vier Zentimeter großen Karteikarten mit abgewandter Vorderseite dagegen, machte einen Schritt aus der Tür, noch einen, und gleich wieder einen zurück. Der in presbyterianisches Blau gewandete Chor rauschte vorbei. In langer Reihe. Er zählte elf, also die ganze Mannschaft. Sobald das letzte Mitglied um die Ecke verschwunden war, hörte er das Raunen der Gemeinde kurz anschwellen, als Joel die Sakristeitür öffnete, gleich darauf die fast schlagartige Stille und dann die ersten Töne der Orgel, ehe die Tür wieder zufiel und ihn allein im Flur zurückließ. Einen Moment lang stand er im Winkel des L, und ihm ging der Gedanke – kaum mehr als ein Impuls – durch den Kopf, dass er umdrehen und in die andere Richtung gehen könnte, doch hatten sich seine Füße bereits in Bewegung gesetzt. Sie schienen ihm weit, weit vom restlichen Leib entfernt zu sein. An der Tür verharrte er aufs Neue, gab Joel Zeit, die Bibel auf der Kanzel aufzuschlagen, das blaue, seidene Lesezeichen herabhängen zu lassen, dessen goldene Quasten in die Flammen des ewig brennenden Busches ausliefen. *Ardens sed virens.*

Er stieß die Tür auf. In jenem Sekundenbruchteil, ehe er den Blick abwandte, schätzte er, dass unten kaum noch ein Platz frei war. Seine Füße trugen ihn an den vorderen beiden Bänken entlang – in den zwei Reihen der Haltung annehmenden Veteranen, Offiziere und Unteroffiziere der Boys' Brigade nur eine einzige Frau mit einem Orden –, während die Orgel, die erst vor, dann neben und schließlich hinter ihm war, den zusätzlichen inneren Anstoß gab, den er brauchte, um die läuferbedeckten Stufen zum Altarraum hinauf zum Fuße der Kanzeltreppe zu gehen. Oben angekommen war sein Gebet ein Schnappen nach Luft. Hilfe!

Die Orgel verstummte. Er hob den Kopf und breitete die Arme aus.

Lasset uns …

Er schluckte. In der vorderen linken Bank rutschte Michael Simpsons Verdienstmedaille nach rechts.

Lasset uns, begann er erneut, und in seinem Kopf hörte er die Worte: *Tut mir leid, ich glaube, ich schaff's nicht*, als Hilfe kam. Jemand nieste, in der achten Reihe, direkt vor ihm. Das Gesicht einer Frau, knallrot.

Gesundheit, sagte er, und plötzlich schien es mehr Luft in der Kirche zu geben, als hätten alle beschlossen, ein wenig von dem Atem abzulassen, den sie bis jetzt angehalten hatten. Avery bekam seinen Satz zu Ende.

Lasset uns beten.

Ein Gottesdienst ist eine Predigt im Quadrat. Alles kommt auf den Rhythmus an. (Patamoster, *brabbel, brabbel* – flüstern! –, das Paternoster: *Wir* waren es, die die Stand-up-Comedy erfunden haben. Twiss wieder.) Avery fand den Rhythmus, den er gestern verzweifelt gesucht hatte. Das Auf und Ab der Stimme, die Ankündigung der Hymnen, Psalmen, alle aufstehen, hinsetzen, Öffnen und Schließen der Bibel, die bedeutungsschwere Pause, die bedeutungsschwere Pause, die bedeutungsschwere Pause, die Erlösung des: Lasset uns beten.

War es vorbei, fragte er sich manchmal erstaunt, wo die Zeit geblieben war.

Der Gottesdienst näherte sich seinem Höhepunkt. Die Frau mit dem Orden (sie hieß Deborah Magill und war mit der Falkland-Armada gesegelt) stand seitlich zur Kanzel, eingerahmt von zwei Hauptmännern, Davidson, ehemals Royal Artillery, und Rogers von der Boys' Brigade. Vor ihnen an der Wand, wo gerade Kränze niedergelegt worden waren, hing eine schlichte Bronzeplakette. Zur Erinnerung an die ruhmreichen Mitglieder dieser Gemeinde, die ihr Leben im Dienste des Vaterlandes gelassen hatten. Die Namen standen auch mit schwarzem Kugelschreiber notiert auf der vor ihm im Licht der Lesepultlampe liegenden Karteikarte. Avery brauchte kaum hinzusehen, um sie abzulesen.

Robert Benson, Michael Harbison, Matthew Herbert, Alexander ›Sandy‹ Hope, St. John Hope, William Hope, William McElvey, George McIlhenny, Terence McMaster, Oliver Owens, James Ross, John Ross, Norman Stewart ... immer gab es den Augenblick, wie er sich aus seiner Kindheit erinnerte, in dem es schien, als würde es endlos so weitergehen, kurz bevor es dann mit Ashley Thompson zu Ende ging.

Anschließend zwei Minuten vollkommene Stille. Und dann stieg ein Ton auf, blechern, hochrot, füllte das Schiff und zog einen zweiten Ton nach sich, dehnte sich, dünner, höher, verschwand; dann, eins, zwei, waren sie wieder da, schwanden aufs Neue, verklangen – doch konnte Avery durch das am Ende des Hauptganges geöffnete Portal die Schuhe und Hosenbeine des atmenden Hornisten sehen –, als verlöre eine Batterie ihre Kraft. Schon aber stieg der erste Ton wieder auf, und diesmal zerlief der zweite in sieben weitere Töne. Die Hosenbeine stellten sich auf die Zehenspitzen.

(Der Hornist war dreizehn, der erste anständige Hornist, den die Boys' Brigade in über zwanzig Jahren hervorgebracht hatte.)

Im Vordergrund sah Avery, wie die Erinnerung in alt gewordenen Männern und Frauen aufstieg. Robert. Michael. Matthew. Alexander – der-zu-Sandy-wurde. St. John, der-sicher-nicht-zu-einem-Heiligen-wurde. Die beiden Williams. George. Terence. Oliver. James. John. Norman. Ashley. Freunde, manche von ihnen, doch musste man sie nicht persönlich gekannt haben, um vom Gefühl des Augenblicks gerührt zu sein, dem Gefühl, ja, und auch der Schönheit. Wie der sanfte Blätterregen am Ende des Fernsehgottesdienstes. Zigtausende. Er hob den Daumen, da es im Gesicht juckte. Der Daumen wurde feucht.

Keine Blätter. Mohnblumen.

Jetzt juckte die andere Gesichtsseite. Er fuhr mit dem Handballen darüber.

Er wusste nicht, wie er es bis zum Schlusssegen schaffte.

Reverend?

Guy Broudie verstieß gegen die selbst erlassene Nach-Gottesdienst-Regel und sprach ihn von der Tür aus an.

Avery hatte mit ihm gerechnet.

Kommen Sie herein.

Doch als Erstes kam nicht Guy, sondern Eleanor Todd, gefolgt von Gregory Martin: Organist und Kirchenältester. Guy trat als Letzter ein, blieb aber einen Schritt vor ihnen stehen, vielleicht ließen sie es auch zu, dass sie einen Schritt hinter ihn zurückfielen.

Avery hob die Hand. Ehe Sie anfangen: Ich weiß, was Sie denken. Die Feier hat mich etwas überwältigt.

Reverend, sagte Guy ohne Einleitung, es gab keine Nationalhymne.

Avery ließ die Hand sinken. Das war nun ganz und gar nicht, woran er gedacht hatte. Er sagte das einzige Wort, das ihm geblieben war. Wie?

Gregory sagte, Sie hätten ihm zunicken sollen …

Stimmt, Sie wollten nicken, sagte Gregory wie jemand, der sich leicht auch etwas anderes einreden konnte. Ich dachte, das hätten wir abgemacht …

Und als er daran dachte, ohne Sie anzufangen, waren Sie schon auf halbem Weg die Kanzeltreppe herunter.

Ich fürchte, es hätte … na ja, ich weiß nicht, wie es gewirkt hätte, sagte Gregory.

Avery wusste durchaus noch von der Abmachung, und es stimmte, dass seines Wissens die Nationalhymne nicht gesungen worden war. Er hatte nicht genickt.

Wie Sie sich erinnern, war ich genau deshalb dagegen, dass sie verschoben wird, sagte Guy.

Wie alle anderen Hymnen war die Nationalhymne am Volkstrauertag ursprünglich im Laufe des Gottesdienstes gesungen worden. Letztes Jahr hatte Avery sie dann nach den Schlusssegen gesetzt. Guys Sorgen waren nicht die einzigen gewesen, mit denen er sich beim Treffen des Konsistoriums hatte herumschlagen müssen.

Ich verspreche Ihnen, hatte er gesagt, dass sie am Ende nicht einfach wegfallen wird. (Obwohl er viele Kirchen kannte, in denen sie weggelassen wurde. Und noch war keine dieser Kirchen deshalb eingestürzt.)

Denken Sie daran, was in den Lichtspielhäusern passierte, hatte Michael Simpson gesagt.

Nun, ich finde, Lichtspielhäuser sind kein geeigneter Vergleich, sagte Avery. Dies ist unsere Kirche, wir sind niemandem außer uns selbst verantwortlich.

Und kaum auf die Probe gestellt, hatte er versagt und sein Versprechen nicht eingelöst.

Er wandte sich an George: Ich kann mich gar nicht genügend entschuldigen.

Es geht nicht bloß um die Nationalhymne, sagte Guy und blickte über die Schulter. Gregory und Eleanor blickten zu Boden. Die Leute fangen an, sich Sorgen zu machen. Man weiß, dass Sie ziemlich unter Stress stehen: das Baby, die Geschichte mit den Kirkpatricks. Und man hört so einiges – ist nur fair, Ihnen das zu sagen –, es geht sogar das Gerede, man könne sich ans Presbyterium wenden.

Diesmal nicht wir, nicht sie, nicht die Leute. Man könne. Schwer, sich gegen ein solches ›man‹ zur Wehr zu setzen.

Ist dies eine offizielle Beschwerde?, fragte Avery.

Guys Blick wanderte zum Kalender an der Wand. Avery brauchte sich nicht umzudrehen, um festzustellen, dass er vermutlich ein falsches Datum anzeigte. Er brauchte auch nicht großartig zu überlegen, um zu wissen, wie das wohl unter diesen Umständen wirken musste.

Ein Ausdruck der Sorge, sagte Guy.

Mit mir ist alles in Ordnung.

Guy zuckte die Achseln: Das war Ansichtssache und außerdem nicht das, worüber er sich Sorgen machte.

Wir drei, sagte er und wies damit auf Gregory und Eleanor, haben dieser Kirche zusammen hundertfünfzig Jahre gedient. Wir müssen an die Gemeinde denken.

Guy Broudie redete nicht viel über seine Beamtenlaufbahn. Freiwillig rückte er erst recht nicht damit heraus. Als Paddy Devlin im vergangenen Jahr starb, hatte Avery Guy gefragt, ob er ihn je kennengelernt habe.

Guy hatte genickt. Er war eine Zeit lang mein Minister. Gesundheit und Soziales.

Paddy Devlin war Sozialist und Katholik gewesen. Jene Zeit, auf die Guy so nüchtern anspielte, hatte genau 148 Tage umfasst. Von Januar bis Mai 1974. Der erste, zum Scheitern verurteilte Versuch des *power-sharings*, der gemeinsamen Machtausübung. Geschichte.

Irgendwo habe ich gelesen, dass er nur in Kantinen aß, hatte Avery gesagt.

Guy hatte die Lippen geschürzt und bedächtig genickt. Ich habe gern unter ihm gearbeitet. Ein guter Minister auf bestem Wege.

Sie haben sicher so einige kennengelernt.

Mehr als mir lieb war. Vor allem in den Siebzigern. Ging da oben zu wie im Taubenschlag.

Und mehr war aus ihm nicht herauszubringen. Avery begriff, dass persönliche Gefühle, gute oder schlechte, keine Rolle spielten. Guys Verbundenheit galt dem Amt des Ministers, nicht der Person. Letztlich waren sie beide nur Diener des Volkes, das sie an diese Stelle gesetzt hatte, und wenn es einen Wechsel gab, dann gab es eben einen Wechsel.

Falls nötig, wäre Reverend Jebb zu ein oder zwei Wochen Vertretung bereit, sagte Guy.

Das wissen Sie?

Ich musste mit ihm telefonieren, einige Kleinigkeiten klären.

Jebb stand für den Notfall bereit, falls bei Frances die Wehen am Wochenende kamen. Avery nickte. Das war noch nicht alles.

Sagen Sie einfach, Sie bräuchten für die Geburt des Babys ein wenig Zeit. Außerdem wäre da immer noch Dr. Talbot.

In den Sechzigern war Talbot kurze Zeit Reverend gewesen, ehe er dann Synodalpräsident wurde und somit als einziges Mitglied dieser Gemeinde Karriere gemacht hatte. Außerdem hatte er eine Woche im Gefängnis gesessen, weil er die Strafe für einen Anti-Bürgerrechtsprotest nicht zahlen wollte (Anti-*Republikaner*-Rechte, wie er damals behauptet hatte). Seit er sich im Ruhestand befand, gaben selbst seine größten Gegner zu – darunter auch Twiss –, dass er einer der größten Entertainer der Kirche gewesen war.

Nun, ich will hoffen, dass wir keinen von beiden bemühen müssen, sagte Avery.

Gut, sagte Guy, und Eleanor und Gregory nickten, hoffen wir das.

Denken Sie immer noch daran, sich ans Presbyterium zu wenden?

Für den Augenblick wollen wir es nicht ausschließen.

Falls es nötig sein sollte?

Falls es nötig sein sollte.

Frances kam mit Ruth, als Averys Besucher gingen. Sie sah aus, als fühle sie sich nicht wohl. Avery zwang sich, stehen zu bleiben, Frances dagegen zog es vor, sich an die Wand zu lehnen. Ruth kletterte auf den leeren Sessel und drehte sich quietschend im Kreis.

Ich glaube, ich bin gerade von meinem eigenen Schriftführer bedroht worden, sagte Avery.

Frances liebkoste sein Ohr, das Gesicht vor Mitgefühl bekümmert. So ist es bestimmt nicht gemeint gewesen, sagte sie.

Avery legte den Kopf auf ihre Schulter. Dann fuhr er auf.

Was meinst du mit ›es‹? Weißt du etwas darüber?

Frances seufzte und ging zum Schrank, um die Jacke ihres Mannes zu holen. Ich wusste, dass sie sich Sorgen machen.

Du hättest mir ja wenigstens was sagen können.

Frances bedachte ihn mit dem amüsierten Blick eines Menschen, der so gar nicht amüsiert war. Also darfst du Geheimnisse haben, ich aber nicht?

Ich habe keine Geheimnisse. Ich unterliege nur der Schweigepflicht, die gehört zu meinem Job.

Der Sessel quietschte nicht mehr. Mit Grübchen im Kinn und zitternder Unterlippe glitt Ruth vom Sitz.

Was ist?, fragte Avery.

Du schreist, sagte sie.

Tu ich nicht.

Tust du wohl, erwiderte Frances, und Avery wollte gerade sagen, dass sie es schon wieder machten, dass sie sich gegen ihn verbündeten, als Ruth das Gesicht in den Kleidern ihrer Mutter verbarg.

Avery fiel in den Sessel. Oh mein Gott, sagte er. Was ist bloß mit mir los?

Es war falsch gewesen, so laut zu werden.

Es war falsch gewesen, auch nur daran zu denken, dass seine Frau und seine noch nicht einmal fünf Jahre alte Tochter sich gegen ihn verbündeten.

Es war falsch gewesen, dass er sich in den vergangenen Wochen so von ihnen abgeschottet hatte, dass er so beschäftigt gewesen war.

Es war falsch gewesen, dass seine Probleme schon vom ersten Tag an seine Aufgaben als Priester beeinflusst hatten.

Es war falsch gewesen, Larry gegenüber nicht deutlich zu machen, dass er ihm nicht helfen konnte. Trotz der Scherereien, die er ihm bereitete, hatte Larry seine Eitelkeit angesprochen, weil er sich gerade an ihn gewandt hatte. Und es war falsch gewesen, das zuzulassen.

Und mochte Larrys Geschichte auch wahr sein, so war es doch schrecklich falsch gewesen, sie Leo und Patricia zuzumuten, auch wenn es noch schlimmer gewesen wäre, sie in etwas hineinzuziehen, von dem er nicht wusste, wie er sie da je wieder herausführen sollte.

Es gab nur einen Weg, die Dinge wieder ins Lot zu bringen.

Gegen Ende dieses langen Tages saß er mit dem Handy am Arbeitstisch und sah die Liste der gespeicherten Nummern durch. Er wusste nicht, ob er die Kraft zum Reden fand oder ob er, falls es dazu kam, wenigstens *nein, tut mir leid, ich habe meine Meinung geändert* sagen konnte, deshalb war es überaus wichtig, die Nachricht ohne weitere Verzögerung abzuschicken.

Er hatte noch nie in seinem Leben eine SMS gesandt. Wie vor langer Zeit auf seiner ersten tragbaren Schreibmaschine fing er an, im Ein-Finger-System die Buchstaben zu suchen. Bis er *asdfghjklö* halbwegs fließend beherrscht hatte, waren Jahre vergangen. Nun blieb ihm nur ein einziger Abend, um das Tastaturfeld eines Nokias zu meistern.

Eine Viertelstunde verstrich, bis er herausfand, wie man ein I schrieb. Er versuchte, ein B zu tippen, doch das Display schlug ihm ein A vor. Er probierte es erneut und dann wieder: A, noch mal A. Wenn er löschen wollte, erschienen einfach noch mehr Buchstaben. Aus LIEBER wurde LIEABAB Fragezeichen. Die Zahl 160, die er beim Einschalten in der oberen rechten Ecke gesehen zu haben meinte, war zur 152 geworden. Man zog ihm die Buchstaben ab. Selbst wenn er LIEABAB Fragezeichen noch in LIEBER hätte verwandeln können, bedeutete die Anrede eine Höflichkeit, die er sich nicht leisten konnte. Also nur Larry. Bestimmt kam damit auch eine gewisse Dringlichkeit zum Ausdruck. Für den Namen brauchte er weitere zwanzig Minuten. Er gab nicht auf. Alles war in Großbuchstaben, dann war plötzlich alles klein. Was hatte er gedrückt? Er probierte einige vielversprechende Tasten aus, dann ging er willkürlich vor und versuchte es mit verschiedenen Kombinationen. Die Großbuchstaben waren wieder da und blieben auch. Ein Zeigefinger allein reichte nicht. Er hielt den Apparat mit den oberen Gelenken aller acht Finger und gab so den schmerzenden Daumen freies Spiel. (Kesselpauken, dachte er, nutzten ihre Chance, verkehrten Evolution in Revolution, bahnten den Weg für *timpani concerti.*) Nach zwei Stunden hatte er neun Worte: LARRY ICH HÄTTE VON anfang an darauf BESTEHEN SOLLEN

Schultern und Nacken taten weh, doch er gab nicht auf. ICH BIN DAFÜR NICHT DER RICHTIGE SIE BRAUCHEN EINEN MANN MIT MUT FÜR MICH STEHT ALLES AUF DEM SPIEL

Ihm blieben noch zweiunddreißig Buchstaben. Jetzt verstand er die Vorliebe für Abkürzungen. Seine Uhr zeigte zweiundzwanzig Minuten nach elf an. Fast zwölf Stunden waren vergangen, seit Joel Prentice geklopft hatte und er aufgestanden war.

GOTT WILL DASS ICH IHM HIER DIENE AVE

Er las noch einmal die gekürzte Form seines Namens und fürchtete, es könnte für Latein gehalten werden, löschte die

Buchstaben und fügte sie dann wieder ein. Es war spät. Er musste hiermit fertig werden, ehe der neue Tag anbrach, doch ließ er das Telefon auf dem Schreibtisch liegen und ging vorher noch ins Bad. Normalerweise vermied er es, sich im Spiegel über dem Waschbecken anzusehen. Hatte etwas mit dem Licht zu tun. Selbst ein gesunder Mensch sah darin krank aus. Doch damit erst gar keine Frage nach dem Motiv aufkam, starrte er sich heute Abend direkt ins Gesicht. Er sah nicht gut aus. Das Haar strohig, das Gesicht wächsern, schmutzig, aufgeraut. Als er fertig war, ging er zurück ins Arbeitszimmer und schickte die Nachricht mit derselben Entschlossenheit ab, mit der er nach dem Schalter der Leselampe griff.

Das war das.

9

Es hätte das Schlimmste sein sollen, was geschehen konnte. Nachdem er Ruth am Montagmorgen zur Schule gebracht hatte, ging er in den Garten, um herübergewehte Plastiktüten (meist die blauen vom Getränkeladen) und Zigarettenschachteln (meist Mayfair) aus der Hecke zu klauben, als Francis ihn zur Hintertür rief.

Eine Mrs Press ist am Telefon.

Press?, überlegte er auf dem Weg vom Garten in den Hausflur. Press?

Reverend Avery? Es geht um meinen Daddy, sagte sie, und da wusste Avery Bescheid. Die Tochter von Mr Booth. Ich habe ihn gefunden, als ich heute Morgen nach ihm sehen wollte. Ihre Stimme brach, sie seufzte sie wieder heil. Er ist tot.

Tut mir schrecklich leid. Das muss ein schlimmer Schock für Sie gewesen sein.

Ziemlich schlimm, aber wissen Sie, erst bin ich in der Schlafzimmertür stehen geblieben und habe ihn einfach nur angesehen. Ich meine, ich wusste, was los war, aber ich habe immer noch geglaubt, beim geringsten Geräusch würde er aufwachen, dabei sah er überhaupt nicht aus, als ob er aufwachen wollte. Es war genauso, wie es auf diesen Beileidskarten steht: Sanft entschlafen.

Avery tastete unter der Treppe schon nach dem Garderobenlicht.

(Er hatte in den letzten Wochen weitere Regale für seine Videos angebracht, deshalb gab es nur noch Platz für einen Mantel pro Familienmitglied.)

Wo sind Sie jetzt?, wollte er wissen.

Ich sitze hier auf dem Bett, sagte sie, den Mund vom Hörer abgewandt. Neben ihm.

Avery vergewisserte sich, dass sie mit dem Arzt telefoniert hatte, und fragte, ob sie nicht eine Nachbarin anrufen und zu sich bitten könne, bis er eintreffe.

June ist schon hier, sagte sie, und eine Stimme, die nur aus dem Schlafzimmer kommen konnte, rief: Ich kümmere mich um sie!

Frances kam, lehnte sich an den Rahmen der Wohnzimmertür und sah zu, wie er sich den Mantel anzog. Die Arme hielt sie fest unter ihrer Brust verschränkt. Jemand gestorben?

Er nickte. Der Vater.

Die arme Frau, erwiderte sie tonlos.

Selbst ihre Stimme hielt ihn zurück. Er stand vor ihr, drückte ihr einen fragenden Kuss auf die Stirn und spürte, wie seine Entschlossenheit wich, wie sie dort entwich, wo seine Lippen sie berührt hatten: vom Kopf über den Hals zu den Schultern. Sie presste ihre Arme noch fester an sich, entzog sich ihm, richtete sich auf. Dafür war es noch zu früh.

Falls du nicht rechtzeitig zurück bist, fangen wir schon mit dem Mittagessen an.

Ich gebe mir Mühe, kann aber nichts versprechen.

Frances zog sich ins Wohnzimmer zurück. Doch als er sich ins Auto setzte, sah er sie am Fenster stehen. Sie küsste ihre Fingerspitzen, drehte sie langsam und berührte das Glas. Er nahm ihren Segen mit einem Lächeln hin, das bis zur Post an der Hauptstraße vorhielt, wo sich wie jeden Montagmorgen eine Schlange bis hinaus auf die Straße gebildet hatte: Jene, für die das Ende des Wochenendes nicht rasch genug kommen konnte, die Alten, die Arbeitslosen und all die, die nur soeben noch zurechtkamen, der Mann, der immer dort auftauchte, wo sich eine Schlange bildete, um mit irgendwem ein Schwätzchen zu halten, ganz unabhängig vom Wetter.

Ein Krankenwagen war vorgefahren – wozu auch immer – und parkte, um auf der engen Straße den Verkehr durchzulassen, halb auf dem Bürgersteig und in drei Schritten Abstand vom Tor. Zwei Schuljungen, die zu einem Krankenwagen gehörten wie ein schwatzender Mann zu einer Warteschlange vor der Post, kletterten auf die Reifen, um einen Blick ins Innere zu werfen.

Sie entdeckten Avery, als er aus dem Wagen stieg, und verdrückten sich die Straße hinauf.

Keine Schule, Jungs?, rief er ihnen nach.

Keine Kirche, Mann?, rief einer der beiden zurück, und das fanden sie so lustig, dass der andere es gleich wiederholte. Keine Kirche, Mann, hä?

Der Hauseingang lag vom Tor aus drei Schritte in die andere Richtung. Obwohl die Tür offen stand, klopfte Avery an. Eine Frau, die er nicht kannte, steckte den Kopf heraus und verschwand wieder. Alberta!

Avery wartete noch darauf, dass sein Ruf erwidert wurde, als Alberta Press die Tür aufriss und ihn am Arm packte. Das muss ich Ihnen zeigen.

Sie war aufgeregt, schien fast zu lächeln, dachte Avery.

Eine Sanitäterin hockte auf der obersten Stufe und unterhielt sich mit einem Kollegen auf dem Treppenabsatz. Avery wurde ins vordere Zimmer gezerrt. Die Frau, die an der Tür nach ihm gesehen hatte und die er für June hielt, stand neben dem Kamin. Alberta bezog auf der anderen Seite Position. Zwischen ihnen lag die Lesebrille ihres Vaters, die TV-Fernbedienung (denn jetzt war der Raum auch sein Museum), und an die Wand gelehnt thronte unübersehbar in der

Mitte des Kaminsims eine Ausgabe des Neuen Testaments inklusive aller Psalmen, eine Halb-Bibel, wie irgendein Spaßvogel im Theologischen Seminar sie genannt hatte, der mit Tesa überklebten Nummer am Buchrücken nach zu urteilen ein Bibliotheksexemplar.

Zufrieden damit, dass er das Buch bemerkt hatte, lächelte Alberta nun. Aus dem oberen Zimmer waren schwere Schritte zu hören. Ein Möbelstück wurde verrückt.

Behutsam nahm sie das Neue Testament in die Hand. Wie finden Sie das?, wollte sie wissen. Es lag in seinem Bett, als der Arzt die Decke zurückschlug. Nachdem Sie hier waren, habe ich es ihm eines Tages mitgebracht, weil ich dachte, er würde vielleicht darin lesen. Ist mit Landkarten und so. Er hatte Karten gern.

Die hat er geliebt, sagte June. Wenn man irgendwo hinfuhr, nach England oder so ...

Alberta nickte, verlor die Konzentration. Avery musste an Ruth denken, wie sie ihn einmal im Supermarkt aus den Augen verloren hatte, und war überzeugt, dass alle mit diesem Wesen in sich lebten, dem von den Eltern getrennten Kind. Das Buch wog plötzlich schwer in Albertas Hand. Es brachte sie wieder zu sich. Erneut zeigte sich ihr Lächeln.

Wissen Sie, ich dachte, selbst wenn er nur anfängt, sich die Karten anzusehen, wäre es doch wenigstens eine Abwechslung zum Fernsehen, aber das Buch blieb auf der Sofalehne, da, wo ich es hingelegt hatte, und ehrlich gesagt, habe ich dann nicht mehr dran gedacht. Was mich angeht – sie suchte nach etwas möglichst Unwahrscheinlichem –, hätte es sich ebenso gut in Luft aufgelöst haben können. Bei meinem Daddy wusste man meistens nicht, wie man mit ihm dran war.

Ein ganz Stiller, sagte June.

Aber sehen Sie hier, Alberta öffnete den Buchdeckel und zeigte auf die Rückgabeseite. Avery, der nicht wusste, wonach er suchen sollte, konnte nichts Ungewöhnliches entdecken. Über die Spalten geschriebene Daten, blau und schwarz durcheinander, Kleckse, mit Kugelschreiber geschriebene Ziffern, wo der Datumstempel nicht zur Hand oder das Stempelkissen ausgetrocknet gewesen war.

Sehen Sie das denn nicht? Alberta zeigte mit dem Fingernagel auf die Stelle. *Da.*

Und da war es tatsächlich, das heutige Datum: *13. Nov. 2000.*

Ende der Ausleihfrist. June betonte jedes Wort und deutete sie zu guter Letzt auch noch: heimgerufen.

Genau wie auf den Beileidskarten.

Das steht ja auch nicht zufällig drauf, sagte June so feierlich, als wäre sie vor Gericht gebeten worden, die Worte ihrer Freundin zu bezeugen.

Alberta saß auf dem Zweier-Sofa, ihr Kissen neben dem ihres Vaters, und rieb mit dem Daumen über den Einband des Neuen Testaments. Als ich gestern Abend ging, hat er ›Tschüs, Liebes‹ gesagt. Nicht ›Bis morgen früh‹, wie er das sonst immer tat, sondern ›Tschüs, Liebes‹. Ich glaube, er hat durch diese Bibel gewusst, dass es Zeit war zu gehen. Er war so weit.

Avery setzte sich neben sie und griff nach ihrer Hand. Sieht jedenfalls ganz so aus.

Er wählte aus der geliehenen Bibel einen Psalm aus – allein das Wort fand er schon tröstlich. Psalm 39, Vers 5: Aber, Herr, lehre doch mich, dass es ein Ende mit mir haben muss und mein Leben ein Ziel hat und ich davon muss.

Arzt und Sanitäter standen dicht gedrängt in der Tür und warteten darauf, dass er mit dem Gebet fertig wurde.

Amen, sagte June zum Schluss.

Frances freute sich so sehr, ihn schon vor dem Nachmittag wiederzusehen, dass sie ihn praktisch auf der Stelle wieder aus dem Haus schicken wollte. Bist du sicher, dass du nicht mehr gebraucht wirst? Du bist doch nicht meinetwegen vorzeitig gekommen, oder?

Ohne auf ihre Einwilligung zu warten, legte er die Arme um sie und drückte sie fest an sich.

Texte bringen Texte hervor, das jedenfalls schien, soweit Avery es begriff, die Eigenart dieses Kommunikationsmittels zu sein. Er hatte sein Handy am Vormittag absichtlich ausgeschaltet, um ein wenig Kontrolle über das zu behalten, was anders nicht mehr in seinen Händen lag. Er würde lesen, wann er lesen wollte. Doch obwohl er ein halbes Dutzend Mal nachschaute (am Abend allein dreimal), kam kein einziges Wort. Auch als er bei erster Gelegenheit am nächsten Morgen nachsah, war noch keine Meldung für ihn eingegangen. Erst nach dem Mittagessen fand er eine Nachricht vor. Auf seine wohl überlegte und genau berechnete (bis auf den letzten Buchstaben berechnete) Mitteilung darüber, was Gott wollte, antwortete Larry mit billiger, kindischer Polemik: Und wenn Gott will, dass Sie Ihren Kopf ins Feuer stecken?

Schneller als zuvor schrieb er zurück: ICH TÄTS. Diesmal kam, soweit dies wie bei einer SMS möglich, die Antwort fast augenblicklich: Dann spitzen Sie die Ohren.

Es kam ihm alles ein bisschen unpassend vor, doch lag das vielleicht auch an der Eigenart dieser Art der Verständigung. Sie schürte Aggressionen. Unabhängig davon jedoch war getan, was getan werden musste, und sollte es dennoch ungeschehen gemacht werden, verlangte es, so vermutete er, gewiss weit mehr als nur den Einsatz seiner Daumen.

Am Vormittag war er mit Frances im Krankenhaus gewesen. Der Kopf des Babys lag genau richtig, passte wie ein Stöpsel in ihr Becken.

Cleveres Baby, sagte Frances. Cleverer kleiner Yogi. Und sie hatte recht, es schien irgendwie mystisch, dass ihr Kind nun bis zum Beginn der Wehen diese Position beibehalten sollte. Selbst die Art, wie es den Rücken krümmte, verriet enorme Konzentration. Nichts würde das Baby davon abhalten, geboren zu werden.

Ich trag Ihren Namen für einen neuen Termin in vierzehn Tagen ein, aber ich glaube nicht, dass wir uns hier noch wiedersehen, sagte die Hebamme.

Vom Krankenhaus gingen sie dahin, wohin sie jedes Mal nach einer Vorsorgeuntersuchung gingen, in das Café im Möbelgeschäft in der Boucher Road. Gerade hatte man die Weihnachtsdekoration angebracht, Rot erlebte ein Comeback unter all dem Blau, Weiß und Silber. Auf der anderen Straßenseite, rechts von ihrem Fensterplatz, wurde der Hof eines Garten-Centers geräumt, um vorübergehend Zypressen, Tannen, Fichten und Kiefern Platz zu machen. Alles viel zu früh, das verstand sich von selbst, doch würde es Avery am Sonntag vermutlich trotzdem erwähnen. Konnte er einen Scherz riskieren? Stellen Sie sich vor, unser Herrgott wäre nicht in Bethlehem, sondern in Belfast geboren worden. Einen Stern hätten die Heiligen Drei Könige dann gar nicht gebraucht, ihnen wäre schon Mitte November ein Reklamezettel mit dem Tag seiner Ankunft in die Hand gedrückt worden.

Woran denkst du?, fragte ihn Frances.

Er schüttelte den Kopf. Ich schreibe an meiner Predigt.

Eines Tages erzählst du es mir, ja?

Was?

Was du mir noch nicht erzählt hast. Was los ist. Nicht heute, nicht morgen, aber eines Tages.

Er dachte an morgen, selbst an heute – an jetzt sofort –, und sagte sich dann, nur noch ein bisschen länger, nur noch bis er mit sich selbst im Reinen war. Eines Tages, sagte er. Bald.

Frances nahm seine Hand und legte sie auf ihren Bauch. Fühl mal.

Ich kann nichts fühlen.

Auch kein leichtes Vibrieren? Sie bewegte seine Hand. Nein? Ich könnte schwören, dass das Kleine vor sich hinsummt.

Wie zu erwarten gewesen war, schüttete es am Mittwoch, dem Tag der Beerdigung, wie aus Eimern. Ein Tag für kurze Sprints, nicht für lange Spaziergänge. Albertas Laune aber konnte das Wetter nichts anhaben.

Mein Daddy war ein Oranier, sagte sie, während sie mit Avery auf den Kirchenstufen stand und den älteren unter ihren männlichen Verwandten zusah, die sich darum stritten, wer als Erster den Sarg tragen durfte. Er war es gewohnt, im Regen zu marschieren.

Ich dachte, es hieße, am Zwölften scheine stets die Sonne?

Das kann nur jemand behaupten, sagte June, die plötzlich auf der anderen Seite neben Avery auftauchte, der selbst nie mitmarschiert ist.

Ertappt, sagte Avery. Ich bin tatsächlich nie mitgegangen.

Natürlich nicht, dafür sind Sie viel zu klug, sagte Alberta.

Sie hatte die Halb-Bibel aus der Bibliothek immer noch. Avery mochte sie nicht fragen, ob sie daran gedacht hatte, die Ausleihe zu verlängern.

Als sie später vom Grab fortgingen, dem einzigen Loch auf dem gesamten Friedhof, das nicht randvoll mit teefarbenem Wasser stand, drückte sie Avery einen Zwanzig-Pfund-Schein in die Hand: ein kleines Dankeschön.

Pssst, sagte sie, ehe er antworten konnte, dass er ihr Geld auf keinen Fall annehmen könne. Machen Sie damit, was Sie wollen. Kaufen Sie sich was Schönes, oder spenden Sie es für wohltätige Zwecke. Sie sind in unser Haus zurückgekommen, als es manch anderer nicht getan hätte. Am Ende seines Lebens hat das für meinen Daddy einen großen Unterschied bedeutet.

Donnerstag früh musste er zur Morgenversammlung in die Grundschule. Die Kinder saßen mit überkreuzten Beinen im Speisesaal, der auch als Turnhalle und Musikzimmer diente. Sie sahen aus, wie Kinder bei solchen Versammlungen oft aussehen, nämlich so, als stünde der Tag des Jüngsten Gerichtes unmittelbar bevor. Einige Gesichter kannte er aus seiner Gemeinde, doch wirkten die eher noch angespannter als die übrigen: *Wie hat der uns hier bloß gefunden?* Ein Lehrer zeigte auf die Leinwand hinter Averys rechter Schulter und auf die darauf projizierten Worte eines Kirchenliedes. Sie sangen, als gelte es ihr Leben, und sie beruhigten sich erst, als er mit dem Unterricht begann.

Kann mir jemand sagen, was das hier ist?, fragte er und hielt eine Tonbandspule hoch. Es wurde geflüstert, aber niemand meldete sich. Nein? Soll ich es euch sagen? Als ich ein kleiner Junge war, hat man auf so etwas Musik und Stimmen aufgenommen. Eines Tages kam dann jemand und hat auch eine unserer Schulversammlungen aufgenommen. Wollt ihr mal hören, wie das geklungen hat, wenn meine Schulfreunde und ich gesungen haben?

Sie nickten. Das würden sie gern.

Er drehte sich zur Klassenlehrerin um und fragte, ob es in der Schule noch ein altes Tonbandgerät gäbe, auf dem man das Band abspielen könne. Das gab es nicht mehr. Solche Tonbänder wurden nicht mehr benutzt, sie waren aus der Mode gekommen.

Oje, Avery schlug die Hand vor den Mund. Aus der Mode gekommen? Wisst ihr, was das heißt? Wenn ich keine Möglichkeit finde, die Aufnahme – er zog eine Mini-Disc aus der Jackentasche – zum Beispiel auf so etwas hier zu überspielen, wird sich niemand mehr anhören können, wie meine Schulfreunde und ich gesungen haben.

Er zog eine Augenbraue in die Höhe, um sie wissen zu lassen, dass dies für die Welt kaum ein großer Verlust war. Manche schienen enttäuscht, andere verstanden den Scherz.

Aber wisst ihr, Jungen und Mädchen, es gibt da jemanden, der hört uns immer, ganz unabhängig von allen neuen Erfindungen und auch ganz unabhängig davon, wie wir mit ihm reden.

Die Hände flogen in die Höhe in Erwartung einer Frage, die er nicht zu stellen beabsichtigte. Ein Junge konnte sich nicht länger zurückhalten: Das ist Jesus.

Aus dem Augenwinkel sah Avery, dass die Klassenlehrerin irgendwie verärgert dreinschaute, doch sprach Avery den Jungen direkt an. Manchmal kann man einfach nicht mehr an sich halten, stimmt's? Und er forderte alle Kinder auf, laut den Namen zu sagen.

Jesus!, schrien sie.

Er sah zu, wie sie sich zum Schlussgebet bereit machten, die Hände fest zusammen, Fingerspitzen an die Nase, der Rücken kerzengerade: nun mit ganzem Herzen dabei.

Anschließend fuhr er in die Stadt, ließ, weil er kein Kleingeld in den Hosentaschen fand, den Wagen stehen, ohne einen Parkschein zu ziehen und gut sichtbar hinter die Scheibe zu klemmen, und sprintete in den Buchladen. Dann lief er wieder über den Fluss zurück und hielt vor Albertas Bibliothek. Sie war fast leer. Donnerstag. Rentenzahltag. Die Stammkunden der Bibliothek waren im Supermarkt.

Das Velvet-Underground-T-Shirt des Bibliothekars saß so knapp, dass der Saum sich über dem Bauch spannte und Nabelhaare wie Spinnenbeine über den weißen Gummizug seiner Shorts krochen. Avery erklärte, warum die Ausleihfrist des Neuen Testamentes überzogen worden sei und wie schwer es der Kundin fallen dürfte, das Exemplar zurückzugeben.

Ich weiß, dass es für Sie vermutlich eine Menge Papierkram bedeutet, aber würden Sie das hier vielleicht als Ersatz akzeptieren?

Das Buch steckte noch in einer weißen Schachtel, die der Bibliothekar umdrehte, als enthielte sie eine unangenehme Überraschung. Avery war voller Mitgefühl. Der Bibliothekar kam nicht nur aus Belfast, er war darüber hinaus auch noch ein Velvets-Fan und wusste daher, wie vorsichtig man bei unerwarteten Päckchen sein musste: Wie hätte er auch das Knirschen der Metallschere am Ende von ›The Gift‹ vergessen können, mit dem Waldo Jeffers' Schädel durchstoßen wurde?

Ist ziemlich ungewöhnlich, sagte der Bibliothekar.

Sich selbst per Post an seine Freundin in Wisconsin zu schicken, das nenne ich ungewöhnlich, sagte Avery.

Wie? Der Bibliothekar hatte den Deckel geöffnet und blickte Avery verständnislos an. Also trug er zwar ein T-Shirt von Velvet Underground, machte sich sonst aber offenbar nicht viel aus ihren Songs.

Steht dasselbe drin, ist bloß neuer, sagte Avery.

Ja, aber bei uns ist alles digitalisiert. Ich müsste … Der Bibliothekar tippte etwas in den Computer, las den Code am unteren Schachtelrand, blies durch leicht geöffnete Lippen und hieb vier- oder fünfmal auf die Leertaste.

Es würde ihr so viel bedeuten.

Na ja, dann, sagte der Bibliothekar.

Danke.

Avery trat auf die Straße und sang laut den Song, den er in Gedanken schon gepfiffen hatte, sobald er dem Tisch den Rücken zukehrte, und als wären sie in seiner Erinnerung eingebrannt, folgten die grausigen Filmszenen so unausweichlich wie auf der Disc mit ›The Gift‹. Dann ›Lady Godiva's Operation‹. Geschlechtsumwandlung, hatte Avery lang geglaubt (war die Lady im Song nicht mal ›she‹, mal ›he‹?), bis er eines Tages die Worte *growth* und *cabbage* aufschnappte, genauer hinhörte und begriff, dass mit der Zeile ›*now comes the moment of great, great decision,/the doctor is making his first incision*‹ das Hirn gemeint war.

Er hörte auf zu pfeifen und drehte sich abrupt zu einem Zeitungsstand um.

Die Regionalzeitungen waren randvoll mit Bill Clinton. Der amerikanische Präsident hatte bestätigt, dass er nächsten Monat nach Belfast kommen wollte. Seine Farewell-Tour. *Clintons Weihnachts-Odyssee* lautete eine Schlagzeile, eine Anspielung darauf, dass er für alle, die eine Eintrittskarte ergattern konnten, im neuen Eisstadion der Stadt eine Rede halten würde. Noch ehe er für die Zeitung bezahlt hatte, entschied Avery, dass er Himmel und Erde in Bewegung setzen werde, um dort zu sein. Ruth früher aus der Schule holen und mitnehmen. Ein echter amerikanischer Präsident live im eigenen Hinterhof. Eine brandneue Arena. Das würde ihr gefallen.

Am Sonntag riskierte er den Scherz über die Heiligen Drei Könige und erzielte ein paar Lacher. Dann fragte er sich laut, ob er seine Predigt nicht als große Prä-Präsidenten-Advent-Predigt hätte ankündigen sollen, und hörte noch jemanden lachen. Die Zahl der Gläubigen war deutlich geringer als letzte Woche. Das konnte nach dem Volkstrauertag nicht überraschen, doch machte er sich nichts vor: Er hatte noch einiges auszubügeln. Und von den Scherzen einmal abgesehen, würde er nicht den Fehler begehen, jenen, die gekommen waren, Vorhaltungen über jene zu machen, die nicht gekommen waren. Er achtete darauf, beim Hinausgehen allen die Hand zu schütteln. Danke, sagte er. Danke dafür, dass Sie gekommen sind. Er kam sich wie jemand vor, dem – noch einmal – eine zweite Chance gegeben worden war.

Am nächsten Tag klingelte mittags das Telefon. Avery ließ die Suppe stehen und erhob sich.

Geh nicht ran, sagte Frances.

Und wenn es was Wichtiges ist? Denk an letzten Montag.

Tu ich ja, aber iss vorher wenigstens zu Ende.

Ich sollte mich melden.

Wenn du deine Suppe gegessen hast.

Er setzte sich wieder.

Der Anrufbeantworter sprang an. Er war leise gestellt, die Küchentür geschlossen, die Löffel schabten über den Boden der Suppenschalen, und natürlich hörten sie gar nicht hin.

Beide erkannten sie die Stimme auf Anhieb: Guy Broudie.

Mit mattem Lächeln sah Frances ihn an und sagte: Iss erst deine Suppe.

Er nahm noch zwei, drei Löffel, aber der Appetit war ihm vergangen. Seit dem Volkstrauertag hatte Guy kaum ein Wort mit ihm gesprochen. Und auch wenn sie nur die lautesten Worte aufschnappen konnten, reichten sie doch aus, um den Gedanken an eine Reise durch die Kirchengerichte heraufzubeschwören, vom Presbyterium bis zur Generalversammlung.

Er ließ noch einmal zehn Minuten verstreichen und nippte nur an seinem Tee, ehe er schließlich in den Flur ging.

Frances fasste hinter sich nach seiner Hand, als er vorüberging. Ist sicher nichts Schlimmes.

Doch genau das war es, was Guys Stimme verriet, als Avery die Nachricht abspulte: Es würde mich freuen, wenn Sie mich zurückrufen könnten. Die Verschwiegenheit eines eingefleischten Beamten.

Das Telefon kam ihm wie die Gestalt gewordene Machtfülle seines Schriftführers vor. Eines Tages würde Avery dem Apparat nicht nachgeben, diesmal aber gab er nach und wählte.

Guy, sagte Avery, ich bin's, Avery, und Guy sagte: Ich habe gute Nachrichten.

Und?

Frances saß noch am Tisch. Er sah ihrem Gesicht an, dass sie das halbe Gespräch mit angehört hatte. Die Neugier auf die fehlende Hälfte brachte sie fast um. Ging es um den Versicherungsanspruch?

Er nickte. Der Fall – einen Moment zögerte er mit dem Wort – ist abgeschlossen.

Abgeschlossen? Frances sprang so schnell auf, wie es der Tisch und das meditierende Baby zuließen. Aber das ist ja fantastisch.

Ich weiß, sagte Avery und begriff nicht, warum er sich nicht so fühlte.

Guy hatte gesagt, es sei zu kompliziert, um es am Telefon zu erklären. Er würde ja nach Belfast fahren, nur warte er auf jemanden, der wegen der Satellitenschüssel komme. Das würde natürlich dauern, aber falls Avery zu ihm hinausfahren möchte …

Fahr hin, sagte Frances. Nun *los*.

Guys Haus lag am Ende einer S-förmigen Auffahrt auf einem Hügel oberhalb der Straße von Belfast nach Portaferry. Die landeinwärts weisende Fassade zeigte ein schnörkelloses County-Down-Landhaus des 18. Jahrhunderts, groß, aber nicht zu groß, weiß getüncht. Die Rückseite wies auf den Strangford Lough und wurde von einem Wintergarten aus den Siebzigerjahren dominiert, der aller Erwartung zum Trotz wie eine logische Weiterentwicklung des Hauses wirkte. Selbst die Möbel hier schienen aus den Siebzigern zu stammen (Avery war nie in einem anderen Teil des Hauses gewesen): dicke Teppiche, Sessel und ein braunes Ledersofa mit beige, orangefarbenen und braunen Kissen übersät. Der riesige Fernseher stammte mit Sicherheit aus den Neunzigern, ebenfalls der tragbare CD-Player, angeschlossen an eine teure, doch veraltete Hi-Fi-Anlage (die allein schon als Paradebeispiel für das ganze Haus dienen konnte). Auf dem Tisch neben dem Sofa lagen ein Fernglas und, mit dem Buchtitel nach unten, ein Lexikon der Meeresvögel von Europa und Nordamerika. Überall hingen Fotos. Hockey-Teams und Rugby-Teams, Kinder in Schulabschlusstalaren, Guy im Palast mit seinem Orden, das Gesicht seiner verstorbenen Frau im Schatten eines überwältigenden Hutes.

Ich weiß nicht genau, ob ich das jetzt verstehe, sagte Avery.

Er hatte Ruth von der Schule abgeholt und sie mit Frances zu den Großeltern gefahren, ehe er umgekehrt und auf der Ausfallstraße nach Osten zu Guys Haus gefahren war. Es dauerte eben eine Weile, bis ein Mann mit einem Kind im Vorschulalter und einer Frau in der vierzigsten Woche einfach losfahren konnte.

Ich meine, warum dieser plötzliche Sinneswandel?

Guy war gerade mit zwei Gläsern Limonade ins Zimmer zurückgekommen. (Das hatte er ihm angeboten: Ein Glas Limonade, Reverend?) Wie gewöhnlich trug er ein gestreiftes Hemd mit Schlips, hatte sich darüber aber einen flaschengrünen Wollpullover mit V-Ausschnitt angezogen. Die Lederpantoffeln waren hinten offen, und damit sie beim Gehen nicht auf den Boden schlappten, bewegte er sich in einem Gleitgang, der eine Karte seiner bevorzugten Wege auf den Teppich gezeichnet hatte.

Guy reichte Avery ein Glas, glitt dann zum Sofa und schob das Vogelbuch beiseite, um Platz für seine Limonade zu schaffen.

Nun, sagte er, nach unserer letzten Unterhaltung – taktvoll ausgedrückt, Guy – habe ich mich gefragt, warum wir in letzter Zeit nichts mehr von den Thompsons gehört haben.

Thompson & Thompson waren die Kirchenanwälte.

Also rief ich Tom an – Robert und Thomas Thompson –, und er sagte, er habe darauf gewartet, etwas von McKenzie zu hören, dem Vertreter der Kirkpatricks, aber jetzt, da ich es erwähne, schiene es ihm doch wirklich sehr ruhig geworden zu sein. Also rief er erst bei McKenzie an und telefonierte dann wieder mit mir. Nun, sagte er, *das* ist wirklich interessant. Ich habe mich überall durchstellen lassen, konnte aber kein Wort mit McKenzie selbst reden. Ich glaube, sie halten uns hin. Und ich glaube, ich kenne auch den Grund. Er sagte, ich solle ihn ein bisschen gewähren lassen.

Gemütlich auf seinem Sofa sitzend, Kissen links, rechts neben und hinter sich, gab sich Guy redseliger als gewöhnlich. Und natürlich waren dies, wie schon am Telefon gesagt, gute Nachrichten; es lohnte sich also, sie ein wenig in die Länge zu ziehen.

Heute Morgen hat er mich dann zurückgerufen. Als Erstes sagte er: Ich hatte recht, McKenzie hält uns hin. Nicht nur das, er gerät sogar in Panik. Sein Klient hat zwei Termine mit dem Spezialisten ausfallen lassen, der den medizinischen Bericht erstellen sollte. Und als er Mrs Kirkpatrick persönlich danach fragte, sagte sie, sie wolle nicht, dass der Junge untersucht werde.

Aber sie muss doch gewusst haben, dass es zu einer Untersuchung kommt, sagte Avery.

Vielleicht hat sie nicht damit gerechnet, dass sie so gründlich sein wird.

Avery schüttelte den Kopf. Das ergab immer noch keinen Sinn. Aber sie hatten den Jungen doch am Tag des Unfalls geröntgt. Die Schulter war ausgerenkt gewesen. Sheila Kirkpatrick konnte doch kaum befürchten, dass jemand daran zweifelte.

Möglicherweise hatte sie größere Angst vor dem, was zutage kommen mochte, als vor dem, was sich vielleicht nicht zeigen würde.

Avery dachte einen Moment darüber nach, was diese Bemerkung bedeuten konnte. Schließlich entschied er sich für die nicht ganz so beunruhigende Möglichkeit. Sie denken an andere Verletzungen?

Guy nickte. Alte Verletzungen. Verletzungen, von denen keiner etwas wusste.

Avery schloss die Augen und sah Sheila Kirkpatricks Gesicht wieder wie damals vor sich, als er an jenem Nachmittag im August in ihren Waschsalon gekommen war: Vor der Wut, vor allem Entsetzen bei dem Gedanken an irgendeine Art von Verletzung. Manches konnte man einfach nicht vortäuschen. Er schlug die Augen auf. Ich weiß, es gibt dafür keine bestimmte Sorte Mensch, sagte er, aber sie schien mir wirklich nicht zu denen zu gehören, die dazu in der Lage sind.

Sie muss es gar nicht gewesen sein.

Der Vater? Ich kann mir nicht vorstellen, dass sie ihn in Schutz nimmt, sagte Avery.

Noch einmal, sie muss es nicht gewesen sein. Wer hat die Sache denn so weit vorangetrieben?

Sie glauben, ihr Schwiegervater hat sie unter Druck gesetzt, um seinen Sohn zu schützen?

Wir können nur Vermutungen anstellen. Bei den Kreisen, in denen diese Leute sich bewegen, verlieren sie weit mehr als nur Freunde, wenn sie ein Kind verprügeln. Sicher wissen wir jedenfalls nur, dass Mrs Kirkpatrick in keine Untersuchung einwilligt und der Versicherungsanspruch damit hinfällig wird.

Lange blieb Avery stumm. Guy spreizte die Hände. Wir waren nicht diejenigen, die den Streit angezettelt haben. Wir haben nur versucht, den Ablauf der Dinge zu beschleunigen. Ich glaube deshalb nicht, dass wir uns etwas vorzuwerfen haben.

Der arme kleine Junge, sagte Avery. Schrecklicher Gedanke.

Das ist es, Reverend, wirklich schrecklich, sagte Guy. Wir sind beide Eltern, aber falls es da tatsächlich ein Problem gibt, dann kommt es jetzt wenigstens ans Licht.

Sollten wir nicht die Polizei informieren, was meinen Sie?

Nein, sagte Guy ein wenig bekümmert. Ich glaube nicht. Ich fürchte, das können wir auch gar nicht. Außerdem würde ich der Familie nicht so bald einen Besuch abstatten, selbst wenn er noch so freundlich gemeint ist.

Draußen vor den großen Fenstern wurde es bereits dunkel.

Ich finde bloß die Vorstellung entsetzlich, dass unser Glück eines anderen Menschen Last ist, die Last eines Kindes.

Guy ging im Zimmer umher und knipste die Lampen an. Mit jedem Licht wurde die Welt vor dem Fenster ein wenig undeutlicher. Wenn sich die Wogen geglättet haben, könnten wir das Konsistorium fragen, ob es ein Geschenk für den Jungen genehmigt. Einen Fußball zum Beispiel.

Einen Fußball? Avery starrte ihn ungläubig an.

Zum Beispiel.

Ein weißer Lieferwagen tauchte draußen aus der Düsternis der Auffahrt auf, verschwand und kam erneut in Sicht.

Bestimmt Ihr Satellitentechniker, sagte Avery, als der Lieferwagen um die Hausecke bog. Vermutlich sollte ich jetzt besser gehen.

Guy senkte den Kopf, für ein Nicken zu tief, für eine Verbeugung nicht tief genug. Ich weiß, es ist ein weiter Weg hier heraus, aber unter diesen Umständen, dachte ich, würde es Ihnen eine Last von der Seele nehmen.

Und obgleich Avery, als er die Portaferry Road zurückfuhr und das Lough mit seinen Meeresvögeln hinter ihm verschwand, diese Unterstellung verletzend finden wollte, obgleich er beschloss, zu gegebener Zeit die Notbremse zu ziehen, wenn es um die Größe des Geschenks für Darryl Kirkpatrick ging, und obgleich er sich sagte, dass er selbst immer noch am besten wusste, wann der richtige Augenblick für einen Besuch gekommen war, hatte Guy recht. Er fühlte sich, als wäre ihm eine Last von der Seele genommen.

10

Als Avery noch in der Universitätszweigstelle arbeitete, aß er meist in der Cafeteria des Ulster Museums zu Mittag, gleich gegenüber der Bank auf der anderen Straßenseite im Park des Botanischen Gartens. Er ging nie ohne ein Buch, wenn aber ein Tisch am Fenster der Cafeteria frei war, verbrachte er gewöhnlich seine Zeit damit, über die Umfassungsmauer in den alten Friar's Bush Friedhof zu spähen und nach dem ursprünglichen Friar's Bush zu suchen, jenem Mönchsbusch, bei dem, so wollte es die Legende, in den Tagen der Strafgesetze Messen abgehalten worden waren. Es gab da auch eine Pestgrube. Unfassbar, was sich hinter diesem Wort verbarg. *Pestgrube.*

An warmen Tagen ließ er das Museum links liegen, kaufte ein Sandwich, suchte sich einen Platz auf dem Rasen und breitete seine Jacke zwischen den knutschenden Pärchen aus, den Sonnenanbetern, trinkfesten Zechkumpanen und Fußballhelden der Mittagspause. Einmal war er fest eingeschlafen, Buch auf dem Gesicht, als ihn Gelächter weckte und er merkte, dass man seine Beine mit gemähtem Gras zugedeckt hatte. Eine an einem Stock baumelnde, (fast) leere Bierdose diente als Grabstein. Es war drei Uhr. Von lauten Rufen und Pfiffen und, schlimmer noch, von durchdringendem Biergestank verfolgt, rannte er zur Arbeit zurück und verspritzte dabei nach allen Seiten Klee und Grashalme. Er platzte durch die Drehtür der Bank. Das Schalterpersonal war ausnahmslos mit Kunden beschäftigt. Niemand blickte auf, als er die Sicherheitstür zum hinteren Büro öffnete. Stu und Eilís waren in eine heftige, im Flüsterton gehaltene Diskussion verstrickt. Sie wichen beiseite, um ihn durchzulassen, dann beugten sie sich wieder vor, um erneut mit Nachdruck ihren Standpunkt vorzubringen. Avery hängte die Jacke auf (ein Gänseblümchen fiel in den Brunnen des Regenschirmständers) und setzte sich an seinen Tisch.

Ihm gegenüber saß Marcus, kaute an den Nägeln und starrte stirnrunzelnd auf jene Stelle, an der sein Stift unterhalb einer Zahlenkolonne zur Ruhe gekommen war. Mit Zeige- und Mittelfinger der anderen Hand trommelte er auf den Tisch und setzte den Stift wieder oben an. Gail ging vorbei und ließ ein Blatt in Averys Ablage flattern. Hat keine Eile, sagte sie. Das Telefon klingelte. Avery schaute sich um. Waren sie eingeschnappt? Blufften sie nur? Hatten sie wirklich nicht gemerkt, dass er anderthalb Stunden zu spät aus der Mittagspause zurückgekommen war? Bildete er sich den Biergestank bloß ein? Roch sein Haar etwa gar nicht so, wie er befürchtet hatte?

Marcus blickte auf. Gehst du ran?

Avery hob den Hörer ab und drückte den Knopf, um das Gespräch auf seine Leitung zu legen. Zweigstelle der Universität, guten Tag.

Sie hatten nichts gemerkt.

Ein Zufall womöglich – normalerweise erntete man missbilligende Blicke und hektisches Auf-die-Uhr-Trommeln, ging man bloß zu oft oder zu lang auf die Toilette –, aber ein Zufall, der Avery eine Ahnung davon verlieh, wie wenig man ihn letztlich vermissen würde, wie flüchtig seine Anwesenheit hier auf Erden doch war. Sicher, er hielt in jenen Tagen nach großen Zeichen Ausschau, aber es kostete ihn trotzdem einige Kraft, nicht vor Freude laut aufzuschreien.

Einen Moment bitte, sagte er und hielt die Sprechmuschel

mit dem Handballen zu. Wir nehmen doch eine Gebühr für Schecks der Midland-Bank, Marcus, oder?

Am nächsten Morgen rief ihn Sean in sein Büro. Eine solche Mittagspause wird Ihnen in meiner Bank nur einmal in Ihrem Arbeitsleben gewährt, sagte er, und machte eine Geste, als hebe er ein Glas Bier an den Mund.

Nein, das ist ein Missverständnis, sagte Avery und hielt dann inne. Sean hatte sich auf seinem Sessel zurückgelehnt, als fasse er es nicht, dass seine Großmut abgewiesen wurde.

Avery sah sich mit der Wahl konfrontiert, eine Rüge für etwas einstecken zu müssen, das er nicht getan hatte, oder Sean noch weiter zu verärgern. Dergleichen wird nie wieder vorkommen, sagte er.

Das geschah in dem Monat, bevor Joanna ermordet wurde, als eine Zeit lang allerhand passierte, ehe sich ihm schließlich die wahre, segensreiche Bedeutung seines flüchtigen Daseins offenbarte, eine Zeit, in der man Avery – der ein halbes Dutzend Mal zu spät gekommen war und die übrige Zeit dermaßen unkonzentriert arbeitete, dass er ebenso gut zu Hause hätte bleiben können – bedeutet hatte, dass er sich glücklich schätzen könne, überhaupt noch einen Job zu haben.

Im Großen und Ganzen aber war Sean ein guter Mensch. Als er zu Averys Antrittsgottesdienst erschien, von dem er irgendwie erfahren haben musste, sah er bereits ziemlich angegriffen aus. Er tat seine Krankheit leichthin ab, doch die Zeichen waren da, er würde sich nicht mehr erholen. Vor seinem Tod gegen Ende des Jahres hatte er dem Gemeindepfarrer mitteilen lassen, dass Avery die Predigt an seinem Grab halten sollte. So hatte er Des kennengelernt, ohne zu ahnen, dass sie bald fast Nachbarn sein würden.

Marcus kam zur Beerdigung, ebenso Gail, Stu, Eilís und all die anderen. Kühl gaben sie Avery die Hand und benahmen sich fast, als wäre er ansteckend.

Wir haben nie geglaubt, dass es dir mit dem frommen Leben so ernst ist, sagte Gail. Wenn ich an all die Abende denke, an denen wir zusammen ausgegangen sind, an die Weihnachtspartys.

Sie fürchteten, sagte sich Avery, dass er ein Spion gewesen war, der Sünden auflistete, die ohne ihn unbemerkt geblieben wären.

Wenn Avery heute in die Zweigstelle der Universität ging, kannte er keinen Angestellten mehr. Selbst die Zweigstelle kannte er kaum wieder, seit es die Kontrollen nicht mehr gab, die zu seiner Zeit aus jedem Kunden einen potenziellen Verbrecher und jeden Bankbesuch so sicher wie einen Gang ins Gefängnis gemacht hatten.

Als er am Donnerstag gegen Mittag aus dem City Hospital kam (Mervyn Armstrong, Blinddarmentzündung), betrat er die Bank, um seine VISA-Rechnung zu begleichen, stellte sich am Schalter an und versuchte herauszufinden, wo im neuen Großraumbüro sein Tisch gestanden hatte und wo die vielen Bankangestellten mittleren Alters geblieben waren.

Die unauffälligen Terminals und das jugendliche Personal schufen eine Atmosphäre, als diskutierten die Angestellten eher nur beiläufig über die diversen Geldbewegungen.

Der Tag war kalt, doch sonnig und windstill. In der nächsten Stunde hatte Avery keine Termine. Er spielte mit dem Gedanken, die kurze Strecke zu dem Händler zu fahren, bei dem er seinen Wagen gekauft hatte, und einen Termin auszumachen – die 150000-Kilometer-Inspektion wurde bald fällig –, beschloss dann aber doch, das Auto auf dem Platz vor der Bank stehen zu lassen und hinüber in den Botanischen Garten zu gehen.

Das Jahr war zu weit fortgeschritten, um noch auf dem Rasen sitzen zu können; außerdem hatte man bereits sämtliche Bänke fortgeräumt. Die übliche Mischung in der Nachsaison: turtelnde Schüler der Oberklassen, Mütter mit Vorschulkindern und Cider-Säufer, die ihr Pensum absolvierten. Er ging weiter, nahm den Weg, der vom Museum wegführte, vorbei am Palmenhaus und der Tropenschlucht, und hatte sich gerade vorgenommen, bis zur chinesischen Bäckerei auf der Agincourt Street zu laufen und eine Portion Dim-Sum mitzunehmen, als er das Gesicht einer ihm bekannten Frau sah, die aus Richtung Schwimmbad und Universitätssporthalle auf ihn zulief. Ihr Haar war feucht und lag glatt am Kopf an. Er kam nicht drauf. Gail nicht, auch nicht Eilís. Nein, er war auf dem falschen Dampfer. Er ging andere Möglichkeiten durch, während die Frau an ihm vorbeieilte, über den Pfad, hin zur Parade prächtiger Häuser, die auf den Botanischen Garten blickten und deren Eingänge an der Straße nach Stranmillis lagen.

Natürlich: Ihr rasches Verschwinden an dem Abend, an dem sie ihn in ihr Haus eingeladen hatte.

Sein Mund öffnete sich, doch ehe er den Namen herausbrachte, rief ihn ein Mann, der aus derselben Richtung kam und ihr hinterhereilte: Elspet.

Sie ging weiter, beschleunigte jetzt ihre Schritte. Wieder rief der Mann: Elspet!

Obwohl Avery kurz stutzte, hatte er keine Schwierigkeiten, diesem Gesicht einen Namen zuzuordnen. Es war Larrys Bruder Blain.

Sie waren beide ein Stück entfernt, doch holte Blain mit jedem Schritt auf, und Avery beschloss (falls man es einen Entschluss nennen kann, wenn der Kopf den Füßen folgt), den beiden nachzulaufen. Sein Instinkt riet ihm, nicht näher heranzugehen. Bislang waren sie zu sehr mit sich selbst beschäftigt gewesen, um ihn zu bemerken, aber sollte sich einer von ihnen plötzlich umschauen, würde ein Priesterkragen sicher auffallen. Und obwohl ihm sein Instinkt ebenfalls sagte, dass hier irgendwas nicht stimmte, dass hier etwas ganz und gar nicht stimmte, hatte er keine Angst um Elspets Sicherheit, auch nicht um die von Blain. Nein, der einzige Mensch im Park, um den er sich Sorgen machte, war er selbst. Vielleicht beschwor die Sirene, die er im mittäglichen Soundtrack der Stadt an- und abschwellen hörte, das Bild von einem Brand herauf und den Gedanken, dass er dabei war, seinen Kopf ins Feuer zu stecken.

Knapp zwei Sekunden vor Blain trat Elspet durch das Seitentor. Sie liefen jetzt beide etwas langsamer. Avery meinte zu sehen, wie Elspet über die Schulter gewandt auf Blain einredete. Krampfhaft hielt sie den Henkel ihrer Handtasche umklammert. Blains Hände steckten in den Hosentaschen, als fürchtete er, sie könnten nach Elspet greifen. Knapp eine Viertelminute später stand Avery am Tor. Sicherheitshalber gab er ihnen weitere fünfzehn Sekunden, ehe er den Park verließ. Er schaute die ansteigende Straße zu dem Haus hinauf, in dem Elspet wohnte, doch waren die beiden nirgendwo zu sehen. Selbst wenn sie ihr anfängliches Tempo wieder eingeschlagen hätten, wäre eine halbe Minute kaum genug gewesen, um schon im Haus verschwunden zu sein.

Irgendwo links knallte eine Wagentür zu. Er hörte einen Motor anspringen, und ehe er reagieren konnte, setzte ein Wagen auf die Straße, fuhr direkt an ihm vorbei und bog in Elspets Straße ein. Blain saß am Steuer, Elspet hockte, Arme um die Handtasche geschlungen, auf dem Beifahrersitz. Das Auto hielt fast direkt vor ihrer Haustür. Elspet stieg aus, doch statt hineinzugehen, sah sie die Straße zurück und blickte Avery direkt in die Augen. Dann stieg sie wieder in den Wagen, der daraufhin sofort anfuhr, blinkte und auf der Stranmillis Road stadtauswärts verschwand.

Unfähig, auch nur einen einzigen klaren Gedanken zu fassen, fuhr er in dem vom eigenen Verstand aufgeworfenen Nebel nach Hause. Lichter, rote Dreiecke, weiße Pfeile auf blauem Grund. Er hielt, wenn die Autos vor ihm hielten, fuhr weiter, wenn sie weiterfuhren. In dem einen Augenblick saß er noch hinterm Lenkrad, im nächsten hielt er in seinem Arbeitszimmer schon das Telefon in der Hand. Zum ersten Mal, seit es ihm gelungen war, die Füße vom Pflaster vor dem Botanischen Garten zu lösen, fragte er sich, was er eigentlich tat. Bis auf eine Ziffer hatte er die Rufnummer gedrückt, ehe er abbrach, dann wählte er wieder die Nummer ... und hielt erneut inne. Er legte den Hörer hin, sah ihn an, schnappte danach, wählte zu schnell und hörte eine Frauenstimme, die ihm sagte, dass es unter dieser Nummer keinen Anschluss gäbe. Er musste erneut wählen, um sich davon zu überzeugen, dass er sich tatsächlich geirrt hatte.

Tony meldete sich nach dem zweiten Klingeln. Avery? Das fasse ich nicht. Ich war gerade dabei, all meinen Mut zusammenzunehmen, um dich anzurufen.

Mut zusammennehmen? Das klingt nicht gut.

Ich brauche deine Hilfe, sagte Tony, als hätte er aus Versehen Averys Text erhalten. Ich möchte, dass du mich anrufst.

Habe ich doch gerade.

Nein, zu Hause, an diesem Samstag, sagen wir so gegen fünf.

Fünf Uhr?

Um fünf. Ich sorge dafür, dass Michele abhebt. Ich werde oben sein und zu ihr nach unten rufen, dass sie rangehen soll. Sag ihr, dass du mit mir sprechen willst. Wenn ich abnehme, kannst du erzählen, was du willst. Von mir aus kannst du die Fußballergebnisse vorlesen. Anschließend sage ich ihr dann, es hätte irgendwas mit deiner Gemeinde zu tun. Ich sage ihr, Einzelheiten könnte ich nicht verraten. Beichtgeheimnis und so.

Falsche Konfession, sagte Avery.

So ein Heide bin ich nun auch wieder nicht. Egal, was meinst du? Er ließ Avery nicht viel Zeit für eine Antwort.

Mir fällt einfach keine andere Möglichkeit ein. Sie beobachtet mich wie ein Habicht. Ich muss aber unbedingt für ein paar Stunden weg. Ich glaube, ich kann dann alles regeln.

Avery konnte endlich seinen Widerspruch anmelden: Du bittest mich, für dich zu lügen?

Ich bitte dich, meine Haut zu retten.

Avery wollte sich nicht vorstellen, wie Tony seine Haut in eine Lage gebracht hatte, in der sie gerettet werden musste. Also schön, sagte er.

Im Ernst?

Ja.

Fantastisch.

Unter einer Bedingung.

Tony sagte schon, er brauche sie nur zu nennen, als er sich selbst unterbrach: Moment mal, warum rufst du mich eigentlich an? Es geht doch nicht etwa um das, worum ich fürchte, dass es gehen könnte?

Ich bin ebenso verzweifelt wie du, sagte Avery.

Es entstand eine Pause.

Nein, tut mir leid, ich kann dir nicht helfen.

Ach nein, es ist also in Ordnung, dass du mich bittest, ein Gebot zu brechen, aber ich darf dich nicht bitten, gegen einen Eid zu verstoßen?

Du brauchst ja nicht zu lügen, du machst einfach nur einen Anruf. Das Lügen übernehme ich. Außerdem geht es bei dir um eine Krankenakte. Das ist strafbar.

Und es ist meine Bedingung, sagte Avery.

Diesmal dauerte die Pause länger, und der Atem, dessen Laute sie untermalten, roch nach Schwefel.

Also gut, erwiderte Tony. Nenn mir den Namen.

11

Ende November in Belfast, einen Tag Sonne, am nächsten Regen, den Tag darauf Sonne, Regen und Sturm. Ruth war mit einer leichten Erkältung aufgewacht. Avery sagte ihr nach dem Frühstück, sie solle im Flur auf ihn warten, dann rannte er nach draußen zum Wagen, legte den Rückwärtsgang ein und rollte langsam zum Hauseingang, noch ehe er Zeit gehabt hatte, in den Rückspiegel zu schauen ... Er hieb mit dem Fuß auf die Bremse. Was zur Hölle? Er sah nur den Dachhimmel. Der Spiegel hatte offensichtlich einen Schlag abbekommen, doch fragte sich Avery, während er beidhändig mit ihm rang, wie er mit solcher Wucht dagegen gestoßen sein konnte, ohne selbst etwas davon gemerkt zu haben. Das Erste, was er sah, als er ihn wieder richtig eingestellt hatte, war Ruth, die auf den Eingangsstufen stand und in ihre gesteppten Handschuhe hustete. Er rollte die letzten Meter zurück und stieg aus, um ihr die Tür aufzumachen. Habe ich dir nicht gesagt, dass du im Flur warten sollst?

Wir kommen zu spät, antwortete sie.

Nein, gar nicht.

Ein Junge ist zu spät gekommen und wurde zum Direktor geschickt.

Nur weil er einmal zu spät gekommen ist? Das war doch bestimmt nicht alles.

War's aber.

Tja, das überrascht mich. Sein störrisches Gezänk überraschte ihn auch.

Stimmt aber.

Tja, also das überrascht mich wirklich. Doch auch wenn es ihn überraschte, konnte er deswegen offenbar noch lange nicht damit aufhören.

Spät hielten sie vor dem Schultor, später jedenfalls, als Avery angenommen hatte, ihnen blieb kaum eine Minute bis zum Klingelzeichen. Es war Mülltonnentag. Ein Stadtlaster blockierte das untere Ende der Straße, und er hatte umdrehen und die nächste Nebenstraße nehmen müssen.

Zu Fuß wären wir schneller gewesen, sagte er laut, als er von der Schule losfuhr und sich in den Stau einreihte. Ein Müllfahrzeug – derselbe Laster? – hatte sich weiter oben auf die Busspur verirrt. Ein Bus, der versuchte, den LKW zu umfahren, hatte im entgegenkommenden Verkehr nicht genügend Platz, um dies Manöver auch auszuführen. Zentimeter um Zentimeter schob sich der Laster voran. Die Müllmänner schritten ihre sich langsam ausbreitende Bühne ab, immun gegen Wetter und lautes Hupen, hängten radbestückte Mülltonnen an ihren Laster, warfen Pappkartons wie Frisbeescheiben gegen den Wind in sein Mahlwerk, nahmen von einem Kind im Kinderwagen eine Chips-Tüte an und pulverisierten auch diese.

Das Auto hinter Avery setzte kurze Strecken vor und zurück, während die Fahrerin versuchte, sich Platz für eine Wende zu schaffen und dabei auf eine Lücke im Verkehr hoffte, die sich nie auftun sollte. Avery widerstand der Versuchung, den rechten Blinker einzuschalten. Er faltete die Hände im Schoß zusammen und starrte schon einige Sekunden das Armaturenbrett an, ehe ihm auffiel, was dort nach seiner Aufmerksamkeit verlangte. Er hatte die Inspektion bei 150000 km verpasst.

Jemand pfiff. Zwei Autos weiter vorn beugte sich ein Taxifahrer aus seinem Wagen, um einem Freund einen Gruß zuzurufen, der auf dem Bürgersteig gegenüber einen Collie spazieren führte. Der Freund befahl dem Hund, sich zu setzen, und suchte sich seinen Weg durch den Verkehr zum Taxi.

Avery prüfte noch einmal den Kilometerstand. Einhundertfünfzigtausenddreiundzwanzig. Das waren, wie viel?, fast fünfundzwanzig Kilometer mehr seit er zuletzt nachgesehen hatte. Wann war das gewesen? Gestern? Vorgestern? Nein, als er aus der Bank gekommen war, hatte er kurz gedacht: Mach einen Termin aus. Gestern, ganz bestimmt. An die Fahrt nach Hause konnte er sich nicht erinnern. Von der Universität aus waren alle Routen nach Osten etwas umständlich, doch selbst wenn er bloß vermuten konnte, welche er genommen hatte, war keine auch nur annähernd fünfundzwanzig Kilometer lang. Da müsste er die Strecke schon zweimal zurücklegen und zusätzlich noch ein paar Runden in der Stadtmitte drehen. Es gab bestimmt eine andere Erklärung. Er schnippte mit dem Finger an die Plastikabdeckung. Vielleicht lag der Fehler da drinnen. Doch was immer es mit den fünfundzwanzig Kilometern auch auf sich hatte, es wurden zweifellos über 150000 Kilometer angezeigt. Und der Wagen musste dringend zur Inspektion.

Der Müllwagen fuhr ein paar Schritte. Der Bus tastete sich weiter in die Lücke vor. Der Wagen vor Avery setzte sich in Bewegung. Das Taxi fuhr an, der Freund des Fahrers hielt Schritt. Auf dem Bürgersteig wedelte der Collie zu einem halben Dutzend Schritten schnell mit dem Schwanz, ehe er sich wieder hinhockte und erneut auf die Straße starrte. Avery hob den linken Fuß von der Bremse, den rechten von der Kupplung und ließ sie beide wieder sinken.

Während er reglos wartete, tickte der Tacho und addierte vor seinen Augen weitere hundert Meter zum Kilometerstand dazu.

Da also steckte der Fehler. Vielleicht aber lag er auch bei ihm selbst, und er hatte einfach nicht begriffen, dass ein Tacho die Zeit maß, in der der Motor lief. Vielleicht wurden die Entfernungen nur *geschätzt*. Wieder versuchte er, sich an die gestrige Heimfahrt zu erinnern. Er wusste noch, dass rund um die Universität starker Verkehr geherrscht hatte. Wieder schnippte er mit dem Fingernagel an die Plastikabdeckung. Müllmänner sprangen vom Bürgersteig auf die Trittbretter des LKW. Das hintere Ende schwang direkt in die Straßenmitte und folgte dann seiner Schnauze nach links in eine breite Nebenstraße. Motoren heulten auf. Der eingekeilte Bus glitt zurück in die Busspur, gefolgt von zwei weiteren, die mit Tempo durch die nun freie Gasse brausten, um den Leuten weiter unten auf der Straße zu bestätigen, was sie schon vermutet hatten: Man wartet eine halbe Stunde, und dann kommen drei auf einmal. Leichtfüßig wie ein Tennisspieler an der Aufschlaglinie tänzelte der Collie und versuchte zu erraten, wo genau sein Besitzer wieder auftauchen würde – falls er überhaupt je wiederkam.

Am Samstag – dem Tag, an dem es bei Frances so weit sein sollte – rief Avery nachmittags um Punkt fünf Uhr bei Tony und Michele an. Michele klang außer Atem, als sie sich meldete, und schien enttäuscht, als er sagte, in Sachen Baby gäbe es noch nichts Neues zu berichten. Sie hatte gerade Yoga gemacht. Sie sagte, sie habe keine Ahnung, was mit Tony sei, warum er nicht abgenommen hätte. Er hörte, wie sich ihre Schritte entfernten. Hörte sie fragend Tonys Namen rufen, hörte wie zur Antwort seinen eigenen.

Die Schritte kehrten zurück. Mach deiner Frau heute Abend ein schönes scharfes Curry zum Abendessen, sagte sie.

Ein halbe Minute verstrich, dann meldete sich Tony. Avery fand es beeindruckend, wie viel müde Blasiertheit er in einem einfachen Hallo zum Ausdruck bringen konnte. Und dabei hatte Avery geglaubt, Michele sei das Schauspieltalent.

Und, fragte Avery, wie lange soll ich jetzt reden?

Was?, sagte Tony. Nein, keine Sorge.

Eine Minute? Dreißig Sekunden? Zwanzig Sekunden? Fünfzehn? Zehn, neun, acht …

Oje, verstehe.

Ehrlich gesagt, ich habe ja nicht geglaubt, dass es klappt, aber du schlägst dich hervorragend, ziehst eine gute Show ab.

Nein, natürlich, das verstehe ich wirklich, sagte Tony. Ich frag noch Michele, aber ich bin mir sicher, dass es da keine Probleme gibt.

Fantastisch.

Nicht der Rede wert.

Viel Glück.

Ja, bis später dann.

Avery war am Dienstagmorgen in seinem Arbeitszimmer, um die letzte Sitzung des Finanzkomitees in diesem Jahr vorzubereiten, als Ronnie zur Tür hereinkam.

Da möchte Sie jemand sprechen, sagte er, und Avery entdeckte hinter ihm zwei Polizisten. Ältere Frau, jüngerer Mann.

Wachtmeister Jones und Ruddle sagten sie und traten vor.

Avery war zu sehr daran gewöhnt, dass man beim Anblick seines Kragens falsche Schlüsse zog, als dass er übermäßig besorgt gewesen wäre, doch hielt dies Jones nicht davon ab, ihm zu sagen, er brauche sich keine Sorgen zu machen, seiner Familie sei nichts passiert, woraufhin sie und Ruddle nichts weiter von sich gaben, bis Ronnie auf seinem Weg nach draußen die Tür hinter sich geschlossen hatte.

Man sei sich nicht sicher gewesen, sagte Ruddle dann, während sein Kollege einen DIN-A4-Umschlag auf den

Tisch legte, wo es für ihn weniger peinlich wäre, hier oder daheim. Die Frage sei, nun ja, der rote Orion, der vor der Kirche steht, gehöre der ihm? Ja, sagte Avery, Kennzeichen PXI … Ja, ja, ja, antwortete er auf jede der drei Ziffern, beinahe noch ehe sie genannt wurden.

Wir wollen nur sichergehen, sagte Jones zurückhaltend.

Wir haben ihn auf einer unserer Kameras, sagte Ruddle.

Radarkontrolle?, fragte sich Avery und wollte den Gedanken schon von sich weisen, als er an den ungenauen Kilometerzähler dachte. (In diesem Augenblick bestand für ihn kein Zweifel daran, dass der Kilometerzähler nicht mehr einwandfrei funktionierte.) Und wenn schon ein Gerät unzuverlässig war, warum dann nicht auch ein anderes? Er konnte durchaus zu schnell gefahren sein, ohne etwas davon gemerkt zu haben.

Wir haben Klagen von Anwohnern der Joy Street erhalten.

Das ließ ihn zusammenzucken. Die Joy Street lag praktisch im Stadtzentrum und war nicht gerade eine Straße, in der man Averys Ansicht nach zu schnell fahren konnte, nicht einmal unabsichtlich. Ich verstehe nicht ganz.

Ihr Wagen sorgt nachts für einigen Ärger.

Es war die Betonung auf dem Wort Ärger, die ihn veranlasste, sich vorzubeugen. Nein, sagte er, ich fürchte, da liegt ein Missverständnis vor.

Die Polizisten tauschten einen Blick aus: Das musste er ja behaupten.

Jones griff zum Umschlag auf dem Tisch, drehte ihn um, öffnete ihn und zog ein halbes Dutzend Bilder einer Infrarotkamera heraus. Vorderseite, Rückseite, linke Seite: sein Orion, keine Frage, selbst mit dem Kinder-an-Bord-Abzeichen. So, wie das Licht der Straßenlampen auf die Windschutzscheibe fiel, konnte man unmöglich das Gesicht des Fahrers erkennen, auch nicht auf der Aufnahme, auf der er mit einer Frau sprach, die vor der Fahrertür hockte. Den Ziffern in der unteren rechten Ecke zufolge war das Bild am Freitagmorgen zwischen 2.00 und 2.25 Uhr in der Frühe aufgenommen worden.

Das verstehe ich alles nicht, sagte er.

Da habe ich mich also doch geirrt, sagte Ruddle. Ich habe geglaubt, Sie würden behaupten, seelsorgerisch tätig gewesen zu sein.

Avery drehte sich zu ihm um, weil er dachte, er wolle ihn auf den Arm nehmen, beschloss dann aber angesichts des neutralen Gesichtsausdrucks des Beamten, die Bemerkung durchgehen zu lassen.

Hat sonst noch jemand Zugang zum Wagen?, fragte Jones.

Meine Frau, antwortete er, aber ich weiß nicht, was sie morgens um zwei in der Stadt will. Es sei denn …

Er schwieg so lang, bis die Polizistin seine Worte wiederholte. Es sei denn …

Na ja, könnte sein, dass sie mich nicht aufwecken wollte.

Dann müssen Sie einen ziemlich festen Schlaf haben.

Wir schlafen zurzeit getrennt. Er registrierte den Blick auf ihren Gesichtern. Sie erwartet jeden Augenblick ein Baby.

Die Blicke wurden noch vielsagender.

Er starrte auf die Bilder, um sich daran zu hindern, irgendetwas Voreiliges zu sagen. Er musterte die Windschutzscheibe, das Licht im Rückspiegel. Jemand hat den Wagen genommen, sagte er.

Sie meinen, er wurde gestohlen?

Ja, sagte er. Als ich am Freitagmorgen einstieg, war der Spiegel verdreht – ich meine, der Spiegel ist nicht gerade leicht zu verstellen –, und beim Blick auf den Kilometerstand ist mir aufgefallen, dass mehr auf dem Zähler war als am Abend zuvor.

Prüfen Sie oft den Kilometerstand?, fragte Ruddle.

Er war kurz unter hundertfünfzigtausend. Ich wollte ihn zur Inspektion bringen.

Moment mal, sagte Jones und presste ihre Zeigefinger an die Schläfen. Diese Person, die hat sich Ihren Wagen genommen, ist damit auf den Autostrich gefahren und hat ihn dann *zurückgebracht*?

Ja, sagte Avery, konnte das *a* aber nur noch matt aushauchen.

Dieses Gespräch, sagte Jones und steckte die Aufnahmen wieder in den Umschlag, bleibt vertraulich und ist, sie hoffte, er würde ihr darin zustimmen, nur als ein freundlicher Rat gemeint. Doch nähmen die Kameras seinen Wagen noch einmal auf, sollte sich Avery lieber eine bessere Geschichte einfallen lassen.

Ronnie ließ im Flur das Wasser aus den Heizungen ab und übersah geflissentlich die Polizisten, die Avery zur Tür begleitete. Avery wartete, bis sie außer Sichtweite waren. Haben Sie kurz Zeit?, fragte er.

Ronnie steckte den Schraubenschlüssel in die Tasche und wischte sich die Hände ab, einen Moment könne er schon erübrigen.

Ronnie nahm niemals im Zimmer des Reverends Platz, unter keinen Umständen, verbrachte aber meist jede Sekunde damit, wehmütig jenen Stuhl anzustarren, auf den er sich hätte setzen können. (Avery hatte es längst aufgegeben, ihn weiter zu bedrängen.) Heute stand er mit verschränkten Armen da, blickte Avery unverwandt an und wartete.

Ich hoffe, meine Frage macht Ihnen nichts aus, sagte Avery, aber ist Ihnen in letzter Zeit vielleicht aufgefallen, dass sich jemand an meinem Wagen zu schaffen gemacht hat?

Irgendwelche Bengel, meinen Sie?

Bengel waren für Ronnie noch schlimmer als Jugendliche. Sie waren Aliens, die sogar Jugendliche terrorisieren konnten, keine Erwachsenen in *potentia*, sondern eine völlig andere Spezies.

Kleine Jungs, sagte Avery, große Jungs, wer auch immer.

Die Witterung seiner Lieblingsbeute verlor sich. Ronnies Ton wechselte von aufgebracht zu beleidigt. Meinen Sie nicht, ich hätte etwas gesagt, wenn ich's hätte? Meinen Sie nicht, ich hätte die Burschen die Straße langgescheucht?

Nein, nein, ich weiß ja, das hätten Sie getan. Avery stützte die Ellbogen auf den Tisch, den Kopf in die Hände.

War's das, was die wollten?, fragte Ronnie. Hat wer angerufen und sich beschwert? Offensichtlich nahm er an, dass seine Wachsamkeit und Kompetenz infrage standen.

Avery wusste aus seinen Predigten, aus seinem eigenen früheren Leben, wie eine Lüge der nächsten den Weg bereitete, wie sie mit stetig abnehmendem Widerstand über die Lippen glitt. Vor drei Tagen hatte er stellvertretend Michele angelogen und sich damit getröstet, um des größeren Ganzen willen dazu berechtigt gewesen zu sein. Diese Lüge kam dagegen vergleichsweise direkt und ungeschminkt daher.

Nur eine Vorsichtsmaßnahme, sagte er, weil ich hier so regelmäßig parke. Es soll ein bisschen Ärger in der Gegend gegeben haben, an Türschlössern wurde rumgefummelt, so was eben.

Dann ist der Minibus auch in Gefahr, sagte Ronnie.

Nein, ich glaube, die sind nur hinter PKWs her. Egal, wie gesagt, bloß eine Vorsichtsmaßnahme und nichts, worüber man sich Sorgen machen müsste.

Ronnies Gesicht hatte den Ausdruck eines Menschen angenommen, der bis vor wenigen Minuten keine anderen als seine alltäglichen Probleme gekannt hatte (Bengel, Heizungsventile) und der deshalb von den neuen Sorgen nicht ohne Weiteres ablassen wollte. Man könnte Schilder aufstellen lassen, wie ich sie schon gesehen habe: Vorsicht, in dieser Gegend sind Autodiebe am Werk.

Ich glaube, so weit brauchen wir im Augenblick noch nicht zu gehen.

Wäre für die Gemeinde aber besser.

Ich trag es dem Konsistorium vor, sagte Avery, und seine Worte trafen kaum noch auf inneren Widerstand.

Er rief Des an.

Kann ich vorbeikommen?

12

Des hielt ihm die Esszimmertür auf. Ein Ärmel hochgekrempelt, die Haare auf dem Unterarm feucht vom Handgelenk aufwärts. An der Klinke der Küchentür hing ein schimmernder Gummihandschuh.

Achtung, das Monster, sagte er, als der Laufball mit starker Schieflage vor seinen Füßen vorbei unter den Tisch rollte. Heute ist Käfigputztag. Eigentlich war er schon gestern, aber ich schieb's gern auf. Ist nichts für Memmen.

Avery setzte sich ans Fenster, Hände in den Jackentaschen vergraben. Der Wind machte den Obstbäumen ordentlich zu schaffen. Sie sahen aus, als hätten sie kaum noch Kraft, als hätten sie sich tief in sich selbst zurückgezogen und warteten darauf, dass die Angriffe aufhörten. Sie sahen aus, als ob es ihnen von Jahr zu Jahr schwerer fiele.

Soll ich dir nicht die Jacke abnehmen?, fragte Des.

Mir ist ein bisschen kalt.

Stimmt, am Fenster zieht's. Schieb den Sessel lieber etwas weiter.

Avery rückte drei, vier Zentimeter vor. Des schaute ihn an. Und, fragte er, irgendwas Ungewöhnliches passiert, was Merkwürdiges?

Der alte Belfaster Eröffnungszug.

Averys Lippen öffneten sich, doch was hervordrang, klang wie ein Wiehern. Selbst er hätte im ersten Moment nicht sagen können, ob es Lachen oder Weinen war.

Entschuldige, sagte er und wieherte erneut los; ein Lachen, eindeutig. (Ungewöhnlich? *Merkwürdig?*) Er legte eine Hand vor den Mund, doch nichts half, das Lachen drang darunter hervor, platzte durch die Finger. Er hatte keine Ahnung, woher es kam, und konnte es auch nicht zurückhalten.

Hab ich was Falsches gesagt?, fragte Des und musste selbst lachen, unsicher zuerst, doch krümmte sich Avery geradezu, sodass er schon aus Stein hätte sein müssen, um nicht ins Gelächter einzustimmen.

Der Hamsterball rollte zwischen ihren Füßen herum, was es nur noch schlimmer machte. Des strampelte mit den Beinen in der Luft. Avery musste schließlich sogar aufstehen, um nicht zu hyperventilieren. Entschuldige, sagte er nach Luft japsend.

Du musst dich nicht entschuldigen, sagte Des, es ist nett, wenn jemand mal zu schätzen weiß, was man sagt. Falls das der Grund ist, was ich mir jedenfalls einrede.

Avery wischte sich die Augen, konnte aber das Lachen nicht ganz aus seiner Stimme vertreiben, als er fragte: Was wäre die beste Methode, einen Seelsorger in Misskredit zu bringen?

Um sich zu rächen? Das ist einfach, werfe ihm irgendeine Art von Amtsmissbrauch vor. Nein, werfe ihm den Missbrauch nicht vor, deute ihn bloß an und lass die Andeutung unwidersprochen.

Wie wäre es mit dem Autostrich?

Oh ja, Autostrich wäre auch ganz hervorragend, schätze ich, ebenso Herumlungern auf öffentlichen Toiletten. Des verstummte. Avery saß trockenen Auges vor ihm. Das ist kein bloßes Gedankenspiel, stimmt's?

Ich fürchte nein.

Autostrich?

Die Polizei war bei mir. Sie haben Fotos von meinem Wagen. Man kann den Fahrer nicht erkennen, aber ich schwöre dir, ich war's nicht.

Jetzt bewegten sich Des' Lippen, ohne Worte zu formulieren, ohne überhaupt irgendeinen Laut hervorzubringen. Es bestand kein Zweifel daran, dass er Avery glaubte. Deshalb hatte Avery ihn angerufen. Des brauchte man nicht erst zu überzeugen, dass sich jemand den Wagen nur für eine Nacht genommen haben könnte.

Erinnerst du dich an diesen Versicherungsfall?, fragte Avery.

Natürlich, sagte Des.

Weißt du, dass die Sache fallen gelassen wurde?

Ich habe Peter Lockhart getroffen, und der sagte, er wisse es von jemandem aus deiner Gemeinde. Wir haben uns alle Sorgen um dich gemacht.

Mit einem Kopfnicken bedankte sich Avery, während er zugleich seine Bedenken dagegen unterdrückte, dass so hemmungslos über Kirchenangelegenheiten getratscht wurde. Nach allem, was ich weiß, haben der Vater und der Großvater des Kleinen so ihre Verbindungen, sagte er.

Solche Verbindungen?

UDA, UVF, bin mir nicht sicher, welche Bande genau.

Und du glaubst, die hätten das getan?

Na ja, der Gedanke ist mir durchaus gekommen. Wenn wir dich auf die eine Art nicht kriegen, dann eben auf die andere.

Zischend sog Des die Luft zwischen den Zähnen ein, verdammt gefährliche Entwicklung, sagte dieses Geräusch.

Und dann, sagte Avery, habe ich über ein paar andere Dinge nachgedacht, die in letzter Zeit passiert sind. Unser Gespräch vom letzten Mal, weißt du noch?

Des schien einwerfen zu wollen, sie müssten das nicht noch einmal durchkauen, doch Avery unterbrach ihn. Erst in den letzten Tagen habe ich da was herausgefunden. Ich habe zwei Leute gesehen, die ich nicht zusammen sehen sollte. Und ich glaube, irgendjemand will mir sagen, es wäre auch besser, wenn ich gleich wieder vergesse, was ich gesehen habe.

Des runzelte die Stirn. Tut mir leid, mir ist ja klar, dass du vorsichtig mit dem sein musst, was du sagst, aber ich bin mir nicht sicher, ob ich noch weiß, wovon du sprichst.

Na ja, dann frage ich mal so, erwiderte Avery: Hast du jemals den Wagenschlüssel im Auto eingeschlossen?

Einmal, vor Jahren.

Und an wen hast du zuerst gedacht, als du dich gefragt hast, wer dir helfen könnte, deinen eigenen Wagen aufzubrechen?

Des lehnte sich in seinem Sessel zurück und schien zu erwägen, welche Auswirkungen seine Antwort auf ihre Freundschaft haben mochte. Am Ende entschied er sich für die drei sichersten Worte: Du sagst es.

Avery hatte es zwar nicht direkt gesagt, doch war das Nötige unmissverständlich angedeutet worden. Selbst für seine zuvor noch skeptischen Ohren klangen seine Worte nun durchaus sinnvoll.

Trotzdem widerstand er der Versuchung, sich mit Larry in Verbindung zu setzen. Jener Teil in ihm, der es für keinen Zufall hielt, dass diese Fotos nur wenige Tage nach dem Vorfall mit Elspet und Blain aufgetaucht waren, dass sie ihm unter die Nase gerieben worden waren, schien noch nicht bereit, jemand anderem seinen Verdacht mitzuteilen und wer weiß welche unwillkommene Aufmerksamkeit zu wecken.

Daheim fragte er Frances, ob sie daran denke, nach der Geburt zu ihren Eltern zu gehen.

Was? Wieso denn um alles in der Welt?

Das wolltest du doch auch nach Ruths Geburt.

Als Ruth geboren wurde, wohnten wir in einem Haus ohne Badewanne. Und ich habe damals nur gesagt, dass es uns dadurch in den ersten Tagen vielleicht etwas leichter fallen würde. Außerdem bist du damals fast explodiert.

Als Ruth geboren wurde, ging Avery noch auf das theologische College. Er war ein Student mit einer Frau im Mutterschaftsurlaub und besaß ein Haus, aber kein Geld für die nötige Renovierung. Er erinnerte sich, was es für ein Albtraum gewesen war, das Baby im Spülbecken in der Küche zu baden, es auf dem Boden ihres engen Bades zu wickeln, und auf welch lebensgefährliches Glücksspiel man sich einließ, wenn man das Kind unter die Dusche trug, die grundlos und ohne Vorwarnung von eiskalt auf kochend heiß wechseln konnte. Und richtig, er wusste auch noch, dass er fast explodiert war.

Ich meine ja nur, sagte er.

Willst du damit etwa andeuten, dass dich der Gedanke die ganze Zeit beunruhigt hat?, fragte Frances. Mit den Kuppen ihrer Mittelfinger massierte sie seine gefurchte Stirn. Erst gestern hatte ihr die Hebamme gesagt, dass sie am Wochenende aufgenommen und die Geburt eingeleitet werden würde. Jetzt konnte sie etwas Mitgefühl erübrigen. Keine Angst, sagte sie, wir schaffen das schon, wir alle zusammen.

Zum Ende des Kalenderjahres bemühten sich die Mitglieder des Finanzkomitees um einen zuversichtlichen Ton, doch auch wenn ihnen eine Sorge genommen worden war, richtete sich das Augenmerk nun auf ein, zwei oder zehn neue Probleme. Möglicherweise drohte ihnen kein teures Gerichtsverfahren mehr, doch würde man sich im neuen Jahr ebenso abstrampeln müssen wie in dem, das gerade zu Ende ging. Wären sie ein Fußballverein, könnten sie ihr Stadion mit ordentlichem Profit verkaufen und in der Gewissheit, dass ihnen die gläubigen Getreuen schon folgen würden, in entlegenere Vororte umziehen. Doch in guten wie in schlechten

Zeiten – in schlechten wie in noch schlechteren Zeiten – war dies ihre Heimstätte. Wenn aber jedes Mitglied der Kirche die gleiche Zähigkeit an den Tag legen würde, die Mervyn Armstrong bewies, als er nur sieben Tage nach seiner Blinddarmoperation zur Sitzung kam, bestand vielleicht noch Hoffnung. Mit einem Zusammenzucken, das nicht allein seiner Verlegenheit oder dem gespielten Kummer über die vielfachen Versuche geschuldet sein mochte, einen Witz über die Tatsache zu reißen, dass er sich offenbar ein Loch in den Bauch geschuftet hatte, nahm Mervyn den Applaus der Komiteemitglieder entgegen.

Avery ging zu Fuß nach Hause und schloss das Tor zur Auffahrt. Es war aus Holz, zwei Meter hoch und seit er hier wohnte, erst einmal geschlossen worden, damals nämlich, als sie zu dritt in ein verlängertes Wochenende nach Donegal aufgebrochen waren. Das Holz sträubte sich gegen diese neuerliche Störung. Ebenso gut hätte er gleich einige Bäume ausreißen können, die inzwischen mit dem Tor verwachsen waren. Er zog, er schob, er stemmte sich dagegen, und schließlich war es geschafft. Er stieg in den Wagen und lenkte ihn in die schmale Ecke, in der Gebüsch und Supermarktzaun zusammentrafen, dorthin, wo der Kies noch fast unberührt war und deshalb besonders laut knirschte. Er kontrollierte erneut den Kilometerstand und nahm dann die Kette aus der Tüte, in der sie gelegen hatte, seit sie vor achtzehn Monaten gekauft und in den Kofferraum geworfen worden war, zog sie stramm durch das Lenkrad sowie über und unter die Kupplung hindurch und stieg dann auf der Beifahrerseite aus.

In dieser und der nächsten Nacht wachte er ungefähr alle halbe Stunde auf. Mehrmals lief er auf Zehenspitzen zum Fenster am Treppenabsatz. Der Wagen hockte da wie ein großes außerirdisches Ei und glänzte im Nachtlicht farblos metallic in seinem Nest aus Blättern und Kies. Avery hätte es auf jeden Fall gemerkt, wenn er noch einmal fortgefahren worden wäre.

In der dritten Nacht musste ihn Frances wachrütteln.

Avery. *Avery.* Steh auf, sagte sie. Nun mach schon. Es hat angefangen.

Sie stand im Flur, ehe er auch nur ganz bei Sinnen war. Zehn vor – was hatte sie gesagt, wie spät es war? Zwei? Drei? Er hörte sie telefonieren. Nein, sie ist nicht aufgewacht. Ja, wenn ihr es einrichten könnt. Nein, wir haben noch zwanzig Minuten. Ja, mir geht es gut. Nein, wirklich. Nein, ehrlich.

Avery traf sie, als sie wieder nach oben kam. Er hatte sein Hemd falsch zugeknöpft und nur eine Socke gefunden.

Have you ever seen a dream walking?, sang sie einen von ihren Eltern geerbten Refrain aus einem Musical, das weder sie noch Avery je gesehen hatten.

Sie umarmten sich, sanken zu Boden, und er küsste sie auf die Stirn und sprach ein Gebet, auf dass Gott in den kommenden Stunden über sie und das Baby wache. Ich liebe dich, sagte er.

Ich dich auch, erwiderte Frances und grub dann die Finger in seinen Rücken.

Schlimm?

Sie nickte und atmete tief, bis die Wehe vorbei war.

Draußen lag Raureif. Eiskalt brannte das Schloss in seinen Fingern, während er sich mit der Kette am Lenkrad abmühte. Das Tor, das sich am Dienstagabend nur widerwillig geöffnet hatte, kreischte empört, als es aufgestoßen wurde. Frances' Eltern warteten auf der anderen Straßenseite in ihrem qualmenden, allradbetriebenen Wagen.

Wie geht es ihr?, fragte Mrs Burns und lehnte sich aus dem Fenster.

Ich dachte schon, du würdest das verdammte Ding nie aufkriegen, sagte Mr Burns.

Ich wusste nicht, dass ihr schon da seid, sagte Avery.

Wir konnten um diese Zeit ja schlecht hupen. Seit wann schließt du überhaupt ab? Frances' Mutter traf Anstalten, aus dem Wagen auszusteigen. Wie *geht* es ihr?

Frances saß auf der unteren Treppenstufe, die Geburtstasche auf dem Schoß. Binden, Stilleinlagen, Höschen und Nachthemd. Die letzten Dinge einer Schwangerschaft. Ihre Krankenhaustasche stand neben der Babytasche im Auto. Obwohl sie eigentlich seit Wochen vorbereitet sein sollten, fand Avery nichts dort, wo er es zu finden erwartete, als er danach suchte, nämlich unter der Treppe.

Ich bin fünf Tage über der Zeit, sagte Frances. Was bleibt mir da anderes übrig, als alles wieder auszupacken und hochzubringen? Schau im Bad und im Schlafzimmer nach.

Diesmal hielt ihn der tragbare Kassettenrekorder auf Trab, vielmehr die eigens aufgenommenen Kassetten, die eigentlich danebenliegen sollten.

Ich habe sie in die Babytasche getan, damit wir wissen, wo sie sind, sagte Frances.

Aber ich habe sie nicht gesehen.

Weil du nicht danach gesucht hast.

Ich habe sie nicht mal *gehört*.

Glaub mir, sie sind da. Können wir jetzt los?

Soll ich euch in meinem Wagen mitnehmen?, fragte Mr Burns, als er mit ihnen die Eingangsstufen hinunterging. Wäre schneller.

Danke, aber die Tasche und all die Sachen sind in unserem Auto, erwiderte Frances.

Avery biss sich auf die Zunge und sagte nichts, bis sie aus dem Tor heraus waren. Ehrlich, man könnte glauben, wir würden eine blöde Pferdedroschke fahren.

Zwei junge Frauen stöckelten mit forschem Schritt über die Joy Street, als Avery an ›The Markets‹ vorbei ins Stadtzentrum fuhr. Kunstpelzjacken und Miniröcke. Sie sahen dem Wagen nach, sahen Frances mit der Wange am Fenster lehnen.

Tut mir leid, Mädels, diesmal habt ihr Pech, sagte sie. Ihr ahnt gar nicht, wie groß euer Pech ist.

Avery drückte ein bisschen fester auf das Gaspedal, obwohl er sich sagte, dass man aus bloßem Vorbeifahren nichts Unanständiges folgern konnte, herrje, schließlich saß er mit seiner schwangeren Frau im Auto.

Arbeitseifer haben sie ja, das muss man ihnen lassen, sagte Frances, bis in alle Frühe und bei jedem Wetter sind sie draußen.

Und du bist dir sicher, was die Kassetten angeht?

Er spürte, wie sich ihr Blick auf ihn richtete. Mache ich dich verlegen?

Sei nicht blöd.

Sie hielten an einer roten Ampel vor Averys Hauptquartier, dem presbyterianischen Versammlungshaus. Kein Auto weit und breit.

Blöde Frances, sagte Frances, reckte sich und presste die Hände gegen das Armaturenbrett.

Tut mir leid, ich will mich einfach nur vergewissern, dass wir nichts vergessen haben.

Und ich versuche einfach nur, mich von dem Baby abzulenken, das aus mir herauswill. Sie stupste seine Hand an.

Die Ampel sprang um, und von nun an hatten sie bis zum Parkplatz der Wöchnerinnenstation nur noch grünes Licht.

Halten wir das mal für ein gutes Omen, sagte Frances zu ihrem Bauch.

Der Muttermund hatte sich viereinhalb Zentimeter weit geöffnet. Gelbes Licht. Oben im Entbindungszimmer kamen die Wehen schon alle drei Minuten. Es sollte noch sechs Stunden dauern. Vier volle C90-Kassetten. (Sie steckten in der Babytasche, mit einem Gummiband zusammengeschnürt, damit nichts klapperte.) Das Köpfchen zeigte sich zu einem Cantus von Arvo Pärt; Avery hatte keinen Schimmer, zu welcher Musik Kopf und Schultern erschienen, so laut wurde im Entbindungszimmer gerufen und geschrien.

Ach, ist er süß, er ist wirklich süß, sagte Avery immer wieder, da ihn allein schon der Kopf überzeugt hatte, einen Sohn zu haben. Der Beweis folgte kurz darauf, hing zwischen zwei Beinen, deren Füße aussahen, als wären sie mit denen eines größeren, roten Babys vertauscht worden.

Frances drückte das Baby an ihre Brust und küsste die winzigen Abdrücke der Elektrode, die man an seinen Schädel angeschlossen hatte, sobald Frances ins Entbindungszimmer gebracht worden war. Averys Hand zitterte, als er die Schere entgegennahm, um die Nabelschnur zu durchtrennen.

David, sagte er, denn das war der Name, auf den sie sich geeinigt hatten. Der Geliebte.

Und dann hörte er wieder die Musik: *›If you should ever leave me,/Though life would still go on, believe me,/The world could show nothing to me, So/What good would living do me?‹*

›God Only Knows.‹

Schließlich nahm man die Bänder auf, damit genau die passende Musik lief.

Während Frances und das Baby schliefen, rief Avery vom Telefon am Ende der Station die Familie an, stopfte die dreckige Wäsche in einen Beutel und fuhr nach Hause. Auf den Straßen, die auf dem Hinweg leer gewesen waren, drängten sich jetzt die Menschen. Sie standen Schlange, überquerten Straßen und betraten und verließen Geschäfte, als würden sie vom Schrei eines Babys gerufen – selbst das Licht, das auf sie herabfiel, schien wie gerufen –, und er dachte, letztlich, also in ihrem tiefsten Innern, war die christliche Botschaft bloß eine Feststellung dessen, was wir alle wussten, dass nämlich der Welt mit jedem einzelnen Kind neue Hoffnung geboren wurde.

Übermorgen war der erste Advent. Heute und für den Rest seiner Tage war dies Davids Stadt.

Frances' Eltern hatten die Spuren der gestrigen Verwirrung und Hast größtenteils beseitigt, allerdings war das Gästezimmer von ihnen nicht angerührt worden. Wie die Überbleibsel desjenigen, der einmal Vater eines Einzelkindes gewesen war, lagen seine Kleider herum. Notizbuch und Bibel waren auf den Boden gefallen und hatten eine Auswahl seiner Bettlektüre der letzten Zeit mit sich gerissen. Er stieß das Buch über Undercover-Operation mit dem Fuß beiseite und setzte sich auf die Bettkante, um die Schnürsenkel zu lösen, die zehn Stunden zuvor geknüpft worden waren, als er noch halb so viel Verantwortung getragen hatte.

Überstürzt setzte er sich auf. Das Herz raste in seiner Brust. Das Telefonklingeln verstummte. Er schaute auf die Uhr, streifte das Armband über die Schwielen, die sich an seinem Handgelenk gebildet hatten. Halb drei. Ruth. Er stand oben an der Treppe, ehe ihm einfiel, was er mit Frances' Mutter in den frühen Morgenstunden vereinbart hatte. Sie würden Ruth abholen und auch wieder nach Hause bringen.

Unten im Flur griff er nach dem Hörer und wählte den Rückruf, doch wurde die Nummer nicht angezeigt. Der Anrufbeantworter war abgestellt. Avery stellte ihn wieder an und ging ins Wäschezimmer, um die Wäsche aufzuhängen. Ihm blieb gerade noch genügend Zeit, sich die Zähne zu putzen und kurz das Gesicht zu waschen, als auch schon die Haustür aufgerissen wurde und Ruth mit ihren Großeltern hereinplatzte. Ist das Baby da?, rief sie, rannte den Flur entlang und schaute in die Zimmer zu beiden Seiten. Wo ist es?

Mrs Burns stand in der Tür. Der Junge ist noch im Krankenhaus, Liebes, das habe ich dir doch gesagt.

Ruth warf sich Avery in die Arme. Ist das Baby krank?, fragte sie und begann, vor Kummer überwältigt zu weinen.

Nein, ist es nicht. Es ist ein Junge, und es geht ihm großartig. Er heißt David.

David Avery, sagte Mr Burns, und seine Mundwinkel zuckten.

David und Goliath, sagte Ruth und wischte sich die Augen.

David und Goliath, wiederholte Avery.

Aber in meinem Zimmer schläft er nicht.

Nein, in deinem Zimmer schläft er nicht.

Na gut, kann ich ihn jetzt sehen?

Wir fahren alle mit meinem Wagen, ja?, sagte Mr Burns und hielt die Schlüssel bereits in der Hand.

Au ja, sagte Ruth, mit Opas großem Auto.

Als sie einstiegen, klingelte erneut das Telefon.

Lass ruhig, sagte Mr Burns, ich habe den Anrufbeantworter eingeschaltet.

Nein, sagte Avery, ich habe das getan.

Aber ich dachte, ich hätte ihn ausgeschaltet.

Hast du auch, deshalb musste ich ihn wieder anstellen, und jetzt hast du ihn schon wieder ausgeschaltet.

Das Klingeln hörte auf.

Wenn es was Wichtiges war, rufen sie wieder an, sagte Mrs Burns. Nun komm, ich will endlich unseren Enkel sehen. Und Avery war zu müde, um sich mit ihr zu streiten.

Die Schwestern hatten David abgeholt, um ihn zu baden.

Frances war selbst zwar auch in der Wanne gewesen, wirkte aber erschöpfter als unmittelbar nach der Geburt. Ich hatte schreckliche Mühe, ihn anzulegen, sagte sie, während ihr Vater mit gerunzelter Stirn die Broschüre über den Gebrauch des Zahlfernsehens im Krankenhaus studierte. Sie haben mir gesagt, ich solle einfach eine Pause einlegen und es später noch mal versuchen.

Natürlich behauptet niemand, dass man unbedingt stillen

muss, sagte ihre Mutter, so wie sie es schon gesagt hatte, als Ruth geboren worden war, und klang dabei, als wollte sie jeglicher Kritik daran vorbeugen, dass sie ihrem eigenen Kind nicht die Brust gegeben hatte. Die Flasche hat dir jedenfalls nicht geschadet.

Eine Frau ging am Bettende vorbei, auf ihrer Schulter der Kopf eines Babys mit offenem Mund. Ruth war auf das Bett geklettert und schmiegte sich an Frances. Sie wurde wieder unruhig. Was ist denn mit dem kleinen David? Wann wird er zurückgebracht?

Schließlich gingen Frances' Eltern mit ihr zum Laden im Erdgeschoss, um dem Baby ein Geschenk zu kaufen.

Frances und Avery saßen einige Minuten da, hielten sich im Arm und sagten nichts. Dann löste sich Frances aus der Umklammerung und kratzte sich am linken Arm, am Bein, dann wieder am Arm. Die Epiduralanästhesie hatte nicht gewirkt, wie sie wirken sollte, und ihr war vom Anästhesisten noch kurz vor der letzten großen Presswehe etwas Morphium gegeben worden.

Was ich dir noch sagen wollte – jetzt kratzte sie sich die Finger –, Tony war hier. Du kannst noch nicht lange fort gewesen sein. Ich war so groggy, dass ich im ersten Moment gar nicht begriffen habe, wer da im weißen Kittel neben mir steht. Und als ich es dann wusste, war ich so froh, dass ich gar nicht daran gedacht habe, sauer auf ihn zu sein, weil er sich Michele gegenüber wie ein Schwein benommen hat.

Avery stand auf und machte auf ihrem Nachttisch Platz für die Zeitschriften, die ihre Mutter mitgebracht hatte. Wie geht es den beiden, hat er was gesagt?

Was glaubst du wohl? Er hat so getan, als wäre alles eitel Sonnenschein, dabei ist er ein mehrfacher Ehebrecher; er weiß genau, wie er seine Fassade zu wahren hat.

Kann sein.

Nichts da mit ›kann sein‹. Aber ich sag dir was, egal, wie

clever er zu sein glaubt, ihm ist deutlich anzumerken, wie sehr ihn die Sache mitnimmt. Er sah aus, als wäre er seit dem Sommer um zehn Jahre gealtert, und das lag bestimmt nicht nur an den Medikamenten, die man mir gegeben hat.

Avery konnte dem nicht entnehmen, ob der letzte Samstag nun ein Erfolg gewesen war oder nicht. Und da er nicht wusste, was er sagen sollte, schenkte er seiner Frau ein Glas Wasser ein.

Hat er dich zu Hause erreicht?, fragte Frances. Er sagte, er werde versuchen, dich anzurufen.

Als Avery gerade das Durcheinander mit dem Anrufbeantworter erklären wollte, schrie draußen auf dem Gang ein Baby. Frances fuhr in die Höhe und legte eine Hand erst unter die eine, dann unter die andere Brust. Links? Rechts?, murmelte sie. Links? Rechts?

Okay, Mummy, hier bringe ich Ihnen einen sauberen kleinen Burschen, sagte eine Schwester, als sie um die Ecke bog, doch kaum sah sie Avery, drückte sie ihm das Kind in die Arme. Aber vielleicht will der Daddy ja den Kleinen auch mal halten.

Das Baby hörte auf zu weinen und spitzte die Lippen. *Frances'* Lippen. Die Augen seines Vaters schauten Avery an. Na, was hältst du von alldem, schienen sie zu fragen.

Und dann kam Ruth mit ihren Großeltern und einem blauen Teddybär in knisterndem Zellophanpapier, und David wurde von Großmutter zu Großvater zur Schwester weitergereicht – vorsichtig, ganz vorsichtig –, bis er vor Hunger wieder zu greinen begann.

Teil 3

I

Am Sonntagmorgen klatschte die Gemeinde, als Avery die Kirche betrat.

Am Sonntag darauf buhten sie ihn aus und verließen die Kirche, als er auf der Kanzel stand.

In der dazwischen liegenden Zeit berichtete die *East Belfast Community News* erneut über ihn, diesmal auf der Titelseite; Frances kehrte mit dem Baby aus dem Krankenhaus heim und verließ ihn drei Tage später wieder, um zu ihren Eltern zu gehen, vierundzwanzig Stunden vor dem Zeitpunkt, als Larry ins Haus Townsend Grange einzog. Und Tony – vom zweiten Sonntag zum vorhergehenden Montag gesehen –, Tonys Zustand war schlecht, aber stabil, immer noch ernst, besserte sich, verschlimmerte sich, war kritisch.

In der ersten Meldung hieß es, er kämpfe um sein Leben. Avery hatte die Einzelheiten nicht verstanden. Den Namen sowieso nicht. Noch nicht. Die Sonne stand am Himmel, und er litt schon an deutlichem Putzwahn, schob den Staubsauger durch sämtliche Zimmer, fuhr mit einem aus einem alten Unterhemd geschnittenen Staubtuch über die Regale und hölzernen Kaminsimse. Seit gestern Nachmittag konnte Frances stillen, ohne dass ihr jemand dabei helfen musste. Sie sah daher keinen Grund, warum sie heute Morgen nicht entlassen werden sollte und warum abends nicht einige Freunde und die engere Familie zu einer Willkommensparty kommen konnten. Ruth war die Nacht über wieder bei den Großeltern geblieben, damit Avery Gelegenheit hatte, das Haus in Ordnung zu bringen. Er hatte die Zeitungen eines Monats gesammelt und wollte sie zum Recycling bringen. Geplant war, am Müllplatz zu sein, wenn er um Viertel vor acht aufmachte, um anschließend zum Frühstück frische Brötchen zu holen.

Selbst als er die Nachricht auf der Rückfahrt von der Sammelstelle zum zweiten Mal hörte, verstand er nicht alles, konnte die Worte ›Arzt‹ und ›zusammengeschlagen‹ nicht auf jene neue Weise in Verbindung bringen, die ihm abverlangt wurde. Ein *Arzt* war jemand, der berichtete, dass das *Opfer* um sein Leben kämpfte. Er wartete darauf, Tonys Stimme zu hören. Tonys amtlichen Tonfall. Den Tut-mir-schrecklich-Leid-dies-sagen-zu-müssen-doch-wohlbehütet-in-meiner-eigenen-Welt-Tony. Als er endlich die Verbindung herstellte, behielt er nur mit Mühe die Kontrolle über den Wagen. Er hatte nicht hingesehen, aber Glück, dass er von der Schnellstraße in die richtige Richtung in eine Einbahnstraße bog. Mit dem Kopf auf dem Lenkrad ließ er die übrigen Schlagzeilen über sich ergehen: Maul- und Klauenseuche, Vorbereitungen für den Clinton-Besuch, dann Verkehrs-, Reise- und Wetterbericht. Ein kalter, klarer Morgen, von Westen allmählich aufkommender Regen. Er schien fast zu benommen, um zu beten. Er strengte sich an, ein Wort aus sich hervorzupressen, irgendeins.

Die Sprecherin des Frühstücksprogramms wandte sich wieder der Top-Story des Tages zu. Arzt auf Parkplatz zusammengeschlagen. Einfach grauenhaft, sagte sie.

Sie hatte recht. Der Reporter, der in der Nachrichtensendung nur die bloßen Fakten genannt hatte, berichtete jetzt weitere Einzelheiten. Offenbar hatte Dr. Russell das Krankenhaus kurz vor Mitternacht verlassen. Seine Frau – im sechsten Monat schwanger – meldete ihn um drei Uhr früh als vermisst. Kurz darauf fand man seinen Wagen auf dem

Parkplatz eines Supermarktes am Stadtrand, nachdem ein Autofahrer gemeldet hatte, er habe drei Männer gesehen, die auf einen Hund oder dergleichen einschlugen. Bei ihren Nachforschungen fand die Polizei Dr. Russel im Kofferraum seines Wagens.

Grässliche Geschichte, sagte die Sprecherin.

Ziemlich grässlich, stimmte ihr der Reporter zu. Die Polizei wies darauf hin, dass dies ein besonders brutaler Überfall gewesen sei. Man erwarte, dass es einige Zeit dauerte, bis man Dr. Russell vernehmen könne. (Avery wimmerte ins Lenkrad.) Gegenwärtig überprüfe man nun die Aufnahmen der Parkplatzüberwachungskameras und bitte jeden, der den auffälligen, silberfarbenen Mazda zwischen Mitternacht und drei Uhr morgens gesehen habe, mit ihnen Kontakt aufzunehmen.

Und was kann uns die Polizei über die Motive sagen?

Nun, dafür ist es natürlich noch ein bisschen früh. Bislang heißt es bloß, dass man verschiedenen Verdachtsmomenten nachgehe.

Dennoch deutet sich hier eine sehr besorgniserregende Entwicklung an. Der Vorfall weist alle Merkmale einer paramilitärischen Strafaktion auf, doch geht es um einen Arzt, und passiert ist es auf dem Parkplatz eines Supermarktes.

Tja, stimmt, es gibt eine Reihe beunruhigender Details, doch wie gesagt, im Augenblick weigert sich die Polizei, überhaupt irgendetwas auszuschließen.

Sanft klopfte jemand ans Fahrerfenster. Avery schreckte auf. Ein Mann fuhr sich mit der Hand an die Brust und taumelte vom Wagen zurück. Das Kind an seiner Seite – jung genug, um sein Enkel sein zu können – begann zu schreien. Avery machte die Tür auf. Alles in Ordnung? Er wusste nicht, ob er sich erst dem Mann oder erst dem Kind zuwenden sollte.

Der Mann hatte sich wieder gefasst. Ob alles in Ordnung

ist? Seine Hand ballte sich zur Faust, aus der ein Finger hervorschnellte und auf ihn zeigte. Ich dachte, Sie wären tot. Sehen Sie sich doch den Kleinen an. Das Kind griff nach dem Hosenbein des Mannes. Dem haben Sie eine Heidenangst eingejagt.

Tut mir leid, sagte Avery.

Ja, ja, tut Ihnen leid, sagte der Mann und nahm das Kind auf den Arm. Es hätte ihm fraglos besser gefallen, wenn Avery tatsächlich tot gewesen wäre. Sich so zu benehmen, Sie sollten mal Ihren Kopf untersuchen lassen.

Ich habe doch gesagt, dass es mir leid tut. Avery drehte sich wieder zum Wagen um, verharrte aber plötzlich, als er die Straße erkannte, in die er eingebogen war. Fast achtzehn Monate lang hatte sie nach einem Drittel der Strecke an einer mit Videokameras bestückten und mit Maklerreklame verzierten Palisadenwand geendet. Avery wusste nicht, wann genau die Wand abgerissen worden war, doch konnte es nicht allzu lang her sein, da noch Zementstaub auf der Straße lag, die sich, nun, da sie wieder frei war, bis hinüber zur nächsten Hauptstraße zog, auf der sich im Licht der Sonne Stoßstange an Stoßstange eine Prozession stadteinwärts fahrender Autos entlangschob. Auf beiden Seiten standen neue Häuser, ordentlich und leer, wartend, die Fenster doppelverglast. An einer mit Geröll gefüllten Freifläche endeten die Reihenhäuser. Avery musste daran denken, wie er sich dieser Fläche von der anderen Seite genähert hatte, als die Straße noch in beide Richtungen befahrbar und der Geröllhaufen noch eine Reihe Häuser gewesen war.

Er fuhr im ersten Gang, wich nie mehr als einen Fußbreit vom Bürgersteig ab, und hielt wieder dort, wo Sheila Kirkpatricks Tür gewesen war, das zweitletzte Haus. Er musste nicht raten, die Eingangsstufen waren noch zu sehen, außerdem erkannte er die Küchentapete wieder, die sich wahllos bis dorthin ausgebreitet hatte, wo einmal das Wohnzimmer gewesen war. Das Badezimmerwaschbecken, um seine Wasserhähne beraubt, lag in zwei Bruchstücken neben einem Teil des Kamins.

Die Sprecherin des Frühstücksprogramms sagte an, dass es dreizehn Minuten nach acht sei. Avery wusste nicht, wann er sich zuletzt so elend gefühlt hatte. Er fuhr rückwärts, bis er an eine Abzweigung kam, bog nach links, dann nach rechts, nach links, nach rechts, immer in niedrigem Gang und durch kaum befahrene Straßen, bis er schließlich vor dem Waschsalon stand.

Im rückwärtigen Teil des Hauses brannte ein Licht, schien gelb durch die Tür hinter dem Tresen. Avery klopfte einige Minuten lang in regelmäßigen Abständen, konnte sich bei dem Verkehrslärm aber selbst kaum hören. Plötzlich schien es ihm sehr wichtig, dass er eingelassen wurde, wie lange er auch warten musste. Er setzte sich wieder ins Auto. Erneut wurde in den Nachrichten ein Arzt zusammengeschlagen, in Kurzfassung. Um acht Uhr einunddreißig kam eine Frau aus dem hinteren Teil des Ladens. Ein Bus versperrte die Sicht, tauschte einen alten Fahrgast gegen zehn neue, und als der Bus weiterfuhr, stand auf dem Schild an der Tür nicht mehr ›geschlossen‹, sondern ›offen‹.

Als Avery eintrat, bückte sich die Frau hinter dem Tresen gerade.

Bin gleich für Sie da, sagte sie, richtete sich auf und griff nach ihren baumelnden Zöpfen. Dann verzog sich ihr Gesicht zu einem breiten Grinsen. Reverend Avery! Es war Wendy. Sie sind mein erster Kunde.

Sie wusste nichts über die Frau, die vorher hier gearbeitet hatte, nur, dass ihre Familie irgendwo bei Newtownards lebte. Ist ja auch ein weiter Weg für so einen kleinen Job, sagte sie.

Eine Freundin von Dees Tante hatte ihr gesagt, dass eine Stelle frei würde. Als sie sich darum bewarb, glaubte sie, keine Chance zu haben, nur Dee meinte, er hätte gleich gewusst, dass sie die Stelle bekäme.

Avery fragte, ob Dee wieder daheim sei.

Sie lachte. Dee ist frühestens in achtzehn Monaten wieder zu Hause. Haben Sie es noch nicht gehört? Er sitzt in Hydebank.

Hydebank war eine Jugendstrafanstalt. Avery versuchte erst gar nicht, sein Erstaunen zu verbergen. Was hatte er denn angestellt? Er konnte doch höchstens seit ein paar Tagen wieder aus dem Krankenhaus sein.

Nein, das verstehen Sie falsch, sagte sie. Er hat nichts getan, jedenfalls nichts Neues. Er sitzt für Dinge, die er angestellt hat, bevor er seine Prügel bezog. Als er im Krankenhaus lag, haben wir drüber geredet. Er hat sich auf einen Deal eingelassen und der Polizei eine lange Liste mit Einbrüchen, Autodiebstählen und so Geschichten gegeben. Dafür wurde ihm versprochen, dass man ein Wort für ihn einlegt, damit er eine kürzere Strafe erhält. Er kam gleich aus dem Krankenhaus in Untersuchungshaft. Wissen Sie, den ganzen Ärger, den er hatte, mit denen meine ich, die ihn verprügelt haben, der kam zur Hälfte daher, dass die Leute über ihn getratscht haben, dass sie ihn schlimmer gemacht haben, als er in Wirklichkeit war. An der anderen Hälfte waren eben die Typen schuld, von denen er gezwungen wurde, irgendwelche Sachen zu tun, weil sie glaubten, er hätte zu viel Schiss, zur Polizei zu gehen. Jetzt hat er reinen Tisch gemacht, und sie haben nichts mehr gegen ihn in der Hand. Niemand mehr. Und wenn sie mit ihren kleinen Geheimnissen keinen Druck mehr machen können, dann sind sie aufgeschmissen.

Und was ist mit Ihnen?, fragte Avery. Kommen Sie zurecht?

Sie schob das Kinn vor, als markiere sie eine starke Frau. Ich? Warum nicht? Ich sitze doch nicht im Knast.

Die Tür ging auf. Eine Frau kam herein, in der Hand einen

großen rosafarbenen Teddybär mit einem Rotweinfleck vom linken Auge bis zur rechten Schulter.

Die erste richtige Kundin.

Können Sie da noch was ausrichten?, fragte sie.

Das Stadtzentrum lag genau auf halbem Weg zwischen dem Waschsalon und dem Krankenhaus. Für den ersten Teil der Strecke brauchte er fast fünfmal so lang wie für den zweiten. Starker Verkehr in die Stadt, weniger Verkehr in umgekehrte Richtung. So viele Tonnen Metall jeden Morgen auf kaum einem Quadratkilometer Straße. Angesichts des sumpfigen Untergrundes war es ein Wunder, dass die ganze Chose nicht einfach in einem Loch im Boden versank. Avery wechselte während der Fahrt die Sender, hörte aber nichts Neues mehr über den Anschlag.

Ein Krankenhaus ist des Seelsorgers zweites Zuhause. In diesem bestimmten Hospital aber war Avery wegen der einen oder anderen Geschichte in letzter Zeit so oft gewesen, dass ihn an diesem Morgen niemand fragend ansah, sondern man ihm höchstens ein Lächeln hinterherschickte. Er kannte den Weg zur Intensivstation.

Vor Tonys Zimmer saß ein Polizist über eine Zeitschrift gebeugt. Als Avery den Flur betrat, war er überzeugt, es sei Wachtmeister Rossborough, der schon bei Dee Wache gehalten hatte und dessen Eltern in Averys Kirche gingen, doch beim Näherkommen merkte er, dass er ihm bis auf die Haarfarbe überhaupt nicht ähnlich sah. Bestimmt war es die unvermutete Begegnung mit Wendy, die ihn irritiert hatte und glauben ließ, dieser Tag folge einem ganz bestimmten Muster.

Der Polizist richtete sich auf, schob den Daumen zwischen die Seiten und schloss die Zeitschrift *Auto Trader*.

Kann ich Ihnen helfen?

Ich bin Priester.

Stimmt, sagte der Polizist, als käme es allein auf sein Wort an, und kniff dabei ein Auge zu. Ich habe Sie schon mal gesehen. Mit einer Kopfbewegung wies er auf das Zimmer hinter sich. Einer von Ihren?

Nein, sagte Avery und wollte hinzufügen, dass Tony ein alter Freund sei, hielt sich dann aber zurück. Wenn von der Kirche des Patienten niemand Zeit hat, kommt irgendeiner von uns vorbei, um zu sehen, ob wir etwas für ihn tun können.

Der Polizist nickte, doch sei Tony gerade erst aus dem OP zurück, weshalb er nicht glaube, dass Avery ihm zurzeit helfen könne.

Seine Frau wurde erst vor Kurzem fortgebracht, setzte er noch mit verhaltener Stimme hinzu. Muss schlimm für sie sein. Ist ja auch schrecklich zusammengeschlagen worden. Kiefer zertrümmert. Kaum noch ein Zahn im Mund. Als hätten sie genau gezielt.

Avery erinnerte sich an das Gespräch vor Dees Tür über die buchstäbliche Bedeutung der Strafaktionen. Ihm war klar, was es bedeutete, wenn man sich auf den Mund konzentrierte. Kein Wort!

Kommen Sie in ein paar Stunden wieder vorbei, wenn Sie noch in der Gegend sind, sagte der Polizist und schlug mit dem Daumen die Zeitschrift wieder auf.

Mach ich, antwortete Avery, während er in Gedanken schon bei dem war, was er bis dahin erledigt haben wollte.

Sein Fehler war es gewesen, sich im Schatten herumzudrücken. Genau dort operierten sie nämlich am liebsten. (Wer sind *sie*?, hatte er Larry vor Monaten gefragt und sich über die vage Antwort nicht sonderlich gewundert. Doch jetzt begriff er: Nichts identifizierte sie so einwandfrei wie ihre Taten. Sie waren die Antwort auf die Frage: *Wem nützt es?*) Im Schatten war man gleich doppelt im Nachteil: Nichts konnte man deutlich sehen, und niemand sah, was einem angetan wurde.

Wendy hatte es erst an diesem Morgen gesagt: Wichtig war, reinen Tisch zu machen. Wie unangenehm es anfangs auch sein mochte, letzten Endes war es sicherer.

Er musste die Anrufe vor dem Hauptgebäude erledigen und schloss sich der Raucherfraktion sowie den übrigen Handy-Nutzern an, dieser Solidargemeinschaft von Besuchern, Patienten und jüngeren Ärzten. Erst wählte er die Nummer der Zeitung und fragte nach Barbara.

Am Apparat.

Natürlich, zur Redaktion gehörten nur vier Leute.

Ich bin Ken Avery, sagte er. Ich weiß nicht, ob Sie sich an mich erinnern, doch Barbara erinnerte sich durchaus an ihn.

Wie geht es Ihnen?

Nicht gerade der beste Morgen, mich danach zu fragen, antwortete er, aber hören Sie, ich habe da etwas, das Sie interessieren dürfte.

Larry nahm nicht ab. Er hinterließ eine Nachricht: Ich kaufe es Ihnen ab. Jedes Wort. Rufen Sie mich an.

Das glaube ich einfach nicht, sagte Frances, als er ihr von Tony erzählte. Sie sank ins Bett zurück. (Avery war so vorausschauend gewesen, ihr das Baby abzunehmen, ehe er den Mund aufmachte.) Sie hatte noch kein Wort davon gehört. Auf der Station lief nur Radio 1. Ein Anschlag in Belfast, selbst wenn er einem Arzt galt, war dort keine Meldung wert.

Was ist mit Michele? Und dem Baby?

Sie schaute auf die gepackten Taschen links und rechts von ihr, auf die Karten, Geschenke und Blumen, als würde sie irgendwie ihre Freundin im Stich lassen.

Michele ist in guten Händen, da kannst du ganz beruhigt sein, sagte Avery.

Frances versuchte, die Tränen zurückzuhalten, die ihr in die Augen stiegen. Wie soll ich mich denn so von den Schwestern verabschieden?, fragte sie.

Hier. Er reichte ihr das Baby und ging zum Waschbecken gleich neben der Zimmertür, um ein Papiertuch anzufeuchten. Vor seiner Frau kauernd wischte er ihr dann behutsam das Gesicht ab.

Ich hab mich nur so furchtbar erschrocken, sagte sie. Das weiß ich, sagte er.

Während Frances sich mit David bei den Schwestern bedankte, sammelte er die Karten und Umschläge ein, die oben auf ihrem Schrank lagen (Frances besaß sogar noch die Umschläge ihrer Glückwunschkarten zum achtzehnten Geburtstag) und teilte sie unter den Seitenfächern der beiden Taschen auf, um sie dann später auszusortieren. Die Blumenvasen stellte er auf ein Regal neben dem Waschbecken, und daneben legte er einen Umschlag mit etwas Trinkgeld für die Putzfrauen.

Während sie zum Wagen gingen, kämpfte Frances erneut mit den Tränen. Zwischen ihnen schlief David in der Babyschale, in der sie auch Ruth vor fünf Jahren heimgeholt hatten.

Du weißt, warum sie ihn zusammengeschlagen haben?, fragte sie.

Avery sagte, er fürchte, das wisse er, wenn die Gründe auch andere seien, als Frances vermute. Er sagte, es könne mit einem Gefallen zusammenhängen, um den er Tony gebeten habe. Es ginge dabei um einen Mann, der sich Hilfe suchend an die Kirche gewandt habe. Frances blieb so abrupt stehen, dass ihr die Babyschale ans Bein schlug, woraufhin das Baby sich regte und kurz plärrte, zum Glück aber nicht wach wurde.

Das glaube ich einfach nicht, sagte sie.

Der Parkwächter beugte sich aus seinem Häuschen vor, um zu sehen, ob alles in Ordnung war. Avery winkte ihm zu. Ich erkläre es dir im Auto, sagte er.

Das glaube ich einfach nicht, sagte Frances zum dritten

Mal, als er es schließlich über sich brachte, ihr zu erklären, dass er sich Sorgen um Larrys Sicherheit mache und ihn daher bitten wolle, einige Tage bei ihnen zu wohnen. Und was ist mit *unserer* Sicherheit? Und der unserer Kinder?

Avery kontrollierte im Spiegel, ob frei war, und bog dann nach rechts zum Stadtzentrum ab, vorbei an *Spendlove C.* Jepp Installationsbedarf. Keiner von ihnen sagte, was sie normalerweise immer sagten: Mein Name ist Jebb. *Spendlove C. Jebb.*

Ich habe darüber nachgedacht, sagte Avery. Und das scheint mir der sicherste Weg.

Also machst du dir doch Sorgen.

Das habe ich getan, aber jetzt nicht mehr. Ich habe mit der Journalistin gesprochen, die mich im Sommer interviewt hat.

Na ja, dann, sagte Frances und hatte kaum Luft geholt, als sie schon die nächste Salve mit Einwänden über ihn niedergehen ließ: Wir haben ein vier Tage altes Baby. Der Kleine wird zu jeder Tages- und Nachtzeit aufwachen. Und ich laufe den ganzen Tag herum und stelle meine nackten Titten zur Schau. Da kannst du doch nicht einen wildfremden Mann in unser Haus bringen. Wir brauchen jetzt Zeit nur für uns – als Familie.

Wir müssen tun, was richtig ist.

Das ist dein letztes Wort, stimmt's?, sagte Frances verbittert und redete während der restlichen Fahrt kein Wort mehr mit ihm. David schlief weiter und wandte das Gesicht dem Weg zu, den sie gekommen waren, während hinter ihm alles versank, was er bislang von der Welt gekannt hatte. Eine noch nicht gehörte Geburtskassette spielte ein Nocturne von Chopin und ging, während sie in ihre Straße einbogen, in einen Song von Todd Rundgren über. »I Saw The Light.«

Frances drückte auf den Kassettenauswurf. Ich glaub's einfach wirklich nicht.

Sie beschlossen trotzdem, für David eine Willkommensparty zu geben, wenn auch vor allem Ruth zuliebe. Während ihre Tochter eine Runde durch das Wohnzimmer machte, in der einen Hand eine Schale Oliven, in der anderen eine nicht ganz so bereitwillig dargebotene Schale mit Kartoffelchips, erklärte sie den diversen Verwandten und Nachbarn die Bedeutung des Namens. David heißt Geliebter, sagte sie, das kommt aus der Bibel: Denn der geliebten Welt schickte Gott seinen geliebten Sohn.

Wie ihr Vater erinnerte sich Ruth in etwas eigenwilliger Weise an die Highlights der Bibel.

Anfangs war die Stimmung ein wenig gedrückt. Vom Krankenhaus wusste man, dass es Tony noch nicht besser ging und dass sich Michele, die gegen Mittag zur Kontrolle dabehalten worden war, auch nicht sonderlich gut fühlte. Trotzdem gab es ein Kind zu begießen, und irgendwann knallte der erste Korken, ein Trinkspruch wurde ausgebracht.

Auf David. Friede sei mit ihm und all unseren Kindern und Enkelkindern.

Kurz darauf rief Micheles Mutter an, um zu sagen, dass Michele am nächsten Morgen wieder nach Haus dürfe. Mit dem Baby sei alles in Ordnung. Und als Ruth sich endlich bereit fand, ins Bett zu gehen, wurde ihnen auch die Nachricht durchgestellt, dass Tonys Zustand nun stabil sei. Frances gönnte sich ein zweites Glas Champagner.

Dann schläft das Baby wenigstens, sagte ihre Mutter, doch Frances beachtete sie nicht weiter und gesellte sich zu Avery auf die Treppenstufen hinter dem Haus, während sich Gäste um das Geschirr kümmerten. Weit draußen im schmuddligen Grün der Nacht flackerte ein einziger, so eben noch sichtbarer Stern wie der letzte weiße Punkt des Tages. Irgendwo in der Nähe wurde laut gesungen. Die Heizung stieß ihr Drachengebrüll aus; mit dreckigem Glucksen floss das Badewasser ab.

In den Fenstern einiger Maisonettewohnungen hing bereits die Weihnachtsbeleuchtung. Keine Spur mehr von den Sommerflaggen, kein Hinweis während dieser langen Zeit auf die Troubles. Klopf auf Holz.

Avery stieß sich die Knöchel am Türrahmen, als er den Arm um die Schultern seiner Frau legte.

Ist dir nicht zu kalt? Er spürte, wie sie den Kopf schüttelte: Nein.

Hättest du das je geglaubt, sagte sie, als ich damals mit Michele in die Bank kam?

Das waren Worte, die sie zu Anfang ihrer Ehe oft gesagt hatten, als sie immer noch nicht glauben konnten, dass sie einander gefunden hatten. Hättest du das je geglaubt?

Nein, sagte er, sagten sie immer. Niemals.

Sie lachte. Zwei Kinder.

(Waren sie damals Kinder gewesen? Hatten sie es geglaubt? Er wusste es nicht.) Ich weiß, sagte er.

Der Wind schlug ihnen entgegen, durchsetzt mit einigen Regentropfen, dann wechselte er wieder die Richtung. Frances' Schultern zuckten.

Wirklich alles in Ordnung?

Tut mir leid, sagte sie. Das war nicht die Kälte. Ich habe gerade nachgedacht. Ich hätte im Auto nicht so hart zu dir sein sollen.

Er schob sie ein wenig beiseite, um sich besser umdrehen und ihr sagen zu können, was er sagen wollte, ehe er sie wieder an sich zog.

Hör zu, ich bin derjenige, der sich dafür entschuldigen muss, dass ich mit alldem so über dich hergefallen bin.

Sie legte ihm einen Arm um die Hüfte. Vielleicht hatte sie das Ausmaß seiner Entschuldigung falsch eingeschätzt, vielleicht war es auch die Stimmung, die ihn mit dem Glas in der Hand nach draußen gelockt hatte. Schließlich wusste sie keineswegs besser, wie ein Mensch reagieren sollte, der fürchtete, indirekt der Grund dafür gewesen zu sein, dass sein Freund halb zu Tode geprügelt worden war.

Warum verschiebst du das Gespräch mit der Zeitung nicht noch eine Weile?, fragte sie, und er begriff, dass er ihre Stimmung auch falsch eingeschätzt hatte.

Er löste seinen Griff. Sie zog ihren Arm zurück und ging ins Haus.

Um zwei wachte er auf und sah Frances, wie sie ihn auf dem Ellbogen gestützt ansah. Er versuchte, wach zu werden, aber der Schlaf hielt ihn umfangen, drückte seine Schultern ins Bett. David?, flüsterte er so leise, wie er nur konnte.

David geht es gut, flüsterte sie zurück. Avery wehrte sich nicht länger. Die Augen schlossen sich. Er hatte selbst schließlich auch zweieinhalb Gläser Champagner getrunken.

Wie hieß das Mädchen noch mal, das du gekannt hast?, fragte Frances. Das Mädchen, das getötet wurde?

Averys Augen waren weit geöffnet. Frances kannte den Namen genau. Ihre Knie stupsten an seine Rippen.

Joanna. Warum?

Nur so. Ich frage mich bloß manchmal, ob da noch mehr gewesen ist als das, was du mir erzählt hast.

Es war wieder wie am Anfang ihrer Beziehung: Nenne mir all die Menschen, die du geliebt hast, bevor wir uns getroffen haben.

Du weißt alles, was es zu wissen gibt, sagte er. Sie hat mir geholfen, zu Gott zu finden.

Manchmal wäre es mir glaube ich lieber, du hättest einfach nur mit ihr geschlafen.

Sie bewegten sich auf gefährlichem Terrain. Er riet ihr aufzupassen, was sie sagte.

Ich weiß, seufzte Frances, sie ist tot. Und Peter Rogers ist in Kapstadt.

Peter Rogers war ein früherer Freund, mit dem Frances

einmal Analverkehr gehabt hatte. Im Lauf der Jahre hatte sie Avery schon mehrfach bekannt, wie leid es ihr täte, je davon geredet zu haben. Sie fürchtete, Peter Rogers könnte für ihn zur Manie werden.

Können wir nicht morgen früh weiterreden?, fragte Avery.

Zehn Minuten später wachte das Baby auf und wollte gefüttert werden. Kurz nach fünf wachte es noch einmal auf. Als der Wecker schellte und Ruth aufstehen musste, um zur Vorschule gebracht zu werden, waren Frances und Avery fast sprachlos vor Müdigkeit. Bis Barbara um elf Uhr kam, wechselten sie kaum mehr als ein Dutzend Worte miteinander. Barbara hatte für Ruth einen Wimpel der Belfast Giants mitgebracht (seit Neustem stand auf der Liste ihrer Aufgaben bei den *East Belfast Community News* auch die Berichterstattung über die Eishockeyspiele). Vom neuen Baby hatte sie nichts gewusst. Während sie David bewunderte – und Frances noch stärker gegen sich aufbrachte, als sie behauptete, für die Mutterschaft nicht geschaffen zu sein, es gäbe einfach zu viel, was sie noch tun wolle –, setzte Avery den Kaffee auf und führte Barbara dann in sein Arbeitszimmer. Oben auf der Treppe überkam ihn plötzlich der Drang, sich umzublicken. Frances hielt den Kopf des Babys dicht an ihrem und winkte ihm mit seiner kraftlosen Hand zum Abschied zu.

Solange er sich mit Barbara unterhielt, blieb ihm das Bild der beiden vor Augen, weshalb er sie mehrfach bitten musste – war da die Haustür zugeschlagen? –, noch einmal zu wiederholen, was sie gerade gesagt hatte. Und Barbara wiederholte, langsam, als hätte er die Worte absichtslos hervorgebracht und wollte sie vielleicht noch wieder zurücknehmen, ehe Barbara mit ihnen tat, was sie, wie sie beide wussten, mit ihnen tun würde.

Ja, entschuldigen Sie, sagte er, ehe er stotternd fortfuhr.

Doch Frances ging nicht an diesem und auch nicht am nächsten Tag. Sie ging nicht einmal, als Donnerstag früh die *East Belfast Community News* auf der Türmatte landete.

Hat »vergesslicher« Reverend Komplott aufgedeckt? Oder vergisst er sich diesmal selbst?

Ein Reverend aus Ost-Belfast wirft den Sicherheitskräften vor, außerordentliche Anstrengungen unternommen zu haben, um einen Mörder zum Schweigen zu bringen, mit dem sie in den Siebzigerjahren gemeinsame Sache begingen. Reverend Ken Avery, vormals Holywood, Grafschaft Down, scheint mit seiner sensationellen Behauptung, es habe nach stümperhaften Mordversuchen Hirnoperationen gegeben, dem kalifornischen Hollywood die Vorlage für einen Film liefern zu wollen. Allerdings reichen die Einzelheiten, die er bekannt gibt, kaum aus, um den Platz einer sprichwörtlichen Briefmarke zu füllen. »Das ist nicht meine Aufgabe«, sagt er. »Ich kann nur hoffen, dass sich durch meine Aussage der betreffende Mensch meldet und seine Geschichte selbst erzählt.« Wenn es um Kontroversen geht, ist Reverend Avery kein Neuling. Einige seiner Bemerkungen in einem Interview, das diese Zeitung erst vor wenigen Monaten gebracht hat, fand mancher Leser geradezu ketzerisch. Bei unserem Gespräch in seinem Haus in dieser Woche wirkte er müde und abgespannt, doch mag daran auch die Geburt seines zweiten Kindes (ein Sohn) schuld sein.

Laut Aussage der Polizei sind offiziell noch keine entsprechenden Anschuldigungen erhoben worden. Auf den Hinweis, man habe kürzlich Beamte in der Kirche von Reverend Avery gesehen, lautete die Antwort, dieser Vorfall stünde damit ›in keinerlei Zusammenhang‹.

Noch am selben Tag, doch erst später, als Gerüchte darüber, was dieser Vorfall gewesen sein mochte, zu der ›keinerlei Zusammenhang‹ bestand, vor dem Schultor und in den Warteschlangen bei den Kassen im Tesco-Supermarkt die Runde machten, entschied Frances, dass sie nicht länger im selben Haus mit ihm leben konnte.

(Avery hatte ihr natürlich von den Joy-Street-Fotos erzählt, sich aber nicht eine Sekunde gefragt, wie sie die Geschichte aufnehmen würde; auf der Straße jedenfalls hätte er damit niemanden überzeugt: Ach, ihm wird nichts weiter vorgeworfen, angeblich soll er bloß auf den Straßenstrich gefahren sein. Nein, er selbst saß natürlich nicht am Steuer. Ich weiß! Erstaunlich, nicht?)

Selbst dann machte sie sich nicht heimlich aus dem Staub.

Ich denke, ich rufe meinen Daddy an, sagte sie. Er soll herkommen und uns abholen, bevor der Feierabendverkehr einsetzt.

Sie bat Avery, auf das Baby aufzupassen, während sie mit Ruth nach oben ging, um zu packen.

Schon wieder?, fragte Ruth.

Ja, Liebes, schon wieder.

Avery sagte ... Tja, was gab es da schon zu sagen? Frances rief ihm über das Geländer Anweisungen zu. Sie brauchte den Babykorb, die Babywanne, den Sterilisator, das Babyfon und den Buggy. Sie brauchte die Babyschale und Ruths Kindersitz aus dem Orion. Es kam ihm gar nicht wie eine Trennung vor, und eigentlich war es ja auch nur, was er selbst noch letzte Woche vorgeschlagen hatte. Ihr Vater, unberechenbar wie immer, hielt respektvoll Abstand, als sie sich voneinander verabschiedeten.

Du bist ein guter Mensch, flüsterte Frances in Averys Ohr, aber du bist nicht immer besonders klug. Hättest du mit mir geredet, wäre es vielleicht nie so weit gekommen.

Avery wollte ihr sagen, dass das nicht stimmte, wusste aber, er würde damit alles nur noch schlimmer machen.

Ich ruf dich morgen früh an, falls ich noch was vergessen habe. Und falls ich zu dir durchkomme.

Seit dem späten Vormittag lag der Hörer neben dem Telefon. Sonst, hatte Frances gesagt, wäre es einfacher gewesen, ihn fortzuschicken und sie mit dem Baby und dem Berg Kindersachen im Haus zu lassen. Der Anrufbeantworter schien wie besessen, vorwiegend von den Geistern einer besorgten Gemeinde. Tonangebend war die Stimme von Guy Broudie, der erst eine Eilsitzung des Ältestenrates forderte, Avery später dann aber daran erinnerte, dass die Sitzung bloß ein Entgegenkommen bedeute, er könne und werde sich auch ohne sie an das Presbyterium wenden. Ein Rundfunkredakteur meldete sich. Ob Reverend Avery bereit sei, seine Anschuldigungen in einem Livegespräch weiter auszuführen? Das Informationsbüro des Hauptquartiers der Kirche meldete sich. Ob Reverend Avery bitte die Güte habe, weitere Behauptungen erst mit ihnen abzusprechen, ehe er öffentlich ein weiteres Wort sagte? Des wollte ihn wissen lassen, dass er ihn in seine Gebete einschließe.

Nachdem Frances und die Kinder das Haus verlassen hatten, saß Avery im Flur auf dem Boden und lehnte sich an den Heizkörper. Als er schließlich zu weinen aufhörte, nahm er sich aus der Küche einen Karton Orangensaft und eine Banane. Später ging er dann nach oben, um eine Decke und ein Kissen zu holen. Der Anruf, auf den er wartete, kam um halb elf. Keine Nachricht. Keine Nummer wurde angezeigt. Im nächsten Augenblick klingelte sein Handy.

Ich bin's, sagte die Stimme, und Avery sagte, ich weiß.

Eigentlich wollte ich gar nicht anrufen.

Ich habe gehofft und gebetet, dass Sie es tun würden.

Er rief von irgendwo außerhalb des Verbreitungsgebietes der *East Belfast Community News* an, und dass er sich heute und nicht gestern oder erst morgen meldete, war reiner Zufall. Avery erzählte, was er getan hatte, dass er mit der Zeitung geredet hatte. Zwar war es mit Barbara nicht sonderlich gut gelaufen, aber darauf kam es jetzt nicht an. Der Stein war ins Rollen gebracht.

Ohne Tony zu erwähnen, konnte er Larry nicht erklären, dass er jetzt in größerer Gefahr schwebte, doch konnte er Tony nicht erwähnen, ohne zu verraten, worum ihn Avery gebeten hatte.

Wie steht's mit der Erinnerung?, fragte er.

Wird jeden Tag besser.

Gut. Ich habe da eine Idee. Wie schnell können Sie herkommen?

Heute Abend noch? Es ist halb elf.

Ich kann Sie abholen. Sie können über Nacht bleiben. Sie können bleiben, so lange Sie wollen.

2

Also Warten Sie Nein Tut mir leid Stellen Sie das Ding ab Ich brauch einen Augen

Nun ähm also ’tschuldigung Spulen Sie zurück

Okay okay okay okay Sie werden das jetzt nicht glauben, aber ich muss unbedingt auf die Toilette.

Läuft’s? Also gut.

Sie müssen schon entschuldigen. Ich hab immer noch Lücken, also falls ich

Egal.

Zu Hause gab es jede Menge Ärger. Das weiß ich noch. Schon als ich ein kleiner Junge war, haben meine Mum und mein Dad sich ewig gestritten. Ich konnte es kaum abwarten, endlich von da zu verschwinden. Ein paar von meinen Kumpeln hatten ein Haus in der Cliftonville Road. Müssen alle zusammen so an die zwanzig gewesen sein, die da gewohnt haben. Sie haben mir ein Bett angeboten. Ob zwanzig oder einundzwanzig, das war egal, es herrschte sowieso ein ständiges Kommen und Gehen. Im Grunde war es eigentlich kein Haus, sondern eine Party. Das können Sie sich nicht vorstellen. Das ganze Land spielte verrückt, Bomben und Schießereien, wohin man sah, und wir drehten Rory Gallagher und Thin Lizzy voll auf und hatten einen Mordsspaß.

Und äh und äh und äh und äh das ging eine Weile gut, und dann äh eines Tages – keine Ahnung, wie spät es genau war, ich war gerade ins Bett gekrochen –, da gab es diesen Wahnsinnskrach, und dann weiß ich nur noch, dass plötzlich Polizei und Soldaten im Zimmer standen, mich packten und die Treppe runterschleiften – die anderen auch –, die Mädchen haben sie geohrfeigt, damit sie zu schreien aufhörten, und den ganzen Laden haben sie auf den Kopf gestellt. Die Haustür lag hinten im Flur, keinen Schimmer, womit sie die aufgemacht haben, eine Granate, sah jedenfalls so aus. Ein großer Holzsplitter von der Tür hatte sich in einer meiner Socken verfangen – richtig, ich hatte diese dämlichen Socken an, riesige Wollsocken, die ich mir im Bett über meine normalen Socken gezogen habe, bestimmt haben sie gestunken, alles, was ich anhatte, hat bestimmt gestunken – aber, äh, aber, äh, ach ja, der Splitter. Er stach mir in den Fuß, sie haben uns auf die Straße geschleppt, Hände an die Wand, und ich hab mich immer nur gefragt, wie ich dieses verdammte Ding aus meinem Fuß kriege, und irgendwie dreh ich mich um, als ein Polizist die Treppe runterkommt, eine Reisetasche in der Hand, aus der eine Waffe ragt, und dann – klatsch! – haut mir dieser Soldat auf den Schädel und sagt Gesicht zur Wand, du IRA-Bastard! Da erst hab ich's dann richtig mit der Angst zu tun gekriegt. Ich hab geschrien, von Waffen wüsste ich nichts, und da fing der Typ neben mir auch an zu schreien, dann die ganze Reihe, und die Soldaten prügelten auf uns ein, traten uns und schrien uns an, wir sollten verdammt noch mal die Schnauze halten, wer hätte sie denn ins Haus gebracht, die Feen vielleicht? Wir mussten die Hosen runterlassen, damit wir nicht weglaufen konnten. Mittlerweile hatte sich eine Menge Menschen auf der Straße versammelt, und sie verhöhnten die Soldaten, spuckten sie an, also wurden wir in ein paar Saracens verfrachtet und doppelt so hart getreten, bis die Türen wieder aufgingen und wir im Hof irgendeiner Kaserne mit noch mehr Soldaten, mit Scheinwerfern und bellenden Hunden standen. Ich weiß nicht, wohin sie die anderen gebracht haben, weil mir als Erstes der Pullover über den Kopf gezogen wurde – drunter hatte ich ungefähr drei T-Shirts an, in denen ich geschlafen hatte –, und den haben sie hinter meinen Ohren verknotet, was höllisch wehtat – an den Ärmeln hat man mich in diesen Raum geschleift und hinter mir die Tür geschlossen. Nur mit Mühe konnte ich meinen Kopf vom Pullover befreien. Gesehen habe ich nichts. Ich schrie. Ich dachte, es läge an meinen Augen. Ich habe sie sogar angefasst, um sicherzugehen, dass ich sie offen hatte. Sie waren auf, aber es gab kein Licht. So eine Dunkelheit haben Sie noch nie erlebt. Ich glaube, ich bin ausgerastet. Ich hab geweint, und ich, ich, ich sag Ihnen lieber nicht, was ich in den Stunden getrieben habe, bis das Licht wieder anging. Licht? Was rede ich denn da. Es war etwa so hell wie eine winzige Taschenlampe, aber mich hat es fast geblendet. Es gab ein Bett. Es gab eine Toilette, nur zwei Schritt neben mir. Ich hab wieder geflennt.

Warten Sie Halten Sie an Nein Doch nicht Ist schon okay.

Als sie mich schließlich holten, hätte ich mich am liebsten in ein Loch im Erdboden verkrochen, um darin zu krepieren. Sie steckten mich unter die Dusche – eiskalt natürlich –, gaben mir zum Anziehen eine Jeans von irgendwem und brachten mich in ein Zimmer mit einem Tisch, zwei Typen daneben, beide in Lederjacke und Jeans. Wäre ihr kurz geschnittenes Haar nicht gewesen, hätten sie glatt aus unserem Haus sein können. Sie sagten weder Hallo noch Setz dich oder Ich heiße oder sonst irgendwas. Einer von ihnen – er hatte einen englischen Akzent, Yorkshire, doch habe ich das damals noch nicht gewusst – hielt mir ein Papier unter die Nase und fing an, lauter Mist über mich vorzulesen, über meinen Rang in der IRA und so. Ich stand da mit offenem Mund. Ehrlich gesagt, mir war zum Lachen zumute, ich war mir sicher, dass ihnen hier ein Riesenfehler unterlaufen war. Ich sagte: Sie irren sich, ich kann gar nicht in der IRA sein; ich bin Protestant. Der Typ mit dem Papier, der Kerl aus Yorkshire – er wurde Clark genannt, aber das wusste ich damals auch noch nicht –, dieser Typ zuckte mit den Achseln. Für mich seid ihr alle Scheiß-Micks, sagte er. (Der andere Typ grinste.) Ist auch egal, du wärst nicht der erste Proddie Provo, den ich hier drinnen habe. Und dann mischte sich der zweite Kerl ein: Mit einer der Waffen, die wir aus eurem Haus geholt haben, wurde ein Polizist getötet, sagte er. Ich konnte es nicht fassen – Scheiß-Micks? Der kam so sicher aus Belfast wie ich selbst. Ich sagte ihm, ich wüsste nicht, wie die Waffe dorthin gekommen war oder wem sie gehörte, denn ich hätte im Haus noch nie Waffen gesehen, es wäre schwer genug gewesen, ein Messer aufzutreiben, um sich Butter auf den Toast zu schmieren.

Willst du uns Lügner nennen?, fragte Clark. Hörst du das, Rob, er nennt uns Lügner.

Ich nenne niemanden einen Lügner, ich sage nur, was ich gesehen habe.

Was du nicht gesehen hast, sagte Rob.

Meine ich ja.

Das Papier war ein Stück über den Tisch in meine Richtung gerutscht. Ich konnte Daten lesen, Uhrzeiten. Ich dachte, vielleicht wurde das Haus beobachtet. Die Zahlen waren verkehrt herum, ich brauchte eine Weile, um sie zu entziffern. Warten Sie, sagte ich, bei den meisten Daten handelt es sich um eine Zeit, in der ich noch nicht im Haus gewohnt habe.

Ich rechnete damit, dass ihnen das egal war, aber ich glaube, es war Clark, jedenfalls einer von den beiden, der das Papier zu sich heranzog, die Ellbogen auf den Tisch stützte und zu lesen begann. Er schob das Blatt seinem Kumpel zu. Klasse, dachte ich, wenigstens bin ich zu ihnen durchgedrun-

gen. Ich plapperte drauflos, erzählte, dass ich nur wegen der ewigen Keiferei von zu Hause fort sei, dass ich nie wieder in der Cliftonville Road wohnen würde, dass ich, sobald sich dies alles geklärt hätte, gleich wieder in meinen Teil der Stadt gehen würde.

Eigentlich habe ich gedacht, alles, nur nicht zurück in diese Zelle.

Also, sagt Rob, der Belfaster, vielleicht stimmt es ja. Vielleicht hast du hiermit gar nichts zu schaffen. Er sagt: Trotzdem hätte ich es an deiner Stelle mit dem nach Hause gehen nicht ganz so eilig, nur für den Fall, verstehst du, es spräche sich herum, dass du mit einem Haufen Provos herumgelungert hast.

Tja, sie haben wohl gesehen, was ich plötzlich für einen Riesenschiss hatte. Rob sagte: Hör mal, wer sind drüben bei euch in der UVF eigentlich die großen Häuptlinge? (In unserer Gegend war es immer die UVF. Immer.) Clark und er hauten mir die Namen um die Ohren. Ich sagte, ich wisse nichts, aber diese beiden Typen, die wussten genau, was sie taten, sie kannten die Anzeichen, auf die sie achten mussten, konnten es meinem Gesicht ansehen, vielleicht auch den Haaren auf meinem Handrücken, was weiß ich, wenn sie ins Schwarze getroffen hatten.

Freund von dir, ja? Kennst ihn vom Sehen, wie?

Ich zuckte die Achseln, wand mich, fuhr dann und wann vielleicht auch mal zusammen.

Die beiden verzogen sich in eine Zimmerecke flüsterten miteinander. Oder taten so als ob, ich weiß es nicht. Dann drehte Clark sich zu mir um und sagte: Ich sag dir, was wir mit dir machen.

Können wir eine kleine Pause einlegen?

Alles in Ordnung?

Glaub schon.
Was war mit dem Splitter?
Dem was?
Dem Türsplitter. Kam mir gerade nur so in den Sinn. Er hatte sich in Ihrer Socke verfangen.
Weiß nicht.
Ist auch egal, viele Lücken gibt es bislang jedenfalls nicht.
Nein?
Nein.
Ich glaub, das Medaillon, als ich mich daran erinnert habe, ist mir alles wieder eingefallen.
Schaffen Sie es, davon zu erzählen?
Sekunde noch.
Um die Aufnahme zu überprüfen, spulte Avery ein bisschen zurück: *taten so als ob, ich weiß es nicht*. Dann spulte er wieder vor und wartete.
Die Geschwindigkeit, mit der sich die Dinge entwickelten, überraschte ihn. Erst gestern Abend hatte er diese Aufnahme vorgeschlagen, da er sich erhoffte, die Geschichte so besser auf den Punkt bringen zu können.
Einen Versuch ist es wert, meinte Larry.
Und als Avery heute Morgen in die Küche kam, saß Larry am Tisch, die blaue Sportjacke hinter sich über dem Stuhl, die Hemdsärmel zweimal hochgekrempelt. Legen wir los, verkündete sein Anblick.
Und sie legten los.
Avery hätte auch noch den ganzen Tag gewartet, um mehr von Larry zu hören, doch der krempelte die Ärmel schon wieder hoch.
Okay, sagte er. Aufnahme.

Ähm, 'tschuldigung eine Sekunde

Wo war ich?

Clark wollte Ihnen einen Vorschlag machen.
Richtig. Genau. Weiter geht's.

Ich weiß nicht, inwieweit das alles geplant war, ob auch die Hausdurchsuchung dazugehörte oder ob sie einfach nur Glück gehabt hatten und improvisierten. Eine Zeit lang wohnte ich wieder daheim, genau wie ich es wollte und wozu Clark und Rob mir dann auch geraten hatten. Ich trieb mich an bestimmten Plätzen herum, Clubs und so, weil ich wusste, dass ich da den richtigen Leuten auffallen würde. Na ja, was heißt hier ›richtig‹ …? Jedenfalls hatte man mir geraten, mich stärker an sie ranzumachen. Freiwillig brauchte ich mich nicht zu melden. Ich meine, es gab schließlich keine Ausbildung, keinen Intensivkurs, aber das wissen Sie ja, das wissen alle, was immer einem die Wandbilder auch weismachen wollen. Übrigens würde ich das gern mal sehen, ein ehrliches Wandbild. Keine Wappen und Uniformen, nicht mal Gewehre. Vier Männer an einem Tisch in Säuferformation, Gläser in der Hand. Scheiß auf den Papst! Protestanten raus!

Egal.

Hin und wieder habe ich mich mit Clark getroffen. Ich habe nie erfahren, ob das sein Vorname oder sein Nachname war. Clark. Man hatte mir eine Nummer gegeben, die sollte ich anrufen und nach ihm fragen. Ich erzählte, was ich gesehen und gehört hatte. Nicht gerade das, was man topsecret nennen würde, aber Clark schien damit zufrieden zu sein und gab mir mal einen Fünfer, mal einen Zehner, Geld, das ich in jenen Tagen verdammt gut gebrauchen konnte. Ich war natürlich arbeitslos. Und mein Dad fing wieder an, hackte auf mir herum – als wenn er auch nur einen Deut besser dran gewesen wäre –, und irgendwann hab ich gedacht, wenn ich nicht bald endgültig von hier verschwinde, tu ich einem von uns beiden noch was an. Also hab ich Clark gesagt, er könne machen, was er wolle, aber ich hätte die Nase voll, und er sagte bloß, tja, bleib trotzdem in Kontakt, und gab mir eine neue Nummer. Damit kommst du sofort zu mir durch, praktisch bis in mein Schlafzimmer. In spätestens einer Stunde kann ich dann bei dir sein.

Ich hätte sie natürlich einfach fortwerfen können, sobald ich allein war. Schön wäre, ich könnte sagen, ich hätte damals gedacht, sie würde vielleicht mal nützlich sein, wenn ich in Schwierigkeiten steckte, denn weiß Gott – 'tschuldigung – ähm, wie man weiß, musste man sich damals nicht gerade anstrengen, um in Schwierigkeiten zu geraten. Wenn ich aber wirklich ehrlich sein soll, dann war es das Abenteuer. Und jeder, der wirklich ehrlich ist, wird genau dasselbe erzählen, wie ungern er anfangs auch mitgemacht hat, wie verzweifelt er auch versucht hat, wieder rauszukommen. Irgendwie fehlt einem was.

Eine Zeit lang hielt ich mich bedeckt. Neue Gegend, neuer Anfang, Sie wissen, was ich meine. Aber dann, ich weiß nicht, dann bin ich allmählich einfach wieder zurück in die Clubs und Bars, doch jetzt hatte ich natürlich schon einen gewissen Ruf, eine Vergangenheit, konnte Namen fallen lassen, und wie zuvor fragten sie mich, ob ich nicht gern etwas aktiver dabei sein würde, und es dauerte nicht lang, da bewahrte ich dies oder jenes für jemanden auf, der dringend irgendwo etwas aufbewahrt wissen wollte, überließ jemandem für die Nacht ein Bett und stellte keine Fragen, erkannte denjenigen auch nicht wieder, sollten wir uns auf der Straße mal zufällig begegnen.

Monate vergingen, ehe ich Clark anrief. Man hätte meinen können, er hätte die ganze Zeit neben dem Telefon gehockt. In seinem Schlafzimmer. Ja, genau. Nicht mal eine halbe Stunde später traf er sich mit mir. Hat mich mit seinem Wagen abgeholt. Sie hätten sehen sollen, wie er gelächelt hat, ich meine, es sah aus, als ob er es wirklich ernst meinte. Hat mir sogar wieder die Hand geschüttelt. Als ich ausstieg, gab er mir zwanzig

Pfund. Danach waren es immer fünfzehn. Wir haben uns alle vierzehn Tage getroffen. Manchmal war sein Kumpel Rob dabei, und ich musste hinten sitzen. Er drehte sich zu mir um und stellte mir ein paar Fragen, aber meistens fuhr Rob an diesen Tagen, oder er saß einfach nur da und starrte aus dem Fenster, während Clark und ich uns unterhielten.

Rob war nicht sein richtiger Name, aber das erfuhr ich erst, als er erschossen wurde und sein Name mit seinem Foto und seiner Geschichte in den Zeitungen stand. Provos. Er hatte einen kleinen Jungen und ein kleines Mädchen, so um die fünf oder sechs Jahre alt. Ich habe Clark noch nie so wütend erlebt wie bei unserem nächsten Treffen: Die reinste Platzverschwendung, euer ganzer verdammter Haufen. Wenn es nach mir ginge, würde ich euch alle an die Wand stellen und abknallen. Ich protestierte, ich sagte, ich würde heute noch zufrieden meine Platten von Thin Lizzy abspielen und mich mit meinen Kumpeln besaufen, hätten er und ›Rob‹ nicht entschieden, bei uns vorbeizukommen. Sie hätten mich in diese Sache reingezogen, so sei es gewesen, nicht anders herum. Und dann er: Ich sag dir, weshalb du reingezogen wurdest, und er rieb Daumen und Zeigefinger aneinander. Hab ich recht? Hab ich nicht recht? Sag schon.

Völlig Unrecht hatte er nicht. Abenteuer und Geld. Sie konnten beide süchtig machen.

Er befahl mir, aus dem Wagen zu steigen. Ich sagte, das brauche er mir nicht zu sagen, ich wolle sowieso raus. Als er losfuhr, war die Tür noch offen. Ein Stück weiter die Straße hinunter hielt er an und warf sie mit lautem Knall ins Schloss.

Ähm äh Können wir hier aufhören? Eine Tasse Ka

Beim Supermarkt standen offenbar die Türen der Warenannahme auf. Ein Radio plärrte in voller Lautstärke, der Klang fast verzerrt. Jede zweite Aufnahme war von den Beatles oder von John Lennon oder von Bryan Ferry, der Songs von John Lennon sang. Freitag, 8. Dezember 2000. Heute vor zwanzig Jahren.

Wo waren Sie da?, fragte Avery.

Wissen Sie – und hätte Avery auch nur einen Moment nachgedacht, hätte er sich das eigentlich denken können –, ich kann mich nicht erinnern. Und Sie?

Im Schulbus hatte der Fahrer ein Transistorradio am Spiegel hängen. Er war in Tränen aufgelöst und hörte auf, Fahrgeld einzusammeln. Ich stieg zwei Haltestellen früher aus. Ich hatte Angst, er würde einen Unfall bauen.

Vom toten Popstar war es nur ein kurzer Weg zum toten Präsidenten (Wo waren Sie? ›Bestimmt in der Schule‹ und ›noch nicht geboren‹), von dort weiter zu dem Mann, der als Junge die Hand des schon kurze Zeit später verstorbenen Präsidenten geschüttelt hatte und der nun selbst als Präsident in vier Tagen zu einer letzten Runde Händeschütteln in Belfast sein würde. Im Odyssey. Gab es einen besseren Ort, um etwas zu beenden?

Der Gedanke schien ihnen beiden gleichzeitig zu kommen. Sie stellten ihre Teetassen ab.

Fangen wir wieder an und bringen es hinter uns?

Also Ja Ich war ziemlich mies drauf. Von neunzehnsechsundsiebzig rede ich jetzt. Damals hatte ich angefangen, im großen Stil zu saufen. Hab mir jedes Mal eine andere Alt-Männer-Kneipe in der Stadt gesucht, mich in eine Ecke gesetzt und Abend für Abend still besoffen, bis jemand glaubte, mir einen Gefallen tun und mich in ein Gespräch verwickeln zu müssen. Dann bin ich los und hab mir eine andere Kneipe gesucht. Das Verrückte an Belfast damals war, dass das Stadtzentrum – die tote Mitte – noch ausgestorbener war als die schlimmste Provinz. Kneipen, in denen kaum ein Mensch saß.

Man konnte hören, wie ein Glas abgewischt wurde. Leute, die niemandem begegnen wollten, kamen in die Stadt. Alte Knacker und Typen auf der Flucht, das war so ziemlich das höchste der Gefühle.

Ich kannte Davy aus den Loyalistenklubs und hatte immer den Eindruck gehabt, er hätte ziemlich gute Verbindungen, aber nur vom Sehen im Ellis wusste ich, dass er versuchte, Abstand zu seinen alten Kumpeln zu gewinnen. Zehn zu eins, sagte ich mir, dass das was mit der Frau zu tun hatte, mit der er sich traf. Für sich waren beide ziemlich still, aber manchmal war noch eine zweite Frau mit ihnen zusammen, und die flötete permanent Roisin hier und Davy da. Roisin und Davy. Ein Genie musste man da nicht gerade sein. Einige Male habe ich ihn dabei ertappt, wie er zu mir rüberstarrte und versuchte, mein Gesicht einzuordnen. Ich hab zurückgelächelt, so nach dem Motto, meinetwegen brauchst du dir keine Sorgen zu machen.

Dann hab ich Clark angerufen. Ich war blank. Wissen Sie, ich dachte, vielleicht interessiert er sich für Davy und seine Freundin, übt ein bisschen Druck auf die beiden aus, aber er fand nicht, dass da was dran sei. Warum sollten sie mit ihm reden? Sie hatten sich ihre Nische gesucht und passten auf, dass sie keinem in die Quere kamen. Viel Glück auch.

Er gab mir keinen Penny. Ein paar Tage später habe ich ihn wieder angerufen. Was, wenn man den beiden ein bisschen Angst einjagt? Mal angenommen, man schießt auf sie und schießt haarscharf daneben? Glauben Sie nicht, dass die beiden dann froh sind, wenn man ihnen ein bisschen Schutz anbietet? Und Clark sagte irgendwas wie, du bist ein verdammter kleiner So-und-so, weißt du das?

Clark selbst hat mir die Waffe gegeben. Er sagte, keine Angst, die kann man nicht zurückverfolgen, garantiert nicht. Er erklärte mir kurz, wie sie funktionierte, und ich ließ mir nicht anmerken, dass ich noch nie eine Waffe in der Hand gehalten hatte. Schien ziemlich einfach zu sein, so wie er es beschrieb. Ich sollte mich hinterher mit ihm treffen, und er würde mir die Waffe abnehmen, aber von Anfang an lief alles schief. Noch ehe ich in die Bar ging, beschloss ich, die Einnahmen aus der Kasse mitzunehmen. Das gehörte nicht zum Plan – ein Schuss in die Tür und dann raus, das war der Plan –, aber wenn man erst mal eine Knarre in der Hand hält, kriegt man alle möglichen Ideen. Und ich war wirklich ziemlich blank. Ich hab mir die Parkakapuze über den Kopf gezogen und einen Schal um Mund und Nase gebunden. Der Typ hinter der Theke hat nicht gerafft, wer ich bin, aber Davy wusste es, fragen Sie mich nicht, wieso, vielleicht bin ich einfach zu lange geblieben. Er stand auf und zeigte mit dem Finger auf mich. Ich zeigte mit der Knarre auf ihn. Keine Ahnung, wann ich die auf ihn gerichtet habe. Es war, als hätte ich einen Kranich als Arm. Roisin sagte, ach, Junge, tu's nicht. Ich glaub, ich guckte immer noch, wohin ich vorbeischießen sollte, aber plötzlich kamen sie mir so riesig vor. Ich drückte ab, und es war, als würde mein Finger in zwei Hälften geschnitten, ich wäre nicht überrascht gewesen, wenn das Ding einfach von meiner Hand auf den Boden gepurzelt wäre, und dann … dann hat Roisin einen kleinen Satz gemacht. Ich hab mich noch gefragt, was sie da treibt, ich wollte sie anschreien, Setzen Sie sich, sonst werden Sie noch getroffen – ich hatte noch nie gesehen, wie das ist, wenn jemand erschossen wird, ich hatte keine Ahnung, überhaupt keine Ahnung –, dann sackte Davy an der Wand zusammen. Ich war wie betäubt. Es war, als steckte ich in einer Blase. Ich ging weiter, die Knarre in der Hand. Ich musste mich überzeugen, dass ich alles vernünftig gemacht hatte. Roisins Freundin lag auf der Seite. Ich ging zu ihr, und da hab ich dann das Kettchen mit dem Medaillon gesehen. Ich griff danach, fühlte es in meiner Hand, und dann platzte die Blase.

Ich bin aus der Bar gerannt. Ich bin gerannt und gerannt.

Die Knarre steckte in meinem Parka. Ich bin direkt an der Stelle vorbeigelaufen, an der Clark parkte. Er sprang aus dem Wagen und sprintete mir nach. Er hätte mich laufen lassen sollen. Ich hab gehofft, ein Auto oder ein Bus würde mich überfahren, und wenn nicht, wollte ich die Waffe in den Lagan werfen und mich selbst hinterher. Als Nächstes habe ich dann nur noch gespürt, wie mich gleich unterhalb der Hüfte ein Gewicht traf und wie die Beine nachgaben. Clark hatte mich zu Boden gerissen. Er saß auf meinem Rücken. Seit er die Autotür aufgestoßen hatte, hatte er kein Wort gesagt. Ich wollte den Kopf heben und brüllen: Ich hab sie alle erschossen! Ich hab sie alle erschossen! Ich war völlig von der Rolle. Wie einen Knebel presste er mir seine Hand auf Mund und Nase. Verzweifelt wollte ich schreien: Ich hab sie alle erschossen! Es war, als wäre dies meine letzte Chance.

Und dann hab ich die Augen im Krankenhaus aufgeschlagen, und da waren Ärzte und Leute, die mir sagten, wie froh ich sein könne, dass ich noch am Leben sei und was für einen schlimmen Sturz ich mit dem Motorrad gehabt hätte, und den Bruchteil einer Sekunde lang wusste ich, dass sie logen, konnte alles sehen, was passiert war, sie waren tot, eindeutig tot, aber dann war es, als würde was ausgeknipst, als würde ein Traum verblassen. Von dem Tag an wurde ich das Gefühl nicht mehr los, dass ich irgendwas nicht zu fassen bekam. Tausendmal – nein, hunderttausendmal lag es mir fast auf der Zunge, dieses Wort, das all die übrigen Worte freisetzen würde, die nur darauf warteten, da war ich mir sicher.

Ich hab mich eben geirrt, als ich von Lücken sprach. Blockaden hätte ich sagen sollen. Was auch immer mit mir gemacht wurde, als man mir den Kopf öffnete, es war wie ein Damm, der all das Zeugs abhielt. Jahrelang drang nichts durch. Und dann kam wie aus heiterem Himmel der erste Riss. Ich hörte Radio. Irgendwer sagte: Ein jeder sei in seiner Meinung gewiss. Und ich wusste, ich war es nicht. Ich wusste, ich würde keine Ruhe finden, ehe ich es nicht war. Jetzt bin es.

Ich glaub, das ist alles. Ich glaub, mehr hab ich nicht zu erzählen.

Tut mir leid.

Bei den letzten Sätzen hatte Avery den Kopf gesenkt. Jetzt hob er ihn wieder und schluckte, ehe er fragte: Wie geht es Ihnen jetzt?

Besser, irgendwie, aber auch …

Verstehe, dumme Frage.

Nein, gar nicht dumm. Schießen Sie los, fragen Sie mich, was Sie wollen.

Was glauben Sie, warum man Sie wirklich operiert hat? Ganz ehrlich.

Weil ich sonst den Mund nicht gehalten hätte? Weil es ein Experiment war? Weil sie glaubten, bei all dem anderen, was damals passierte, würden sie damit durchkommen? Keine Ahnung.

3

Wie gewöhnlich betrat Avery die Kirche am Sonntag um Viertel vor elf durch die Tür neben dem Sitzungszimmer. Ronnie, der sich zufällig gerade im Flur aufhielt, schien wie vom Donner gerührt. Fast wäre er spontan davongerannt, doch konnte er sich gerade noch zurückhalten. Wir haben Sie heute nicht erwartet, sagte er und rettete sich in den Plural.

Wer sollte denn sonst den Gottesdienst abhalten?, fragte Avery, während er die Schlüssel durch die Finger gleiten ließ, bis er den gefunden hatte, der zu seinem Zimmer passte.

Seit der Zeit vor dem Volkstrauertag war der Kalender nicht mehr abgerissen worden. Avery riss einen Monat voller Tage ab und ließ die Blätter in den Papierkorb fallen. Zum Vorschein kam eine Anzeige der Begabtenschule in Midvale. Ein Junge stand oben auf einer Treppe und drückte mit seinem ganzen Gewicht gegen eine Tür, auf der ›Ziehen‹ stand.

Avery setzte sich an den Tisch, das Lektionar ungeöffnet vor sich. Der zweite Adventssonntag. Der Sonntag der Propheten. Er hatte die Texte für diesen Tag schon gelesen, hatte am Abend zuvor, lang nachdem Larry eingeschlafen war, im Arbeitszimmer gesessen und sich über Hesekiel gebeugt:

Und er sprach zu mir: Du Menschenkind, tritt auf deine Füße, so will ich mit dir reden. Und als er so mit mir redete, kam Leben in mich und stellte mich auf meine Füße, und ich hörte dem zu, der mit mir redete. Und er sprach zu mir: Du Menschenkind, ich sende dich zu den Israeliten, zu dem abtrünnigen Volk, das von mir abtrünnig geworden ist. Sie und ihre Väter haben bis auf diesen heutigen Tag wider mich gesündigt. Und die Söhne, zu denen ich dich sende, haben harte Köpfe und verstockte Herzen. Zu denen sollst du sagen: »So spricht Gott der HERR!« Sie gehorchen oder lassen es – denn sie sind ein Haus des Widerspruchs –, dennoch sollen sie wissen, dass ein Prophet unter ihnen ist … Und ich sah, und siehe, da war eine Hand gegen mich ausgestreckt, die hielt eine Schriftrolle. Die breitete sie aus vor mir, und sie war außen und innen beschrieben, und darin stand geschrieben Klage, Ach und Weh.

Während er las, hatte er die Kassette aus dem Rekorder genommen, sie hin und her gewendet und dann und wann jenes leise Klappern gehört, das einen vor der Annahme warnte, solcherlei Dinge würden ewig halten.

Und er sprach zu mir: Menschensohn, was du findest, iss! Iss diese Rolle, und geh hin und rede zum Hause Israel!

Er tippte sich mit der Kassette nachdenklich an die Oberlippe, dann schloss er die Aufnahme in die Schublade seines Schreibtisches ein.

Einige Male hörte er draußen auf dem Flur vor dem Zimmer leises Geflüster und eilige Schritte, aber niemand klopfte an seine Tür. Um zwanzig nach elf trat er an den Schrank, um sich anzukleiden. Ein Tag für Talar und Bänder, entschied er. Ja. Eine Erinnerung an seinen Beruf, wenn schon für niemanden sonst, dann wenigstens für ihn selbst. Er hatte es schließlich nicht durch Glück oder Betrug geschafft, Priester dieser Gemeinde zu werden. Ein Priester sollte dienen, aber auch vorangehen. Die Vergangenheit barg unangenehme Wahrheiten, denen man sich stellen musste. Er würde die Menschen, die sich heute Morgen im Kirchenschiff versammelt hatten, bitten, sich ihnen mit Würde zu stellen, mit Würde der Zukunft entgegenzugehen.

Der Flur war leer. Er verharrte einen Augenblick vor seinem Zimmer, um zu sehen, ob jemand kam, doch als sich niemand blicken ließ, ging er weiter bis zur Kirchentür und wartete erneut.

Zuerst dachte er, niemand unterhielte sich – vielleicht waren keine Gläubigen da –, aber dann hörte er es, leiser als ein Gemurmel, ein Rumoren, fast ein Grollen. Er stieß die Tür auf. Das Rumoren wurde noch leiser, verstummte aber nicht. Die Orgel setzte nicht ein. Jeder knarzende Schritt bis hin zur Kanzel war deutlich zu hören. Als er die Stufen hinaufstieg, hielt er den Blick auf die Plakette an der Kanzeltür gerichtet. Zum Ruhme Gottes und zur dankbaren Erinnerung an Ernest Arbuthnot, dem Spender dieser Tür. Ein Daumenabdruck war dort zu sehen, wo die Hand unwillkürlich zugriff, direkt über *dankbaren*. Er fügte seinen eigenen Abdruck hinzu, setzte sich auf einen Stuhl mit den Namen Hannah und Annalise Tiler und kniff sich in den Nasenrücken, sein ganzer Körper ein Gebet.

Als Avery sich erhob, sah er, dass Michael Simpson schon stand, die Hände am Mund. Ihm blieb ein Augenblick, um sich zu fragen, mit welcher Willenskraft sich der Mann aufrecht hielt, dann hörte er ihn rufen.

Schämen Sie sich!

Michael, sagte Avery, doch jetzt erhob sich auf der anderen Gangseite noch jemand. Alan Rossborough, der Vater des Polizisten, mit dem er im Krankenhaus gesprochen hatte.

Schämen Sie sich!

Bitte! Avery hatte beide Hände ausgestreckt, als verführe ihn die Perspektive zu der Annahme, er könne noch Einfluss auf sie ausüben. Doch dann standen in der zweitletzten Reihe zwei weitere Leute auf – einen davon kannte Avery nicht einmal. Lorna Simpson verließ ihre Bank, um Michaels Rollstuhl aufzuklappen.

Jetzt erhoben sie sich auch auf der Empore. Die Rufe wurden zum Singsang. *Schämen Sie sich! Schämen Sie sich! Schämen Sie sich!* Michael führte den Chor an, während er sich in seinem Sessel nach hinten bog und kraftvoll aus der Kirche schob. Wütend hielt Lorna mit ihm Schritt. Hände klatschten, Füße stampften. In all der Zeit, in der Avery Reverend gewesen war, hatte die Gemeinde in den vielen Gottesdiensten zusammengenommen nie so viel Lärm gemacht wie jetzt. Irgendwer schlug irgendwem auf den Rücken, als er sich der Prozession anschloss. Draußen auf den Kirchenstufen versuchte jemand, die Nationalhymne anzustimmen, wurde aber vom Geschnatter der nachdrängenden Leute übertönt.

Als die Tür hinter dem letzten Gläubigen zuschwang, sah er in den Bänken noch drei Leute. Guy Broudie saß neben einem weißhaarigen Mann, in dem Avery von den Fotos im Saal des Konsistoriums sofort den ehemaligen Minister, Synodalpräsidenten der presbyterianischen Kirche Irland und selbst ernannten Gefangenen seines Gewissens, Reverend Dr. Arthur Talbot, höchstpersönlich erkannte.

Dorothy Moore saß linker Hand auf halber Ganghöhe allein auf ihrem üblichen Platz. Avery lächelte ihr zu.

Sie brauchen mich gar nicht so anzusehen, sagte sie. Ich sitze hier bloß, weil ich erst um zwanzig nach eins abgeholt werde; außerdem ist der Vorraum nicht geheizt.

Avery legte die Unterarme auf das Lesepult, die Hände hingen schlaff über den Kanzelrand.

Sie haben unsere Anrufe nicht beantwortet, sagte Guy, der im Gegensatz zu Ronnie ständig im Plural redete. Dr. Talbot hier hat sich bereit erklärt, dafür zu sorgen, dass, falls gewünscht, die Sakramente erteilt werden können.

Talbot nickte zustimmend. Wenigstens sind Sie vor die Leute getreten, sagte er mit vorverstärkt klingender Stimme.

Warum auch nicht? Dies ist meine Kirche.

Nein, sagte Talbot, dies ist ein Gebäude. Ihre Kirche ist gerade zur Tür hinausgegangen.

Das gilt auch für mich, die hier noch sitzt, sagte Dorothy Moore mit ihrer Ist-mir-doch-schnurzegal-Haltung.

Avery nahm seine Bibel mitsamt den Karteikarten und stieg die Kanzelstufen hinunter.

Guy ging den Gang entlang, um zu sehen, ob draußen noch nach religiösem Zuspruch verlangt wurde. Talbot erhob sich. Er war um die einszweiundneunzig groß.

Ich wollte Sie wissen lassen, dass ich mich durchaus in Ihre Lage hineinversetzen kann, sagte er. Schließlich bin ich selbst ein Mensch mit *Überzeugungen*. (Avery fragte sich, wie oft er das in den Jahrzehnten seit seiner einwöchigen Haftstrafe wohl schon gesagt hatte.) Unter Protest einen Saal zu verlassen, ist für manche Menschen die einzige Ertüchtigung für Leib und Seele, die sie je ausüben können. Und man hat Kirchen schon aus weit geringfügigeren Gründen verlassen, einmal zum Beispiel, weil man sich über den Standort für einen Taufstein stritt. Was immer auch morgen oder übermorgen, in den nächsten Wochen oder Jahren geschieht, irgendwann wird Ihnen die Mehrzahl dieser Leute gewiss wieder die Hand geben.

Er hielt ihm seine eigene hin. Sie war riesig, eher Symbol als Teil der Gliedmaßen. Averys Hand wirkte dagegen kümmerlich.

Er wusste nicht, wie lange sich niemand mehr auf solch erstaunlich christliche Weise ihm gegenüber benommen hatte. Dennoch zögerte er, ehe er die dargebotene Hand ergriff.

Guy hatte die Tür zum Vorraum geöffnet.

Wahrscheinlich ist es besser, wenn Sie jetzt gehen, sagte Talbot.

Und Avery ging.

Als er am nächsten Morgen das Haus verließ, um Milch zu kaufen, stolperte ein Mann aus einem gegenüber seiner Einfahrt parkenden Auto und versuchte, ein Foto von ihm zu schießen.

Avery hastete zurück ins Haus, verriegelte die Tür und rannte nach oben zum Fenster am Treppenabsatz, immer zwei Stufen auf einmal nehmend. Der Mann aus dem Wagen fuhr sich durch die Haare, als versuche er, vollends wach zu werden, und redete dabei mit einem Kollegen, der wie er eine zweifarbige Windjacke und eine Kamera trug.

Presse, keine Polizei, es sei denn, die Polizei versuchte es neuerdings mit dem Undercover-Doppel-Bluff: Beamte, die auffielen wie bunte Hunde.

Sie sahen zum Haus herüber, entdeckten ihn aber nicht.

Der zweite Fotograf zündete sich eine Zigarette an und reckte beim Ausblasen das Kinn in die Luft, als gäbe es für Rauchemissionen eine vorgeschriebene Mindesthöhe. Dann tippte er auf seinem Handy eine Nummer ein und schlenderte davon, das Handy am einen, die Hand am anderen Ohr, während der Rauch sich an seinem Kopf vorbei in die Höhe kräuselte. Der erste Fotograf stieg gähnend wieder in den Wagen.

Diese beiden Clowns ergaben zusammen noch keinen Medienzirkus. Der war auch nicht zu erwarten gewesen, da morgen der amerikanische Präsident eintraf und Vorbesprechungen besucht, im letzten Moment ausgeteilte Presseausweise geholt und sicher auch noch die Folgen des Abends zuvor auskuriert werden mussten – *Hab dich ja seit dem Referendum nicht mehr gesehen!* Immerhin, es waren Reporter da. Und der Typ im Auto sah aus, als wartete er schon seit den frühen Morgenstunden. Avery überlegte sogar kurz, ob er nicht hin und wieder den Kopf aus dem Fenster stecken sollte, damit er auf jeden Fall auch bis morgen früh blieb.

Er ging ins Arbeitszimmer, um Frances anzurufen. Ihre Mutter nahm ab.

Sie ist noch im Bett, sagte Mrs Burns. Ich habe ihr gesagt, dass sie immer dann schlafen soll, wenn das Baby schläft.

Avery fiel ein, wie Frances ihre Mutter nachgeäfft hatte, als sie bei Ruth dasselbe gesagt hatte. Wenn Enkel die Belohnung dafür waren, dass man seine Kinder nicht fortgegeben hatte, dann war das Vorrecht auf Ratschläge sicherlich eine Kompensation für die Gewissensbisse, die man empfand, weil man gelegentlich daran gedacht hatte, sie irgendwie loszuwerden.

Sag ihr, sie kann mich jederzeit anrufen. Sag ihr, ich liebe sie.

Mrs Burns' Schweigen verriet ihm, dass sie derlei bestimmt nicht tun würde.

Wir haben gehört, was gestern in der Kirche passiert ist. Jemand vom Radio hat angerufen und wollte mit Frances sprechen.

Und? Hat sie?

Was glaubst du wohl?

Nein, dachte er, bestimmt nicht.

Sie sorgt sich, dass du das Haus verlieren könntest, sagte seine Schwiegermutter.

So weit wird es nicht kommen.

Du scheinst dir ziemlich sicher zu sein.

Ich bin mir jedenfalls sicher, dass ich nichts Falsches tue.

Ich fürchte, da bist du in einer Minderheit, der nur du allein angehörst.

Avery hätte weitermachen können. Diesmal irrst du dich, hätte er sagen können. Liegst nachweisbar und hundertprozentig daneben.

Er tat es nicht. Ich ruf später wieder an.

Wieder unten, räumte er das Geschirr vom Vorabend fort und hörte, wie sein Beweis direkt über der Küche die Dusche betrat. Schlurfender Schrittwechsel, während er die Temperatur regelte und ein unwillkürliches, vier Töne umfassendes Pfeifen signalisierte, dass das Wasser jetzt genau richtig war. *Platsch!* Das Trommeln des Wasserstrahls auf den Duschboden wurde kurz unterbrochen, als er sich bückte, um die Seife aufzuheben. Fünf Sekunden später – *platsch!* – fiel die Seife erneut herunter. Avery setzte den Kessel auf und war sich der absurden, intimen Häuslichkeit dieses Augenblicks nur zu bewusst. Er hatte – was er nur gelegentlich bedauerte – keinerlei Erfahrung mit Affären, die bloß eine Nacht dauerten. Übrigens auch nicht mit welchen, die über zwei oder drei Nächte gingen.

Er öffnete den Kühlschrank, um die Milch herauszunehmen, als ihm einfiel, weshalb er nach draußen gegangen war und dass der Fotograf sich auf ihn gestürzt hatte.

Macht nichts, ich trink den Tee mit oder ohne, sagte Larry, als er zehn Minuten später trocken und angezogen nach unten kam. (Dienstagabend hatte er nur eine kleine Reisetasche mitgebracht. Er würde ihn begleiten, wenn er seine restlichen Sachen abholte, hatte Avery ihm angeboten, aber Larry bestand darauf, nicht mehr zu brauchen: Viel länger werde ich außerdem ja wohl kaum hier bleiben.)

Wenn Sie in einem Haus mit vielen Leuten gewohnt haben – mit wie vielen sagten Sie noch mal?

Zwanzig.

Mit zwanzig Leuten also, dann sind Sie bestimmt daran gewöhnt, dass es keine Milch gibt.

Larry sah ihn von der Seite an.

Was ist?, fragte Avery.

Ganz schön durchtrieben. *Mit wie vielen sagten Sie noch mal?*

Es war mir wirklich entfallen, erwiderte Avery. Ich habe mir in den letzten Tagen so vieles anhören müssen.

Larry legte die Hände um den Becher schwarzen Tees, seine Laune verdüsterte sich zusehends. Wissen Sie, die werden jedes Wort leugnen, das ich Ihnen sage.

Avery zog einen Stuhl heran und setzte sich ihm gegenüber hin. Wir fordern eine Überprüfung, sagte er. Nein, einen Untersuchungsausschuss. Eine Narbe kann man nicht wegdiskutieren.

Vom Duschen lag Larrys Haar noch flach an, die spitzen Strähnen teilten die Narbe in handliche Abschnitte. Sie schien ein wenig gerötet, fiel an diesem Morgen aber nicht deutlicher auf als die üblichen Verschleißerscheinungen im Gesicht eines durchschnittlichen Fünfundvierzigjährigen. Larry saugte an der Oberlippe, als sei es eben Averys Respekt, an dem er so seine Zweifel hatte.

Weiß nicht, sagte er und schaute aus dem Fenster.

Er sprang auf, verschüttete seinen Tee.

Verflucht noch mal, da kommt wer über die Hecke.

Es war einer der Fotografen, der Raucher. Er hatte sich jene Ecke ausgesucht, in der die Hecke am kräftigsten war und vom Metallzaun rund um die Umspannstation noch verstärkt wurde. Trotzdem brauchte er zum Festhalten beide Arme, als die Äste unter ihm ins Schwanken gerieten. Er hatte nicht die geringste Chance, ein Foto zu schießen. Avery wusste, was zu tun war. Von der Hintertür aus rief er dem Mann zu, er habe dreißig Sekunden, dann käme er mit dem Gartenschlauch. Der Kopf fuhr hoch, zeigte ein Grinsen, dann verschwanden Grinsen, Kopf und Arme. Ein Rascheln ertönte, ein Aufschrei, ein Geräusch, als ob eine Mülltonne umfiele, dann ein glasklares *Scheiße* und schließlich ein dumpferes *Verdammt*.

Er sollte lieber aufpassen, dass er keinen Stromschlag kriegt, sagte Avery.

Larry wich zur Flurtür zurück. Ich will ja nicht egoistisch klingen, aber um den mach ich mir eigentlich keine Sorgen.

Avery konnte sein Entsetzen verstehen: Was war das denn auch für ein Versteck direkt unter den Augen der Presse?

Ich schätze, das ist nicht weiter schlimm, sagte er. Sie haben noch keinen Schimmer, wonach sie eigentlich suchen. Wahrscheinlich hoffen sie höchstens darauf, dass jemand aus meiner Gemeinde kommt, um mir eins auf die Nase zu geben, oder dass Frances sich auf den Stufen vorm Haus blicken lässt, um mir ein paar Schimpfworte an den Kopf zu werfen. Jedenfalls ahnen sie nicht, dass die Chance, es könnte was passieren, immer geringer wird, je länger sie bleiben. Sie verschaffen uns Zeit.

Den Vormittag verbrachten sie getrennt. Avery verfasste Briefe an den Präsidenten der Royal Ulster Constabulary, an den Oberkommandierenden der Landstreitkräfte, den Minister der Nordirlandversammlung sowie dessen Stellvertreter, den Premierminister des Vereinigten Königreiches, die Königin, den Taoiseach der Republik Irland, den Präsidenten der Vereinigten Staaten und – da er schon mal dabei war – auch an Nick Ross von *Crimewatch UK* und drängte auf eine Untersuchung. Die Umschläge wurden nicht verschlossen, um diese Art Briefe handelte es sich nicht. Es waren Briefe, die man in der Hand schwenkte, um damit fotografiert zu werden, den Text der Kamera zugewandt. Die Letzten, die erfuhren, was in ihnen stand, würden jene sein, an die sie adressiert waren.

Als sie sich das nächste Mal trafen, machte Larry den Eindruck, als hätte er bis jetzt gelegen und gelesen oder auch geschlafen. Halt mich von den Fenstern fern, war alles, was er sagte, als Avery ihn fragte.

Er bot keine Hilfe an, als Avery Tassen aufdeckte (genau genommen hatte er seit seiner Ankunft keine Hilfe angeboten), setzte sich aber an den Tisch, vergrub die Hände in den Taschen und bot das Bild eines Teenagers in der letzten Ferienwoche.

Avery machte eine Dose auf. Ein letztes Stück Ingwerkuchen, sagte er. Wollen wir halbe-halbe machen? Ich fürchte, viel mehr gibt's nicht, bis ich wieder einkaufen kann.

Larry sagte, er habe für Süßes nicht viel übrig, aß seine Portion aber trotzdem und ließ nur einen Streifen zitronenfarbenen Zuckerguss am Tellerrand liegen. Mit der Kuppe seines Zeigefingers tupfte er die letzten Krümel auf.

Im Radio begann die Zuhörersendung. Laut der zu Beginn genannten Themenfolge schloss Beitrag Nummer drei an die Geschichte vom letzten Freitag über die rätselhaften Behauptungen eines presbyterianischen Geistlichen an, der den Sicherheitsstreitkräften ein gewisses Fehlverhalten zur Last legte: Diesmal ging es um den Auszug der Gemeinde aus seiner Kirche in Ost-Belfast.

Noch einen Kaffee?, fragte Avery.

Larry schüttelte den Kopf. Avery griff nach einem Löffel und fuhr einige Male mit dem oberen Ende über die Korkmatte, dann verschränkte er die Arme und starrte auf den Tisch.

Clinton beherrschte die ersten zehn Minuten. Route durch die Stadt, Sicherheitsaufwand, Bedeutung für den politischen Fortschritt. Dann ging es um die Probleme, die eine abgesperrte Behindertentoilette in einem Belfaster Vorzeigekaufhaus verursachte, anschließend folgte ein Exkurs über den Zustand der Toiletten im Stadtzentrum im Allgemeinen, danach war dann der Auszug der Gemeinde an der Reihe.

Weder der Reverend noch sonst jemand von der presbyterianischen Kirche in Irland sei zu einem Kommentar bereit gewesen, sagte der Sprecher. (Avery ließ immer noch alle Anrufe vom Anrufbeantworter aufnehmen.) Ein älteres Gemeindemitglied wurde mit den Worten zitiert, dass dies in mehrfacher Hinsicht eine interne Angelegenheit dieser Kirche sei. – Avery konnte ihn geradezu reden hören. – Es tue ihm leid, die Menschen enttäuschen zu müssen, aber Gewissensprobleme ergäben nun einmal eher leise Dramen.

Jemand, der regelmäßig zu dieser Sendung beitrug und für seine konservativen Ansichten bekannt war, fragte sich – ohne natürlich die Anschuldigungen im Detail zu kennen und mit der Bitte, die Hörer möchten das schauerliche Wortspiel entschuldigen –, ob wir nicht Gefahr liefen, jeden Tod zu einem Tatort zu machen. Schauerlich vielleicht, doch längst nicht so makaber wie einige jener Dinge, die erst kürzlich vor Gericht zu Tage gekommen sind.

Starker Tobak, sagte der Sprecher, starker Tobak, und erinnerte die Hörer dann an die vielen Möglichkeiten, die ihnen offen standen, um ihre Ansicht zu diesem Thema publik zu machen. Doch möge man bitte auch nicht vergessen, dass der Besuch eines Präsidenten bevorstand. Die große Mehrzahl der Hörer, die keine Horrorgeschichten über öffentliche Toiletten bieten konnten, wollten entweder wissen, welches Recht die Amerikaner besaßen, sich in interne Angelegenheiten einzumischen – hatten die daheim nicht genug Sorgen? –, oder ob Bill Clinton vielleicht nicht mehr alle Tassen im Schrank habe, da er die letzten Tage seiner Präsidentschaft in diesem finsteren, missgünstigen Krähenwinkel verbringen wolle.

Anschließend brachte man Beiträge aus dem Hotel, in dem der Präsident mit seinem Gefolge absteigen würde. Es gab ein Interview mit dem Koch, dann eines mit dem Barkeeper, der behauptete, wenn er dasselbe Glas Guinness für all die berühmten Menschen nähme, die dabei fotografiert worden waren, wie sie einen Schluck Guinness probierten, dann wäre das Glas immer noch nicht leer.

Avery machte Kaffee und schnitt etwas Brot und Käse ab. Larry saß einfach nur da, die Hände in den Taschen. Dann, kurz vor Ende der Sendung, meldete sich eine Hörerin aus Nord-Belfast, die es vorzog, ihren Namen zu verschweigen, und sie sagte, sie wisse, auf welchen Fall Reverend Avery anspiele. Es gehe um den Mord an zwei Frauen und einem

Mann in Ellis' Bar im Jahre 1976. Sie sei mit dem Bruder von einer der beiden Frauen verheiratet.

Larry sprang wieder von seinem Stuhl auf. Woher konnte sie das wissen? Wie konnte sie das wissen?

Genau dieselbe Frage stellte ihr der Sprecher.

Sie sagte, das könne sie nicht sagen, doch fordere sie Reverend Avery auf, sich beim Radio zu melden und alles zu erklären.

Tja, wir haben ihn darum gebeten, sagte der Sprecher, wenn auch bislang erfolglos, aber wir werden es natürlich weiterhin versuchen.

Ich habe sie angerufen, sagte Avery, ein paar Fragen gestellt und bin dann dorthin gefahren.

Larry, der in der Küche auf und ab ging, blieb nun stehen. Sie haben mir nachspioniert.

Ich dachte, es käme vielleicht etwas dabei heraus, das Ihnen helfen könnte. Ein eindeutiger Beweis. Ich habe nach der Kette gefragt.

Und?

Sie waren sich nicht sicher. Ich war mir nicht sicher.

Aber ich hab es Ihnen doch gesagt.

Ich weiß. Was soll ich machen? Das war gleich, nachdem ich Ihnen die SMS geschickt hatte.

Larry setzte sich wieder. Noch etwas, das ich wissen sollte?

Avery dachte darüber nach. Das ›sollte‹ bot ihm einen Ausweg. Nein, sagte er.

Larry grunzte, als ob ihm dies kaum ein Trost sein könne. Am Radio folgte eine miserable Country and Western-Sendung. Nordirischer Country and Western. Ein Widerspruch in sich. Avery schaltete auf Radio 3 und hatte, wie es so oft geschah, nicht den geringsten Schimmer, was er sich da eigentlich anhörte. Minuten vergingen.

Wie waren sie denn?, fragte Larry schließlich.

Leo und Patricia? Sehr nett. Ich meine, es gab ein paar peinliche Momente, doch alles in allem ... es kann schließlich nicht leicht für sie gewesen sein.

Bestimmt sähen sie mich gern am nächsten Ast baumeln.

Ach was, gar nicht. Sie haben kaum nach Ihnen gefragt, wirklich nicht.

Gut.

Ich habe ihnen gesagt, ich wisse nicht viel über Sie.

Jetzt schon.

Jetzt ja.

Sie brachten es fertig, sich während des restlichen Nachmittags nicht über den Weg zu laufen. Um sieben Uhr trafen sie sich, um Nudeln mit Tomatensoße zu essen, eine Soße, der noch fünf Stunden bis zum Ablauf jener Frist geblieben waren, in der sie endgültig verbraucht werden sollte. Keine Frage, Avery musste einfach wieder einkaufen gehen.

Als er anrief, fütterte Frances das Baby. Also unterhielt er sich mit Ruth. Sie hatte Oma und Opa geholfen, den Weihnachtsbaum aufzustellen. Er war echt und roch nach dem grünen Zeugs, mit dem Mummy immer die Toilette putzte. David bekam blaue Lippen, wenn er ein Bäuerchen machen wollte. Aber jetzt müsse sie los, Opa wollte ihr vor dem Zubettgehen noch eine Geschichte vorlesen.

Er wartete einen Augenblick, dann rief er Michele an. Hallo, sagte ihr Anrufbeantworter. Ich kann im Augenblick nicht an den Apparat gehen, aber herzlichen Dank allen, die angerufen haben, um sich nach Tony zu erkundigen, und Dank auch für die vielen Karten und Blumen. Es geht ihm heute schon viel besser. Mit etwas Glück kann er Ende der Woche Besuch empfangen.

Als er später vom Arbeitszimmer zum Bad ging, sah er Licht unter der Treppe brennen. Er rief über das Geländer: Alles in Ordnung?

Nach ein, zwei Sekunden erschien Larrys Kopf. Hab mich verlaufen, sagte er und sah dabei nach oben.

Kann passieren.

Sie haben ja eine Menge Videos über Komiker.

Ist mein Hobby.

Seltsames Hobby für einen Priester …

Auch nicht seltsamer als Golf.

Golf?

Die bevorzugte Freizeitgestaltung des Kirchenmannes. Haben Sie nicht gewusst, dass es sogar Golfplätze gibt, die montags ermäßigten Eintritt anbieten?

Im Ernst?

Wenn ich es Ihnen doch sage. Aber das ist noch längst nicht alles. Die großen Bestattungshäuser zum Beispiel. Die veranstalten jedes Jahr ein Dinner: Gastredner, Notizbücher umsonst, das volle Programm. Wir sind ein bedeutender Teil der Ökonomie. Das Land stünde vor dem finanziellen Ruin, würde man den Atheismus verkünden.

Larry griff nach einem Video. Sieht mir nicht gerade wie eine Lachnummer aus. Er reichte es durch die Geländerstangen nach oben. *Lizzie Bordens blutiges Geheimnis.*

Tja, aber darin spielt Elizabeth Montgomery mit. Der Name bedeutete Larry offenbar nichts. *Verliebt in eine Hexe*, nie gehört?

Larry wirkte ziemlich perplex. Komödie ist für Sie offenbar ein weiter Begriff.

Wir haben alle unsere Schwachstellen. Übrigens kommt auch ein Larry darin vor. Darrins Boss.

Im Licht der Flurlampe schloss Larry die Augen und zitierte: »Lizzie Borden nahm 'ne Säg,/Gab ihrem Vater vierzig Schläg.« Einer der Lieblingsverse meines Vaters, und das allein verrät schon alles, was es über ihn zu wissen gibt. »Sie hat's getan und fand es lustig,/Also gab sie ihrer Mutter hundertfuffzig.«

Vielleicht haben Sie recht, sagte Avery.
Lohnt sich der Film?
Nur, wenn Sie ein Fan von Elizabeth Montgomery sind.
Stattdessen sahen sie sich vor dem Zubettgehen eine Tiersendung an und ließen, wie ein gemeinsam vergesslich gewordenes Paar, ungemütliche zwanzig Sekunden über sich ergehen, als ein Pfauenmännchen und ein Pfauenweibchen auftauchten und einen Pfauenporno aufführten.
So verstrich der Augenblick, in dem er Larry hätte fragen können, wohin er eigentlich gewollt hatte, als er die Regale unter der Treppe fand.

Avery erwachte aus einem Albtraum in dem festen Glauben, dass jemand mit einer Axt in seinem Zimmer stand. Seine Blicke tasteten die Dunkelheit ab, oben, unten, unter dem Schrank, die Kommode hinauf und verharrten an der Schlafzimmertür. Sie war geschlossen, genauso, wie sie es zuletzt gewesen war. Nein, nicht genauso. Sie sah – wie sollte er sagen? – zu geschlossen aus. Gerade eben geschlossen. Er lauschte. Völlige Stille. Kein Haus, vor allem dies nicht, konnte *völlig* still sein. Es war, als würden sämtliche natürlichen Geräusche unterdrückt. Er richtete sich im Bett auf, zog die Knie an die Brust und wartete eine ganze Minute, ehe ein Flugzeug zwei Kilometer über seinem Kopf vorbeizog und den Wecker weiterticken ließ und das Wasser in der Zentralheizung wieder in Bewegung setzte. Diese Geräusche vermehrte er selbst um ein Knarren der Dielen zwischen Bett und Fenster, das Schaben der Gardinenringe, als er den Vorhang beiseite zog.
Sein Wagen stand in der Auffahrt, aber der des Fotografen auf der anderen Straßenseite fehlte. Gleich gewann jeder Laut eine unheimliche Bedeutung. In Gedanken ging er sein abendliches Ritual durch, das Prüfen und nochmalige Prüfen aller Türen und Fenster. Unmöglich, dass er etwas

übersehen hatte. Doch dann überfiel ihn ein schrecklicher Gedanke. Vielleicht kam, was er am meisten fürchtete, gar nicht von außen. Wieder wandte er sich der Schlafzimmertür zu und meinte nun sicher zu wissen, was daran anders war. Sie sah wie eine Tür aus, hinter der sich jemand versteckte. Mit äußerster Bedachtsamkeit trat er auf, vermied die unsicheren Dielen und blieb wenige Zentimeter vor dem Türgriff stehen. Und dann tat er etwas, von dem er sich nie geträumt hätte, dass er es jemals in seinem eigenen Haus tun würde. Langsam, ganz langsam drehte er den Schlüssel um. Das Klacken war ohrenbetäubend.

Als er das nächste Mal die Augen öffnete, war es hell, und die verschlossene Tür sowie das, was sie an Befürchtungen in ihm geweckt hatte, war nur noch schrecklich unangenehm. Allein die Tatsache, dass der Schlüssel keinen Laut von sich gab, als er ihn zurückdrehte, hielt ihn davon ab, gleich hinüber zum Gästezimmer zu gehen und sich zu entschuldigen.

Milch.

Er zog den Anorak an und wagte sich nach draußen, lugte durch das Tor. Kein Auto, das er kannte, keine Kamera und keine Windjacke in Sichtweite. Also brauchte er die Kapuze nicht überzuziehen.

Wie rasch das Unnormale normal wird. Er dachte an Micheles unverdrossene Nachricht auf dem Anrufbeantworter. Viel besser, hatte sie gesagt. Tony hing noch am Tropf. Sein Kiefer war verdrahtet, die Lunge kollabiert, ein Trommelfell perforiert. Aber er war nicht tot, er war nur bewusstlos. Michele hatte recht, unter den gegebenen Umständen ging es ihm viel besser, und wo sonst konnten wir leben als unter den gegebenen Umständen?

(*Unter* ihnen, gewiss, aber kam es nicht darauf an, *für* den Einen zu leben, dessen Wort und Gesetz über all jene Umstände hinaus galt, die sich die Menschheit nur ersinnen konnte?)

Der Fotograf wartete auf ihn, als er um die Ecke zum Supermarkt bog. Ihre Blicke trafen sich, aber eine Frau mit Zwillingen im Buggy trat zwischen sie, ehe der Fotograf ein Bild schießen konnte. Avery nahm die Füße in die Hand, zog den Kopf in lautlosem, jubilierendem Gelächter zwischen die Schultern.

Einen Augenblick!, rief der Fotograf, die letzte Hoffnung des Paparazzo. Warten Sie!

Larry saß am Küchentisch.

Geht es heute noch mal ohne Milch?

Können Sie noch mal den Kassettenrekorder holen?, fragte Larry mit aschfarbenem Gesicht. Ich muss Ihnen noch was sagen.

Wenn ich an manchen Tagen aus dem Auto stieg, in dem ich mit Clark geredet hatte, ging ich zu einem bestimmten Treffpunkt, wo ein zweites Auto auf mich wartete. Der Typ, der den Wagen fuhr, war ähm äh eigentlich möchte ich seinen Namen zum jetzigen Zeitpunkt lieber nicht nennen, aber eine Zeit lang hat er in dem Haus in der Cliftonville Road gewohnt. Einige Tage, nachdem Armee und Polizei das Haus durchsucht hatten, tauchte er bei mir auf. Ich lebte damals schon wieder daheim. Es war dort nicht sicher für ihn, aber er kam trotzdem. Ich war gerade nicht zu Hause. Meine Mum hat ihn hereingebeten und zu einer Tasse Tee eingeladen. Sie hatte natürlich keine Ahnung. Ein Freund von mir, das war alles, was sie wusste. Ich wäre fast gestorben, als ich hereinkam und ihn da sitzen sah. Ich ging mit ihm auf eine Zigarette nach hinten in den Garten. Meine Mum wollte nicht, dass im Haus geraucht wurde. Ich sagte: Du musst verrückt sein, und er sagte: Nein, nicht verrückt, nur gründlich. Er fragte mich, was ich in der Kaserne gesagt hätte. Nichts habe ich gesagt, antwortete ich, ich weiß ja auch nichts. Das ist gut, sagte er, denn hättest du was gesagt, wärst du ein toter Mann. Er sagte es ganz sachlich und sah mich dabei nicht mal an. Er sah meiner Mum in der Küche zu, wie sie das Abendessen vorbereitete. Was hast du gesagt?, fragte ich. Du hast mich verstanden. Ein verdammtes Wort – aus dem Mundwinkel gab er einen klickenden Laut von sich, wie eine Waffe, die gespannt, ein Hals, der gebrochen wurde. Ich hätte ihm fast ins Gesicht gelacht. Ich dachte, ich brauche nur den Hörer in die Hand zu nehmen, um Clark oder Rob anzurufen, und die verfrachten ihn in null Komma nichts ins Long Kesh, aber es war, als könne er meine Gedanken lesen, denn als Nächstes sagte er: Übrigens, falls mir was passiert, wenn ich aus diesem Haus gehe – irgendein kurzer Besuch von den Bullen oder den Kapuzenjungs –, dann bist du auch ein toter Mann. Ehrlich gesagt, bist du in jedem Fall ein toter Mann, wenn du was anderes als das tust, was ich dir sage.

Einige Wochen danach rief er mich wieder an. Hast du in letzter Zeit ein paar nette Ausflüge zum Folk Museum gemacht?, fragte er. Das Folk Museum gehörte zu den Orten, an die Clark mich fuhr. Ich hatte keine Ahnung, woher dieser Typ davon wusste. Er sagte nur: Ich glaube, es wird Zeit, dass du herkommst und dich mit einigen meiner Bekannten unterhältst. Also bin ich hin, und so hat es angefangen. Sie gaben mir kein Geld, sie haben mich nur nicht getötet. Rob haben sie umgebracht, aber den hätten sie vermutlich sowieso gekillt. Wer will das schon

Avery hielt das Band an, ehe er ihn fragte:

Wollen Sie mir sagen, Sie waren ein Doppelagent?

Korrekt.

Für die Polizei, die Armee und die IRA?

Korrekt.

Also, ich weiß nicht.

Was wissen Sie nicht?

Nichts. Bloß ... Ach, nichts.
Er stellte den Rekorder wieder an.

Mehr habe ich nicht zu sagen.

Ich habe ihn heute Morgen in den Nachrichten gehört, sagte Larry, sobald der Rekorder ausgestellt war, wie er darüber geredet hat, was sich seine Partei vom Besuch des Präsidenten erhofft.

Die erste Stimme, die Avery hörte, als er mittags das Radio anstellte, war die von Reverend Twiss. Er redete über seine Kirche in Holywood. Ja, er denke schon, dass seine Gemeinde zum liberalen Ende des presbyterianischen Spektrums zähle, zum äußerst liberalen Ende sogar. Dafür würde er sich auch keinesfalls entschuldigen. Seine Gemeinde sei überaus kosmopolitisch gesinnt. Wer ihr beitrete, tue dies im Geiste des Fragens und Prüfens. Er hatte gehofft, Ken Avery davon etwas mitgegeben zu haben.

So, wie er das Hoffen betonte, erriet Avery, was nun kam.

Doch ich fürchte, fuhr Twiss fort, Avery scheint vergessen zu haben, dass man erst mal eine Regel haben muss, wenn man eine brechen will.

Avery verließ die Küche und rief den Radiosender an. Die Vermittlung stellte ihn zum Researcher durch, der ihn gleich an den Redakteur weiterleitete, der wiederum sofort ein Livegespräch mit ihm führen wollte.

Avery lehnte ab. Morgen wird alles aufgeklärt werden, sagte er, dann könnten die Menschen selbst entscheiden, wer hier welche Regel gebrochen hat.

Als er wieder in die Küche kam, las der Radiosprecher seine Ankündigung vor.

Was halten Sie davon?, fragte er Twiss.

Doch was Twiss auch immer davon halten mochte, wurde vom Mikrofon nicht aufgefangen.

Aus seinem großen Repertoire von Seufzern wählte der Sprecher einen aus, der zu verstehen gab, dass er es vielleicht – wenn auch nur mit Mühe – einen weiteren Tag ertragen könne, über dieses Thema zu reden. Ich schätze, da werden wir wohl abwarten müssen, sagte er, und danach beherrschte Clinton lückenlos das Programm. Die Entourage des Präsidenten absolvierte die politisch ausgehandelte Route von Dublin über Dundalk nach Belfast, wo sein Stern in den nächsten zwei Tagen heller als selbst die hellsten Weihnachtslichter strahlen sollte.

Beim Durchforsten des Gefrierschranks fand Avery ein Paket Würstchen, das er zum Abendessen in der Mikrowelle auftaute. Larry sagte, er mache sich nicht viel aus Schweinefleisch und pickte gebackene und mit Currypulver bestreute Bohnen sowie die letzte Kartoffel von seinem Teller, die sich im Haus noch hatte auftreiben lassen. Beide tranken sie am Küchentisch eine Flasche Bier. Draußen herrschte ein Sauwetter. Sie sahen sich selbst in den Fensterscheiben die Flasche an die Lippen setzen, Schneeregen wusch über ihre Spiegelbilder. Ein Gedicht, das er in der Schule auswendig gelernt hatte, geisterte durch Averys Gedanken. Der Rausch von irgendwas. Des Unterschieds? Der Verschiedenheit? Er kam nicht drauf. Er kippte die Flasche und spürte das Bier über seine Zunge sprudeln.

Sein letztes Gebet an diesem Abend war das Dienstagsgebet aus der »Gebetsammlung für jeden Tag«: O Herr und Gott, gewähre uns, dass wir nicht so sehr getröstet werden wollen als vielmehr trösten, verstanden werden wollen als verstehen, geliebt werden wollen als lieben. Denn wer gibt, dem wird gegeben, wer verzeiht, dem wird verziehen, und wer stirbt, der wird ewiglich leben.

Amen.

4

Sie hatten vor, nicht allzu früh hinzugehen, da sie beide annahmen, dass vor dem Odyssey das reinste Chaos herrschen würde. Präsidentenbesuche hielten sich nie an Zeitpläne, und die Arena war nagelneu, zum ersten Mal für die Öffentlichkeit zugänglich. Selbst wenn man davon ausging, dass ausschließlich kam, wer eine Karte besaß, würde eine riesige Menge zusammenströmen, die nur ein einziges Ziel kannte. Überall würden Ordner und Sicherheitskräfte sein, die alles aus dem Weg räumten, was den glatten Ablauf behindern konnte.

Das Beste wäre es, erst dann zu kommen, wenn der Präsident im Odyssey war, um dann vor dem Gebäude für etwas Unruhe zu sorgen. Erst einmal einige herumstreunende Journalisten zusammentreiben und dafür sorgen, dass sich die Kunde verbreitete.

So lautete ihr Plan, und er brauchte nicht wiederholt zu werden, was auch nicht schlecht war.

Avery hatte beim Aufwachen rasende Kopfschmerzen, gegen die selbst extrastarkes Aspirin nichts ausrichtete. Schenkel und Oberarme fühlten sich schwerer an als sonst, so schwer, dass er sie ständig spürte, und im Verlauf des Vormittags ließ ihn ein stechender Schmerz im After einige Male abrupt innehalten. Er konnte nur hoffen, dass er sich nicht irgendwas eingefangen hatte.

Larry war verständlicherweise ziemlich angespannt. Am Ende dieses Tages würde er der Welt offenbart haben, dass er ein Killer war. Natürlich auch ein Opfer gröbster ethischer und chirurgischer Vergehen, aber dennoch ein Killer: Ich habe es getan. Ich habe diese Menschen kaltblütig erschossen. Peng. Peng. Peng.

Für ihn war es das Ende einer langen, langen Reise aus der Dunkelheit ins Rampenlicht.

Sie trafen ihre Vorbereitungen in einer Stille, die nur von Averys Rülpsern unterbrochen wurde. Sie wurden von einem zunehmend unangenehmen Geschmack begleitet, und er sagte Entschuldigung, sagte, Verzeihen Sie, und rülpste dann wieder.

Er hatte angenommen, es seien seine Nerven gewesen, die ihn zum Frühstück nur eine Tasse Tee hatten trinken lassen – die Nerven und die Tatsache, dass das einzige Brot ein steinhartes Stück Pitta war –, doch bei dem Gedanken ans Mittagessen überlief ihn ein kalter Schauder. Er bekam einfach nichts runter, nahm noch eine Aspirin und einen Schluck Tee – vorläufig schien das zu genügen.

Im Arbeitszimmer steckte er die offenen Briefe in einen Hefter und den wiederum in eine Handgepäcktasche, die manchmal als Brieftasche herhalten musste. Dann schloss er die Schreibtischschublade auf, nahm die Kassette heraus und steckte sie nach einigem Überlegen in die Tasche seines Anoraks, schloss den Reißverschluss und hängte ihn wieder an die Rückseite der Tür. Immer besser, mehrere Bälle im Spiel zu haben.

Er telefonierte mit Frances. Ich vermisse dich, sagte er. Ich vermisse Ruth, ich vermisse David. Kann ich euch heute Abend sehen?

Tut mir leid, sagte sie. Nicht, so lange diese Geschichte noch andauert. Es wäre den Kindern gegenüber nicht fair. Es wäre nicht sicher.

Aber heute Abend ist alles vorbei, das verspreche ich dir. Zumindest meine Rolle ist dann ausgespielt.

Frances dachte einen Moment nach. Im Hintergrund hörte er David, der sich die Lunge aus dem Leib schrie. Morgen, sagte sie. Vielleicht. Ich muss los. Pass auf dich auf.

Ein älterer Herr mit Baseballmütze stieg die Treppe zu den Maisonettewohnungen hinunter. Zwei Stufen, Pause. Zwei Stufen, Pause. Avery sah genauer hin und erkannte, dass es derselbe Mann war, den er einmal mitten in der Nacht dabei beobachtet hatte, wie er den Müll nach draußen trug. Es freute ihn, den Mann wiederzusehen. Seit dem letzten Mal war so viel Zeit vergangen, dass er gefürchtet hatte, der Mann wäre krank gewesen oder Schlimmeres. Er nahm zwei Stufen, verharrte am Treppenabsatz und schaute hinüber zum Haus, als hätte er die ganze Zeit über gewusst, dass er beobachtet wurde. Wie zur Antwort auf seinen neugierigen Blick hob Avery eine Hand. Der Mann verzog keine Miene. Sein Mund ging auf und zu, auf und zu. Sagte er etwas? Oder schnappte er bloß nach Luft? Avery fragte sich, ob der Mann ihn überhaupt entdeckt hatte, als ihm die Hände auffielen. Die Ballen berührten sich vor seinem Schritt, und die Finger klappten auseinander und wieder zusammen, auseinander und zusammen. Der Mund ging auf und zu, auf und zu, und dann verstand Avery. Der Mann mimte eine Robbe.

Avery wich einen Schritt zurück und rülpste erneut. Tee und Würstchen. Er taumelte in die Toilette und steckte sich einen Finger in den Hals, aber es kam nur ein trockenes Würgen, das ihm die Tränen in die Augen trieb. Er wrang einen Waschlappen aus und wischte sich über Stirn und Nacken. Wenn er heute Abend nach Hause kam, würde er sofort ins Bett gehen. Seine Pflicht hatte er dann erfüllt. Und selbst wenn er mit Larry zurückkam, würde der nicht länger allein in seine Verantwortung fallen. Am Morgen dann wollte er in aller Frische einen Neubeginn wagen. Neue Umstände für ihn, für Frances, für jedermann. Ja, formten die Lippen seines Spiegelbildes. Für den Fall der Fälle steckte er sich die Finger noch tiefer in den Hals, doch kam wieder nichts. Er spuckte, wischte sich erneut durch das Gesicht und ging zurück ins Arbeitszimmer, um Mantel und Tasche zu holen.

Erste Fernsehbilder aus dem Odyssey wurden übertragen. Die Eisbahn war abgedeckt und mit Stuhlreihen bestückt. In diesen Reihen wie in den an drei Seiten aufsteigenden Rängen waren bereits aberhundert Plätze besetzt, doch würden sicher noch ebenso viele demnächst besetzt werden. VIP-Kinder spielten in einem abgetrennten Karree vor der Bühne, während ihre Eltern sich umschauten, ob sie nicht noch irgendjemand Wichtigen entdeckten. (Avery dachte daran, dass er erst vor einem Monat, in einem anderen Leben, daran gedacht hatte, Ruth mitzunehmen.) In einem weiteren abgegrenzten Bereich flanierten die Mitglieder des neuen Eishockey-Teams der Belfast Giants in ihren überlangen T-Shirts; ihnen gegenüber standen Abgeordnete der Nordirlandversammlung (ANV) und unterhielten sich über Parteigrenzen hinweg mit ihren Kollegen. Plötzlich brandete ungeheurer Jubel auf, und die ANVs warfen die Hände in die Luft, um sich einer La-Ola-Welle anzuschließen.

Larry verfolgte das Geschehen mit steinernem Blick.

Ist Ihr Mann dabei?, fragte Avery.

Larry schüttelte den Kopf. Möglich, aber ich kann ihn nicht sehen. Bei dem, was ich von ihm weiß, könnte Clark aber ebenso gut hinten sein und der Bühnenmannschaft Sicherheitsanweisungen geben.

Die Welle erfasste die VIP-Kinder und deren Eltern, dann die Belfaster Giants sowie Gäste von nicht ganz so riesenhafter Statur.

Was meinen Sie?, fragte Avery. Sollen wir los?

Larry sah noch einige Augenblicke auf den Fernsehbildschirm und stand dann auf. Okay. Er zog sich die Sportjacke über den Pullover mit V-Ausschnitt.

Haben Sie nichts Wärmeres?, fragte Avery. Wir sind gleich unten am Wasser.

Wird schon gehen.

Nein, wird es nicht, Sie werden frieren. Avery ging aus dem Zimmer und kam mit seinem Dufflecoat zurück. Ich kann Ihnen den hier leihen.

Larry probierte ihn an. Zu klein, sagte er. Der Mantel kneift unter den Armen.

Avery wunderte sich, wieso er bislang noch nicht bemerkt hatte, dass Larry fast fünf oder sechs Zentimeter größer war. Er schaute auf die Ärmel seines eigenen Anoraks, die ihm fast über die Fingerspitzen reichten.

Der ist vielleicht besser, sagte er und zog ihn aus.

Ich komm schon zurecht, ehrlich. Lassen Sie uns einfach gehen.

Nehmen Sie ihn wenigstens für den Fall mit, dass das Wetter noch schlechter wird.

Vielleicht lag es an dieser Grippe oder was ihm auch zusetzte, dass er sich erst auf Neues konzentrieren konnte, wenn das Alte abgeschlossen war. Larry nahm den Anorak. In einer der Taschen klapperte es. Avery machte die Haustür auf.

Draußen gingen bereits die Lichter an. Der Wind nahm zu, ein Wind, der sich gar nicht erst mit Gliedmaßen abgab, sondern gleich vollends in einen fuhr. Als er die Kette vom Lenkrad abmachte, zitterten Averys Hände. Sie waren so feucht, dass er sie sich an den Hosenbeinen abwischte. Larry stieg neben ihm ins Auto. Er hatte den Anorak an, im Sitzen rutschten die Ärmel bis über die Handgelenke hinauf.

Das Tor, sagte er und stieg wieder aus.

Nicht, lassen Sie mich das machen. Avery dachte an die im Hinterhalt liegenden Fotografen. Kurz vor Schluss wollte er keine neuen Probleme mehr, außerdem hatte er nicht vor, die Sache auch nur eine Minute länger als nötig hinauszuzögern, damit er baldmöglichst wieder ins Bett kam. Ihn konnten sie jetzt nach Herzenslust fotografieren, aber er durfte nicht riskieren, dass Larry nervös wurde.

Er öffnete die Fahrertür und wollte sich aus dem Sitz stemmen, aber in der kurzen Zeit, die er im Auto gesessen hatte, schien ihn alle Kraft verlassen zu haben. Auf seiner Stirn brach Schweiß aus.

Alles in Ordnung?, fragte Larry.

Weiß nicht, sagte er. Diese Würstchen gestern Abend.

Hören Sie, ich kümmere mich um das Tor.

Nein. Erst dies, dachte er, dann das Nächste. Ich mach schon.

Er wusste nicht, wie er es geschafft hatte, aber gleich darauf stand er aufrecht auf dem Kies, wenn auch mit zitternden Beinen.

In dem Zustand können Sie nicht fahren, sagte Larry.

Das konnte er wirklich nicht, aber er sagte, mir geht es gut.

Tut es nicht.

Larry war jetzt ebenfalls ausgestiegen. Ich fahre, sagte er.

Avery war jetzt fast alles egal, solange sie nur bald ankamen.

Also gut, von mir aus.

Er war erst wenige Schritte in Richtung Tor gegangen, als ihm einfiel, dass er Larry wegen des Rückspiegels warnen sollte. Er drehte sich um, die Worte *mit beiden Händen* irgendwo zwischen Mund und Verstand, als er sah, wie Larry sich aus dem Fahrersitz vorbeugte, um den Spiegel auch ohne Vorwarnung mit beiden Händen auf seine Blickhöhe zurechtzurücken.

Sein Hirn konnte erst nicht begreifen, was er sah. Er fragte sich, ob ihm die Worte unbemerkt über die Lippen gekommen waren, doch dann schien Larry zu spüren, dass er beobachtet wurde, und er sah zwischen den Armen hindurch zu ihm herüber; die Hände lösten sich vom Spiegel. Ein Partikel auf der Suche nach einer Welle. Und im selben Moment wusste Avery Bescheid, und Larry wusste, dass er Bescheid wusste. Sein Gesichtsausdruck – Avery würde in den kommenden Wochen noch oft genug Anlass haben, ihn zu beschreiben – verriet Resignation, keine Panik, als wäre er selbst überrascht, dass er es so weit geschafft hatte, ohne sich zu verraten.

Er öffnete die Fahrertür und setzte einen Fuß auf die Zufahrt. Der Fuß wirkte deplatziert, fast wie die Requisite eines Komikers. Larry hätte auf der anderen Seite aussteigen und den Fuß dort auf dem Kies stehen lassen sollen, doch folgte sein anderer Fuß nach und brachte den Rest des Körpers zum Vorschein.

Sie waren es. Sie haben meinen Wagen genommen, sagte Avery.

Natürlich habe ich mir Ihren Wagen genommen. Sie wollten mich im Stich lassen, also musste ich doch etwas unternehmen. Sie haben sogar die Tür offen gelassen.

Nein, sagte Avery, womit kein Widerspruch, sondern eine simple Feststellung gemeint war: Er würde ihm nicht länger zuhören. Sie sind ein Lügner.

Ich habe getan, was ich tun musste, sagte Larry.

In diesem Augenblick – und auch das war etwas, worüber er in den kommenden Wochen und Monaten oft nachdenken sollte – wollte Avery ihm irgendwie wehtun. Hätte er sich auf ihn stürzen können, er hätte es getan. Doch so wie er sich fühlte, konnte er gerade mal einen Fuß vor den anderen setzen.

Larry hielt noch einige Sekunden die Stellung, dann drehte er sich um und rannte davon. Nein, er joggte bloß, als wüsste er, dass Avery keine Chance hatte, ihn einzuholen, oder als ahnte er, dass es für ihn nichts gab, wohin er laufen konnte. Das Haus war verschlossen. Über die Hecke hinter dem

Haus konnte man nicht klettern. Avery – schwach, doch wie angewurzelt an seinem Platz – stand zwischen ihm und dem Tor.

Auf die andere Möglichkeit kam Avery erst, als er sah, wie Larry nach dem Geländer der Umspannstation griff.

Jetzt trieb er sich an, rang sich ein Joggingtempo ab, doch war er zu langsam, kam zu spät. Larrys Kopf befand sich schon auf einer Höhe mit dem oberen Zaunende. Avery wollte noch einen Gang zulegen, aber da war einfach keiner mehr. Selbst seine Stimme schien keine Kraft mehr zu haben, als er eine Warnung rief.

Fast kam es ihm wie eine Halluzination vor. Ein Mann in Larrys Alter, der einen Zaun dieser Höhe hinaufkletterte und sich dann hinüberschwang. Er schien unmöglich fallen zu können, wie der Mann dort oben sich fallen ließ, auf die andere Seite, unverletzt. Avery wandte sich wieder zum Tor um, er würde die Fotografen bitten, ihm zu helfen, damit Larry sich nicht aus dem Staub machen konnte. Doch als er den Riegel beiseite gezogen, den Dorn angehoben und die Torflügel auseinandergeschoben hatte, war niemand auf der Straße, wohin er auch sah. Und dann – von dort, wo er stand, schien die ganze Stadt betroffen zu sein, aber vielleicht galt dies auch nur für sein eigenes Sichtfeld – zuckte ein blauer Blitz auf und die Lichter gingen aus

und wieder an.

Avery fiel vornüber auf Hände und Knie.

Es kam immer noch niemand.

5

Sobald Frances davon hörte, wollte sie nach Hause zurück, aber Avery ließ sie mit dem Baby nicht in seine Nähe, solange er nicht einwandfrei davon überzeugt war, dass er nur an einer Lebensmittelvergiftung litt. Als sie dann am späten Freitagabend kam, war nicht mehr viel in ihm, dass er noch hätte ausschwitzen, -kotzen oder -scheißen können.

In der ersten, der schlimmsten Nacht saß Des an seiner Seite, betete meist, füllte das Wasserglas auf und leerte die Bettpfanne. Als Avery in den frühen Morgenstunden vor Krämpfen und aus Angst vor seinen Träumen nicht schlafen konnte, holte Des ihm aus dem Flur die Abendzeitung. (Selbst die Spätausgabe kam für Larry noch zu früh.) Avery reagierte kaum, als er den Artikel auf Seite fünf mit dem Titel: ›Spielschuldentheorie im Arztfall‹ las.

> Die Beamten, die den Überfall auf einen Belfaster Arzt in der letzten Woche untersuchen, gehen nun davon aus, dass er paramilitärischen Kredithaien zum Opfer gefallen sein könnte. Man nimmt an, dass Dr. Tony Russell (31) ein verblüffendes Doppelleben zwischen beruflicher Respektabilität und zwanghafter Spielsucht geführt hat. Inspektor David Sloan, Leiter der Untersuchungskommission, sagte, Nachforschungen hätten ergeben, dass sich Dr. Russell in letzter Zeit große Summen geliehen habe. »Wir wissen, dass es da draußen Spielhöllen gibt, die während der ganzen Nacht geöffnet haben und in

denen extrem große Summen gewonnen und – wie leider auch in diesem Fall – verloren werden können. Wir bitten jeden, der Kontakt zu Dr. Russell hatte, uns unter den vertraulichen Rufnummern der Kriminalpolizei anzurufen. Glücksspiele in einem solchen Ausmaß gelten als Sucht, und wie auch bei anderen Süchtigen gibt es Elemente in unserer Gesellschaft, die nur allzu gern bereit sind, solche Süchtigen auszunutzen.« Dr. Russell liegt noch im Krankenhaus, doch hofft die Polizei, ihn bald vernehmen zu können.

Die Polizei hatte Avery wegen Larry bereits vernommen, doch war er vor Schwäche immer wieder zusammengebrochen (oder er hatte sich übergeben müssen), weshalb die Beamten schließlich gingen und sagten, sie kämen wieder, wenn er in besserer Verfassung sei. Sie wiesen allerdings nachdrücklich darauf hin, dass es sich dabei um einen reinen Routinebesuch handeln würde. Trotz aller Warnschilder sei es nämlich nicht leicht, durch diese Stationen *aus Versehen* einen tödlichen Stromschlag zu erleiden. Die Frau des Verstorbenen, die von ihm getrennt gelebt hatte, habe ihnen erklärt, dass Larry eine lange Vorgeschichte mit Wahnvorstellungen und Depressionen hatte. Manchmal brauche ein potenzieller Selbstmörder das Gefühl, zur tödlichen Tat getrieben zu werden, um sie auch ausführen zu können. Es bestünde daher die Wahrscheinlichkeit, dass Larry sich eine Ecke gesucht habe, in die er gedrängt werden wollte.

Avery sagte der Polizei, er habe herausgefunden, wie sein Wagen gestohlen worden sei. Er erzählte, wie eines Tages, als er auf einer Bank im Stadtzentrum gesessen habe, Elspets Adresse *zufällig* vor seine Füße gefallen sei und wie er sich seither gefühlt habe, als ob er derjenige sei, der herumgestoßen und -gezerrt würde. Wie einen Narren hatte man ihn behandelt.

Ich dachte, das gehört zu Ihrem Job, sagte einer der Polizisten. Im Zweifelsfall zu den Menschen zu stehen. Oder nicht?

Die Kassette in der Anoraktasche war zerstört worden. (Er hatte es nicht schicklich gefunden, danach zu fragen, und wartete, bis die Polizei ihm von sich aus diese Tatsache mitteilte.) Allerdings hatte Avery ihren Inhalt noch so lebhaft in Erinnerung, dass er, sobald er etwas zu Kräften gekommen war und seine Fassung wiedergefunden hatte, ganze Passagen zwar nicht wortwörtlich, doch in hohem Grade wortgetreu wiedergeben konnte. Er probierte die Geschichte an Des aus, kam aber nur bis zur Hausdurchsuchung in der Cliftonville Road, als Des ihn unterbrach.

Tut mir leid, sagte er, das mag etwas merkwürdig klingen, weil es gerade von mir kommt, aber hast du je *Im Namen des Vaters* gesehen? Ich glaube, das ist der Film, an den ich gerade denke. Jedenfalls kommt gleich am Anfang diese Szene, in der – wie heißt er noch? – Daniel Day-Lewis und dieser andere Typ ihre Hosen runterlassen müssen.

Kann mich nicht erinnern.

Ich bin mir ziemlich sicher.

Und?

Ich weiß nicht. Wenn du erzählst, von den Partys in dem Haus und so – das ist, als gäbe es noch einen Film – ich kann fast die Kameras laufen hören.

Er hat sich alles nur zusammengereimt?

Wie gesagt, es mag seltsam klingen, weil es gerade von mir kommt.

Doch es gab nichts mehr, das in Averys Ohren noch seltsam klang. Trotzdem blieb die Frage: Warum sollte er sich all das ausdenken?

Blain sagte, er erinnere sich an einen Krach – falsch, er erinnere sich an eine endlose Reihe von Krächen, aber bei diesem einen ging es um einen Western, der im Fernsehen lief. Vielleicht wollte Larry lieber was anderes sehen, jedenfalls gab er ständig seine Kommentare ab, machte sich über die Schauspieler lustig, wies Lücken im Plot auf. Je mehr der Vater versuchte, ihn zum Schweigen zu bringen, umso lauter wurde Larry. Es gab eine große Schießerei, Sie wissen schon, Kerle, die von Balkonen purzeln und an ihren Steigbügeln durch die Straßen geschleift werden. Und immer, wenn jemand erschossen wurde, stellte Larry seinem Vater dieselbe Frage. Wie hieß der Typ noch mal? Wie hieß der Typ noch mal? Er stachelte ihn auf. Und plötzlich brannte bei ihrem Vater die Sicherung durch: Er packte Larry im Genick und wollte ihn aus dem Zimmer schleifen. Wenn er wollte, hätte der Vater Larry jederzeit fertig machen können, das wusste Larry, aber das machte ihn erst recht verrückt. Er schrie ihn an: Weißt du, was das mit dir anstellt, wenn du da sitzt und dir anguckst, wie Menschen wie Tauben und Kaninchen abgeknallt werden?

Kann natürlich sein, dass er seinen Vater nur auf die Palme bringen wollte, aber die Formulierung sollte für immer in Blains Erinnerung haften bleiben: wie Tauben und Kaninchen.

Blain kümmerte sich um die Beerdigung. Als er mit Avery sprach, erklärte er als Erstes seine Beziehung zu Elspet.

Wissen Sie, als wir beide zusammenkamen, war mit ihr und Larry alles vorbei. Schon lange. Ich bin hin und wieder bei ihr vorbeigegangen, um nach ihr zu sehen und um sie zu fragen, wie sie zurechtkommt. Sie hatte eine Menge durchgemacht. Mein Bruder war ein ziemlich schwieriger Mensch.

Er fürchtete sich vor dem, was Larry anstellen könne, wenn er etwas über sie beide herausfände. Heute schäme er sich, das zu gestehen, aber er habe sogar versucht, Elspet zu überreden, ihm kein Geld mehr zu schicken. Diese Briefe banden sie ebenso an Larry, wie sie ihn an sie banden. Elspet hörte nicht auf ihn. Das gehe ihn nichts an, hatte sie gesagt. Das sei eine Sache zwischen ihr und Larry.

Tja, die anderen Leute, sagte Avery.

Die Beziehungen anderer Leute, sagte Blain. Bei dieser Dalai-Lama-Sache hatte Elspet ihm Avery gezeigt. Wir saßen in der Galerie. Sie wollte mich Ihnen nicht vorstellen. Wir haben uns gestritten. Sie ging, ehe er ausgeredet hatte.

Dann haben Sie mir aufgelauert.

Als ich anfing, Ihnen nachzugehen, wusste ich nicht, dass ich Ihnen derart in den Rücken fallen würde. Ich wusste noch nicht mal, ob ich überhaupt mit Ihnen sprechen wollte. Aber dann, nun, Sie wissen ja, wie es ist, wenn man jemanden verfolgt.

Tja, sagte Avery, wieder mal ertappt. Der botanische Garten. Immerhin etwas, wozu ich eindeutig nicht berufen bin.

Da wäre ich mir nicht so sicher. Wenn Elspet mich nicht gezwungen hätte, den Wagen anzuhalten, hätten wir sicher nie gemerkt, dass Sie auch da waren.

Auch? Wer war denn noch da?, fragte Avery.

Larry natürlich.

Nein. Avery fragte sich, wer von ihnen beiden nun etwas durcheinanderbrachte. Ich war an dem Tag allein.

Blain blickte ihm in die Augen, fand dort offenbar aber keinen Grund, ihm nicht zu glauben.

Nun, er stand etwa drei Meter hinter Ihnen. Seit einiger Zeit tauchte er öfter am Schwimmbad auf und belästigte Elspet. Ich war an dem Tag gekommen, um ihm zu sagen, dass er die Finger von ihr lassen solle. Elspet war stinksauer auf mich. Sie war auch wütend auf Sie. Sie dachte, Sie wären irgendwie schuld an seinem plötzlich wiedererwachten Interesse an ihr, dabei war es natürlich genau anders herum. Er war schuld daran, dass Sie auftauchten. Er musste gewusst haben, dass Sie früher oder später etwas sehen würden, das in Ihnen die Frage weckte, ob nicht doch etwas Wahres an seiner Geschichte sein könnte, wenn sich all diese Menschen verschworen, um ihn zum Schweigen zu bringen.

Ich habe an dem Tag nur die Zeit totgeschlagen, sagte Avery. Ich hätte ebenso gut in die Werkstatt fahren können.

Dies ist keine Stadt, dies ist ein Dorf, meinte Blain.

Elspet war zu verstört, um viel zu sagen, ehe die Beerdigung vorbei war. Im Krematorium saß zwischen ihr und Blain die Mutter der beiden Brüder, eine Frau, die sich mit zunehmendem Alter immer weiter von dem entfernte, von dem sie einst gewiss behauptet hätte, es wäre ihr ein und alles. Während der Feierstunde hielt sie eine Rose in der Hand, hielt sie umklammert, als wäre sie heute Morgen einzig und allein deshalb gekommen, um diese Rose zu halten.

Es saßen noch etwa zwanzig Leute im Saal, eher verteilt als vereint, als wollten sie niemandem zu nahe kommen und auch nicht, dass man ihnen zu nahe kam – ihre einzige Gemeinsamkeit der über einer Falltür stehende Sarg. Leo und Patricia saßen weit hinten auf den Plätzen neben der Tür, so nahe am Ausgang wie nur möglich.

Avery grüßte sie mit sanftem Nicken, als er laut den dreiundzwanzigsten Psalm vorzulesen begann und dabei an jenen Augenblick dachte, in dem er Larry zum ersten Mal gesehen hatte, damals, als er zur Decke emporgeschaut hatte, als eben dieser Psalm gesungen worden war. Er fragte sich, ob Larry an dem Tag schon wusste, wo all dies enden würde. Vielleicht hatte er nur deshalb an jenem Sonntag Alkohol an ihm gerochen, weil er sich Mut angetrunken hatte.

Blain hatte ihn erst am Nachmittag zuvor gefragt, ob er einige Worte sprechen könnte.

Es war wie bei dem Glas Guinness, an dem die vielen berühmten Leute genippt hatten, nur genau anders herum. Wenn Avery die wenigen Worte addierte, die zu sagen er je gebeten worden war, käme dabei der beste Teil der Bibel zusammen.

Ehrlich gesagt, wollten wir eigentlich nichts Religiöses, sagte Blain. Bei dem, was wir über seinen Glauben oder vielmehr seinem mangelnden Glauben wussten, schien es uns nicht richtig. Vielleicht aber, da er am Ende mit Ihnen im Haus gewesen ist …

Avery hätte gelogen, hätte er gesagt, dass dies durchaus möglich sein könnte, doch Beerdigungen sind ebenso für die Lebenden wie für die Toten: Denn du bist bei mir, dein Stecken und Stab trösten mich.

Er hielt sich strikt an das Buch: Wir versichern, dass niemand von uns vergebens lebt, vergebens sich müht, vergebens Liebe empfängt oder gibt. Im Angesicht der Ewigkeit bedeutet jeder von uns mehr, als wir auch nur erahnen können … Und nicht zum ersten Mal lieferte das Buch genau die richtigen Worte. Blain bedankte sich, Elspet bedankte sich; draußen im Flur, wo ein einziger Kranz neben einer Karte lag, die statt Blumen eine Spende an die Gesellschaft für Hirnkranke erbat, bedankten sich Leo und Patricia.

Ich war strikt dagegen herzukommen, sagte Patricia, aber Leo wollte unbedingt, ob mit mir oder ohne mich, und ich konnte ihn doch nicht allein gehen lassen.

Es hat mir geholfen, ihn zu sehen, und wenn es auch nur im Sarg war, sagte Leo. Erst habe ich vor Wut getobt. Jetzt bin ich zwar noch oft wütend, aber ich sage mir auch immer wieder, was soll's, er hat Leute dazu gebracht, noch einmal an sie zu denken, und wenn es auch nur für ein, zwei Tage gewesen ist. Wer weiß? Vielleicht regt sich wegen dieser Geschichte ja wirklich bei irgendjemandem das schlechte Gewissen.

Laut offiziellem Standpunkt der Polizei blieben die Morde in der Bar weiterhin unaufgeklärt. Man würde allerdings mit den Untersuchungen fortfahren, so wie man weiterhin auch alle 1800 ungeklärten Mordfälle der letzten drei Jahrzehnte untersuchen werde. Es versteht sich von selbst, dass Patricia kein Wort davon glaubte. Avery nahm auch nicht an, dass es vielen Leuten anders ging.

Die meisten Trauergäste gingen, ohne mehr als ein oder zwei Worte an Elspet oder Blain zu richten oder Blains Mutter kurz die Hand zu drücken.

Tragisch.

Mein herzlichstes Beileid.

Wird es denn gehen?

Avery ging selbst gerade zum Auto, als ein junger Mann in einem Lederblouson neben ihm auftauchte.

Entschuldigen Sie, sagte er. Sie kennen mich nicht, aber ich war gerade in der Andacht.

Avery kannte ihn nicht und konnte sich auch nicht daran erinnern, ihn je gesehen zu haben. Tut mir leid, sagte er, waren Sie ein Freund von Larry?

Ich nicht, sagte der junge Mann, aber mein Großvater. Er zeigte auf ein Auto, das drei Wagen vor Averys stand. Er hätte gern gewusst, ob Sie nicht auf ein Wort zu ihm kommen könnten.

Der Mann, der Avery die Beifahrertür öffnete, war Anfang siebzig. Das weiße Haar zurückgekämmt, im Ansatz gelb von Pomade. Die Finger wiesen eine tiefe Nikotinbräune auf. Avery kannte ihn ebenso wenig wie seinen Enkel.

Entschuldigen Sie, dass ich sitzen bleibe, sagte er. Die alten Knochen.

Geht schon, sagte Avery, der vor ihm in die Hocke gegangen war.

Vielleicht wollen Sie ja einen Augenblick hinten einsteigen, sagte der alte Mann. Ich heiße Tommy Power und habe damals in der Bar gearbeitet, in der die Leute erschossen wurden.

Ach, du liebe Zeit. Avery schwang sich wieder in die Höhe, fasste sich, öffnete die hintere Wagentür und stieg ein. Der

Enkel spazierte hinüber zum Rasen, um die Plaketten am Fuße der Gedächtnisbäume zu lesen.

Tommy Power wandte sich zu ihm um. Sein Auge zuckte, doch sollte es wohl eher ein entschuldigendes Zwinkern als tatsächlich ein Blinzeln sein. Eigentlich geht es den Knochen nicht so schlimm, wie ich Ihnen weismachen wollte. Aber als es so weit war, habe ich es einfach nicht über mich gebracht, da reinzugehen. Stattdessen musste der Junge hin.

Sie haben Larry also gekannt?, fragte Avery, und Tommy nickte.

Ich hab ihn bei mir in der Bar aushelfen lassen. Gläser einsammeln, abwaschen, kleine Aufträge erledigen. Ich hatte drüben auf der anderen Seite des Ozeans selbst einen Jungen in seinem Alter und hoffte, sollte ihn mal das Glück verlassen, würde sich irgendwer auch so um ihn kümmern, wie ich mich um diesen Jungen gekümmert habe. Am Abend des Überfalls kam er schon ziemlich früh, saß eine Weile da und las die Zeitung. Es muss so auf acht zugegangen sein, als ich ihm gesagt habe, es sähe nicht gerade so aus, als ob es noch viel zu tun gäbe, und er solle losziehen und sich zur Abwechslung mal ein bisschen vergnügen. Er war noch recht jung, aber manchmal konnte man meinen, er trüge das Gewicht der ganzen Welt auf den Schultern. Ich gab ihm ein paar Pfund Vorschuss aus der Kasse und weiß noch, wie ich gedacht habe, dass ich etwas knapp an Scheinen war, falls plötzlich mal ein Ansturm käme, nicht, dass das besonders wahrscheinlich gewesen wäre; außerdem hatte er ja an manchen Abenden nur für ein Bier und ein Sandwich ausgeholfen.

Die drei kamen in die Bar, als er ging. Er hielt ihnen die Tür auf. Mairead packte ihn am Arm, sagte, was er doch für ein Gentleman sei. Sie hatte einen in der Krone. Hatten sie alle. Sie fragte ihn, warum er es denn so eilig habe und ob er nicht lieber bleiben und etwas mit ihnen trinken wolle. Dann sagte sie, vielleicht ginge sie mit ihm, ließe die Turteltäubchen allein – Davy und die andere Frau, Roisin, die waren ein Paar. Larry wusste nicht, was er sagen sollte. Unter uns, ich glaube, er hatte Schiss. Roisin sagte ihr, sie solle sich hinsetzen und den armen Kleinen in Ruhe lassen, zog sie näher zu sich heran, alberte mit ihr herum. Mairead trug eine Halskette, und die zerriss dabei. Natürlich gab es ein großes Drama. Roisin regte sich noch stärker auf als Mairead, sagte, schließlich hätte sie Mairead die Kette geschenkt. Sie wollte sie reparieren lassen, wollte ihr eine brandneue besorgen ... Mairead sagte, sie solle sich keine Sorgen machen, so schlimm sei es nicht. Und dann – ich weiß nicht mal, ob Roisin was davon gemerkt hat – steckte sie Larry die Kette in die Tasche und flüsterte ihm was zu. Vielleicht: Pass für mich darauf auf. Bring sie mir wieder, wenn es nicht mehr so wahrscheinlich ist, dass ich sie verliere. Ich rate nur. Ich war zu weit weg, um was zu hören.

Eine halbe Stunde später spazierte dieser Typ mit seiner Knarre herein. Er war nicht gerade glücklich, als ich ihm die paar Pfund zeigte, die ich in der Kasse hatte. Hinterher habe ich mich immer gefragt, ob das was mit dem zu tun hat, was dann passiert ist, als ich nach hinten ging. Man weiß ja nie, was bei solchen Leuten den Schalter umlegt, oder? Und wenn der Rest der Welt eingepackt hat und auf und davon ist, müssen wir vor uns selbst doch immer noch verantworten, was wir hier aus schierer Böswilligkeit getan haben.

Die ersten Trauergäste für die nächste Einäscherung waren eingetroffen. Unter ihnen überdurchschnittlich viele Jugendliche. Vielleicht einer von ihnen. Ein paar Jungen und Mädchen rissen Witze und rauchten trotzig, aber die meisten wirkten wie betäubt. *Selbst einem von uns kann das passieren.*

Avery fragte Tommy Power, ob er dies alles auch der Polizei erzählt habe.

Natürlich, sagte er. Alles, was mir einfiel. Wissen Sie, meine Nerven waren damals ziemlich im Eimer. Mir ging's eine ganze Weile gar nicht gut.

Und hat die Polizei auch mit Larry geredet?

Mit ihm geredet? Nach dem, was ich gehört habe, hat man ihn am Ende gebeten, mit seinen Theorien nicht mehr zu ihnen zu kommen. Sie hätten weiß Gott genug Morde, um die sie sich kümmern müssten. Ich meine, so was passierte damals doch tagein, tagaus.

Zwei Leichenwagen trafen ein, der Letztere derart mit weißen Blumen überladen, dass es aussah, als wären die Blüten hinterm Glas unterwegs wie Popcorn aufgeplatzt. Ein schwarzer Wagen mit den verzweifelten Eltern hielt gleich als nächster. Gott helfe ihnen.

Tommys Enkel kam zurück und setzte sich hinters Steuer. Ich glaube, wir müssen von hier verschwinden.

Von mir aus, sagte Tommy.

Darf ich Ihnen noch eine letzte Frage stellen?

Natürlich.

Hätte es Larry gewesen sein können, der mit einer Gesichtsmaske zurück in die Bar kam?

Ich hätte ihn erkannt, sagte Tommy, keine Frage. Ich habe ihn schließlich auch erkannt, als ich nach seinem Unfall ins Krankenhaus bin und sein Gesicht blau angelaufen und verbunden war.

Sie haben ihn besucht?

Jede Woche, wenn die Nerven es zuließen. Es war schon eine Schande, dass er so wenige Besucher hatte. Der einzige Mensch, den ich sonst noch bei ihm gesehen habe, war seine Mutter. Als ich sie eben aus der Leichenhalle kommen sah, wollte ich schon aussteigen, ein paar Worte mit ihr wechseln, habe aber gleich gesehen, dass sie sich selbst nicht mehr kennt – und mich ganz bestimmt nicht mehr.

Opa, sagte der Enkel, und Avery sagte: Tut mir leid, und

machte die Tür auf. Er drehte sich noch einmal um und gab Tommy die Hand.

Herzlichen Dank, sagte er. Für die Geschichte, meinte er, aber auch für alles andere. Dafür, dass er sich um Larry gekümmert hatte.

Blain und Elspet hatten unweit vom Krematorium zu einem kleinen Leichenschmaus ins Hotel La Mon House geladen. Avery wurde erwartet. Er fragte Tommy und seinen Enkel, ob sie nicht kommen wollten. Tommy schüttelte den Kopf. Ist mir zu gefährlich, sagte er.

Vor mehr als zwanzig Jahren waren im La Mon zwölf Menschen durch eine Brandbombe umgekommen. Sollte das ein Kriterium sein, gab es in Nordirland kaum mehr Orte, die für Tommy Power nicht so gefährlich gewesen wären, dass es sich für ihn gelohnt hätte, überhaupt noch vor die Haustür zu treten.

Sobald er wieder daheim war, nahm er als Erstes Ruth mit zum Obst- und Gemüsehändler unten an der Straße, um einen Weihnachtsbaum auszusuchen. Einen echten, richtigen, nach Toilettenreiniger riechenden Weihnachtsbaum. Von einigen Käufern, die sie unterwegs trafen, wurde er mit einem vorsichtigen Nicken oder angedeuteten Lächeln gegrüßt. Bis zur Zusammenkunft einer Schiedskommission des Presbyteriums in der ersten Woche des neuen Jahres hatte man Avery von seinen Pflichten befreit, doch vielleicht hatte Dr. Talbot Recht gehabt. Ging man von den zufälligen Begegnungen an diesem Nachmittag aus, dann würde seine Gemeinde mit der Zeit gewiss bereit sein, ihm zu verzeihen.

Auf dem Weg zum Händler und wieder zurück nach Hause schwatzte Ruth pausenlos auf Avery ein, als hätte sie die Aufregungen der letzten Wochen schon weit hinter sich gelassen. Sie war daheim, sie hielt ihren Daddy an der Hand, und heute Abend wollten sie den Weihnachtsbaum schmücken. Konnte irgendwas wichtiger sein?

Zweieinhalb Wochen nach Beginn seines Lebens konnte alles, was für David wichtig war, noch auf einer Hälfte eines Doppelbettes oder im Babykorb daneben Platz finden. Wenn er nicht schlief oder gefüttert wurde, schien er seine Finger zu bewundern, die zugegebenermaßen wirklich äußerst exquisit waren. Den Kopf auf die Ellbogen gestützt, hatte Avery ihn fast eine Stunde lang angeschaut, und die Haare, so spärlich, dass man beinahe glauben konnte, sie seien von Hand gepflanzt worden, und die Lippen im Schlaf um erträumte Nippel geschlossen, während Frances mit einiger Verspätung endlich dazu kam, die Taschen auszupacken, deren Boden sie zuletzt an jenem Tag gesehen hatte, an dem sie ins Krankenhaus gefahren worden war.

Der braune Umschlag steckte in der Seitentasche bei den pastellfarbenen Briefen und Babykarten, die sie auf der Station erhalten hatte.

Avery, sagte sie.

Er drehte den aufgestützten Kopf zu ihr um und konnte seinen Namen auf dem Umschlag erkennen, doch als er sah, wessen Handschrift es war, fuhr er auf und entriss ihr den Brief.

Tut mir leid, sagte sie. Avery machte das Kuvert auf. Habe überhaupt nicht mehr dran gedacht. Er hat ihn mir irgendwann abends auf die Station gebracht, als ich fast eingeschlafen war. Er sagte, du würdest schon wissen, worum es geht.

Der Umschlag enthielt ein aus einem Ringbuch herausgerissenes und gefaltetes Blatt. Auf die äußere Seite hatte Tony geschrieben: *Vergiss nicht, das hier hast du nicht von mir*, doch innen stand nur ein einziges, unterstrichenes Wort: *Nichts*.

Avery las noch einmal, Außenseite und Innenseite.

Was ist es?, fragte Frances.

Was es war? Eine Antwort? Eine List? Tonys Art zu scherzen?

Ich kann es dir nicht sagen.

Wie erstarrt blieb Frances auf halbem Weg zwischen Tasche und Schrank stehen.

Ich meine es ernst, ich kann es dir wirklich nicht sagen.

Frances blieb einfach nur stehen und starrte ihn lange, lange an.

Danksagung

Den Herausgebern des Buches *New Writing 12* (Picador), in dem eine Version des 1. Kapitels erschien, ist Dank geschuldet, ebenso Cathy McMenemy und Gerry Kelly bei Donnelly & Wall Solicitors, Ali FitzGibbon, meiner ersten Leserin, und vor allem Chris Glover, der mir gab, was ich am meisten brauchte, nämlich Verständnis für die Kirche als Arbeitsplatz, wobei er mich jedoch nie im Zweifel daran ließ, dass sie für ihn noch unendlich viel mehr bedeutet. Alle Fehler gehen, wie immer, allein auf mein Konto.